Os Anjos do Tempo

CB015298

Clockwork Angels

Os Anjos do Tempo

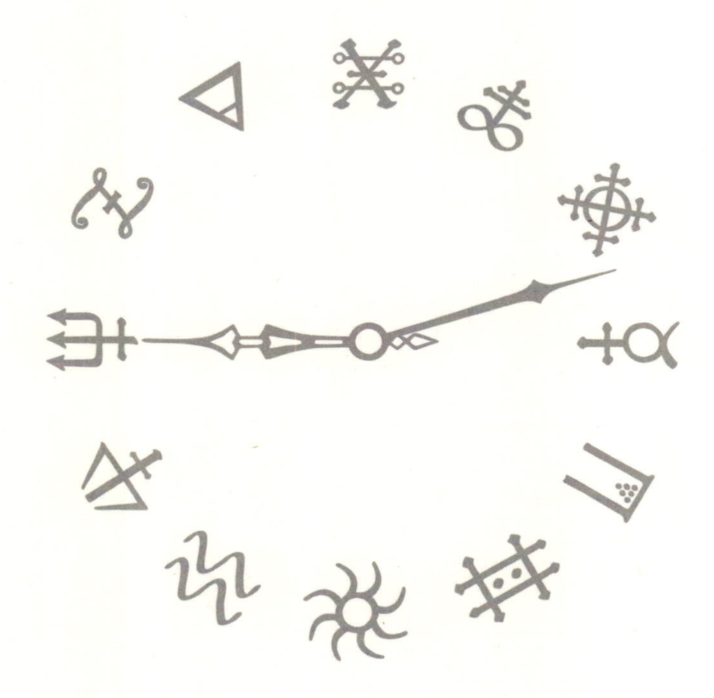

Kevin J. Anderson

Baseado nas letras de Neil Peart

BelasLetras

Caxias do Sul – 2015

© Copyright 2012 Core Music Publishing

Título original: Clockwork Angels

Editor
Gustavo Guertler

Revisão
Equipe Belas-Letras

Capa e projeto gráfico
Celso Orlandin Jr.

Ilustrações
Hugh Syme

Tradução
Bruno Mattos

Dados Internacionais de Catalogação na Fonte (CIP)
Biblioteca Pública Municipal Dr. Demetrio Niederauer
Caxias do Sul, RS

A547a Anderson, Kevin J.
Os anjos do tempo / Kevin J. Anderson, Neil Peart; ilustração de Hugh Syme; tradução de Bruno Mattos. Caxias do Sul, RS: Belas-Letras, 2015.
296 p.: il.

1. Romance americano. I. Peart, Neil. II. Syme, Hugh (il.) III. Mattos, Bruno (trad.) IV.Título

14/59 CDU: 821.111(73)-31

Catalogação elaborada pela Bibliotecária
Maria Nair Sodré Monteiro da Cruz CRB 10/904

Todos os direitos estão reservados. Nenhuma parte desta publicação pode ser reproduzida,armazenada ou transmitida de qualquer forma por qualquer processo – eletrônico, mecânico, por fotocópia, gravação ou qualquer outro – sem a prévia autorização por escrito dos proprietários dos direitos autorais e ECW Press. A digitalização, envio e distribuição deste livro por meio da Internet ou de qualquer outro meio sem a permissão da editora é ilegal e punível por lei. Por favor, compre edições eletrônicas só autorizadas e não colabore com a pirataria de materiais protegidos por direitos autorais. O seu apoio aos direitos dos autores é apreciado.

Grafia atualizada segundo o Acordo Ortográfico da Língua Portuguesa de 1990, que entrou em vigor no Brasil em 2009.

IMPRESSO NO BRASIL

[2015]
Todos os direitos desta edição reservados à
EDITORA BELAS-LETRAS LTDA.
Rua Coronel Camisão, 167
Cep: 95020-420 – Caxias do Sul – RS
Fone: (54) 3025.3888 – www.belasletras.com.br

Para Olivia e Harrison,
que estão apenas começando todas as viagens de uma grande aventura

---

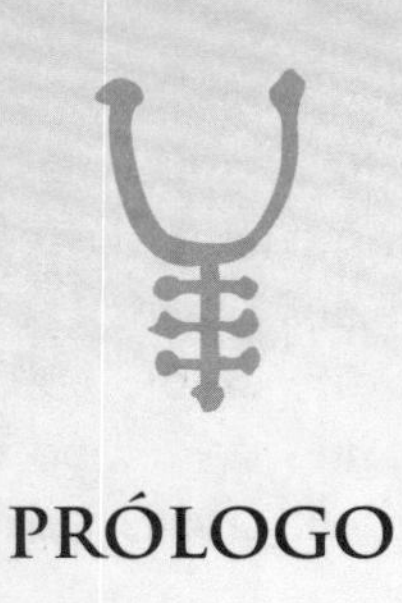

PRÓLOGO

O tempo ainda é um eterno bufão

Parece que foi uma vida atrás – o que, é claro, não deixa de ser verdade... até mais que isso. Uma vida boa, embora nem sempre parecesse assim.

Desde o início eu tinha estabilidade, uma felicidade palpável, uma vida perfeita. Cada coisa tinha o seu lugar, e cada lugar tinha a sua coisa. Eu sabia meu papel no mundo. O que mais poderia querer? Para um determinado tipo de gente, essa pergunta jamais pode ser respondida; era uma pergunta que eu tinha de responder à minha maneira.

Hoje, ao olhar esses anos em retrospecto, consigo mensurar minha vida e comparar a felicidade que deveria estar lá (de acordo com o Relojoeiro) com a felicidade que havia *de fato*.

Apesar de eu agora ser velho e cheio de memórias, gostaria de poder viver tudo de novo.

Sim, já relembrei tudo e contei a história diversas vezes. Os fatos me parecem tão vívidos quanto da primeira vez, talvez até mais vívidos... talvez até um pouco exagerados.

Os netos escutam atenciosamente enquanto eu lengalengo sobre minhas aventuras. Percebo que alguns deles acham as histórias do velho entediantes – ao menos alguns deles. (Alguns dos meus netos, no caso... e presumo que também alguns dos causos).

Ao cuidar de um jardim amplo e belo, é preciso plantar muitas sementes sem nunca saber antes do tempo quais germinarão, quais darão origem às flores mais esplendorosas, quais produzirão os frutos mais doces. Um bom jardineiro planta todas elas, regando e cuidando de cada uma delas, desejando sempre o melhor para cada uma.

Otimismo é o melhor fertilizante.

Na propriedade de minha família nas colinas, sob um céu azul e ensolarado, olho para cima em direção às nuvens brancas e busco discernir formas nelas, como sempre fiz. Eu costumava mostrar essas formas para outras pessoas, mas muitas vezes o esforço era em vão; hoje em dia a imaginação é exclusiva de pessoas especiais. Todo mundo precisa ver suas próprias formas nas nuvens, e algumas pessoas não veem nenhuma. É assim que as coisas são. Nos pomares que cobrem as colinas, oliveiras crescem onde bem entendem. À distância, as filas dos parreirais parecem linhas retas, mas cada uma tem características próprias, certa desordem em suas vinhas retorcidas: a liberdade daquilo que não segue regras. Digo que isso dá ao vinho um melhor sabor, e alguns visitantes descartam essa hipótese, como se fosse só mais uma de minhas histórias. Mas eles sempre ficam para uma segunda taça.

Tremeluzindo em meio ao ar espesso, veem-se os luminosos pavilhões de treinamento. Seus toldos tingidos batem no ritmo do vento. O mesmo vento suave traz o som de crianças rindo, os estampidos de equipamentos sendo testados, os lamentos e gemidos de um órgão a vapor sendo afinado. Enquanto se preparam para a próxima estação, minha família e meus amigos amam cada instante – essa não é a melhor maneira de avaliar sua profissão? Meu próprio contentamento está aqui em casa. Alegro-me com caminhadas matinais pela praia, quando vejo as surpresas que a maré deixou para mim. Depois do almoço e de um cochilo obrigatório, mergulho em minha horta de vegetais (que ficou grande demais para mim, e não me importo nem um pouco). Planto sementes, removo ervas daninhas, enterro batatas, desencavo batatas e colho tudo o que parece estar maduro na semana em questão.

Neste exato momento, são as abóboras que exigem minha atenção, e quatro de meus jovens netos me auxiliam na tarefa. Três deles trabalham ao meu lado porque foram designados por seus pais para essa tarefa, e Alain está aqui com seus cabelos cacheados porque quer ouvir as histórias que seu avô conta.

As abóboras exuberantes cresceram em um outeiro cercado por selva, onde folhas escuras que abrigam um sem-número de espinhos com a espessura de fios de cabelos deixam meus netos um tanto consternados. De qualquer forma, eles batalham contra o matagal e retornam triunfantes, carregando grandes quantidades de abobrinhas verdes e compridas que eles largam em cestos. Abelhas zunem ao nosso redor enquanto procuram por flores, mas elas não incomodam as crianças.

Alain enfrenta a parte mais cerrada das vinhas e emerge de lá com três abóboras perfeitas.

– Quase não vimos essas! Na próxima colheita, elas estariam grandes demais.

O garoto nem gosta de abóbora, mas ele ama ver meu sorriso orgulhoso e, como eu, fica satisfeito por fazer algo que não teria sido feito por pessoas menos dedicadas. Ele sente que merece uma recompensa.

– Hoje de noite eu posso olhar o seu livro, vô Owen? Eu quero ver os cronótipos de Crown City.

Depois de uma pausa, Alain acrescenta:

– E os Anjos do Tempo!

Aquele não é o mesmo livro que eu possuía no vilarejo monótono em que vivia quando jovem, mas Alain tem a mesma imaginação e os mesmos sonhos que eu tinha. Me preocupo com o garoto, e também sinto inveja.

– Podemos ver juntos – eu digo. – Mais tarde, eu conto as histórias para você.

Os outros três netos não têm a sensibilidade para conter os seus resmungos. Minhas histórias não agradam a todos (e essa nunca foi a intenção), mas Alain pode ser a semente perfeita. Que outro motivo eu tenho para cultivar o meu jardim?

Acabo cedendo:

– O resto de vocês não precisa escutar dessa vez... desde que me ajudem a limpar as panelas depois da janta.

Eles aceitam a alternativa e param de reclamar. Como este pode ser o melhor dos mundos possíveis, se lavar a louça parece melhor do que ouvir os relatos de grandes aventuras? De bombas, piratas, cidades perdidas e tempestades no mar? Mas Alain está tão empolgado que mal pode esperar.

Aventuras são para os jovens.

Ah, como eu queria ser jovem outra vez...

CAPÍTULO 1

In a world where I feel so small
I can't stop thinking big
[Em um mundo onde me sinto tão pequeno
Não consigo deixar de pensar grande]

O melhor ponto de partida para uma aventura é uma vida perfeita e tranquila... e alguém que percebe que isso não é o suficiente.

Na colina coberta por um pomar verde, sobre uma curva sinuosa do rio Winding Pinion, Owen Hardy estava encostado contra o tronco de uma macieira e olhava para longe. De lá ele podia ver – ou ao menos imaginar – todo o Albion. Crown City, a capital do Relojoeiro, ficava muito longe (incrivelmente distante, pelo que ele sabia). Ele duvidava que mais alguém no vilarejo de Barrel Arbor se desse ao trabalho de pensar sobre a distância, visto que apenas uns poucos haviam empreendido a jornada até a cidade, e Owen certamente não era um deles.

– É melhor a gente ir – disse Lavinia, seu verdadeiro amor e sua alma gêmea.

Ela se levantou e alisou a saia.

– Você não precisa levar essas maçãs para a fábrica de sidra?

Ele completaria dezessete anos dentro de algumas semanas, mas já era o assistente de gerência do pomar. Ainda assim, geralmente era Lavinia quem o lembrava de suas responsabilidades. Ainda apoiado na macieira, ele pegou desajeitadamente um relógio de bolso e abriu o tampo.

– Não vai demorar muito. Mais onze minutos.

Ele olhou para os trilhos prateados que serpenteavam ao lado das águas calmas do rio no vale abaixo.

Lavinia ficava muito meiga quando fazia beicinho.

– Temos de ver os veículos a vapor passando todos os dias?

– Todos os dias, como um relógio.

Owen fechou o relógio de bolso, ciente de que ela não sentia a mesma empolgação que ele.

– Tudo é como deveria ser. Você não acha isso reconfortante?

Aquele, ao menos, era um motivo que ela entenderia.

– Sim. Graças ao nosso amado Relojoeiro.

Ela parou por um instante em um silêncio reverente, e Owen pensou no homem sábio e garboso que governava todo o país desde sua torre em Crown City. Lavinia tinha um nariz arredondado, olhos acinzentados e o rosto salpicado de sardas atrevidas. Às vezes Owen pensava escutar música em meio à sua voz suave, embora nunca tivesse ouvido ela cantar. Quando pensava no cabelo dela, ele o comparava à cor da madeira de uma nogueira, ou a de um café recém-passado com apenas uma colherinha de creme.

Uma vez ele havia perguntado a Lavinia como ela chamava a cor de seu cabelo. Ela respondeu "marrom", e ele riu. A simplicidade sucinta dela era encantadora.

– Temos de voltar cedo hoje – observou ela. – O almanaque listou chuva para as 3h11.

– Ainda temos tempo.

– Vamos ter de correr...

– Vai ser emocionante.

Ele apontou para as nuvens fofas que logo estariam trovejando, pois os alquimistas climáticos do Relojoeiro nunca erravam.

– Aquela parece uma ovelha.

– Qual?

Ela olhou para o céu. Ele se aproximou dela e estendeu o braço:

– Siga o caminho que estou apontando... aquela, perto da que é comprida e plana.

– Não, eu quis perguntar com qual *ovelha* ela se parece.

Ele piscou.

– Qualquer ovelha.

– Eu não acho que as ovelhas sejam todas iguais.

– E aquela parece um dragão, se você pensar que a parte esquerda são as asas e aquela tripa fininha é o pescoço.

– Nunca vi um dragão. Acho que eles não existem.

Lavinia franziu as sobrancelhas ao ver sua expressão boquiaberta.

– Por que você sempre enxerga formas nas nuvens?

Ele também se perguntava por que ela *não* via.

– Porque tem muitas coisas para enxergarmos. O mundo inteiro! E se não posso vê-las por conta própria, tenho de imaginar tudo.

– Mas por que você não pensa só no seu dia? Tem muitas coisas para fazer aqui em Barrel Arbor.

– Aqui é muito pequeno. Não consigo deixar de pensar grande.

Ele escutou na distância o tinido rítmico do apito. E então ele o viu, emergindo em meio às macieiras, enquanto cobria os olhos do sol e olhava para baixo, onde estava o caminho reluzente e plano como uma folha de papel por onde passavam os veículos a vapor. A via energizada por poderes alquímicos levava direto para o centro de Crown City. Ele perdeu o fôlego e lutou contra o impulso de acenar, pois o veículo já estava longe demais para que qualquer pessoa a bordo pudesse vê-lo.

A fila de dirigíveis flutuantes desceu do céu e alinhou-se com os trilhos – grandes sacos cinzas foram sugados pela energia da via vapórea abaixo deles. Havia dirigíveis de carga pesada, que voavam em baixa altitude levando ferro e cobre das minas nas montanhas ou pilhas de lenha das florestas do norte, além de gôndolas decoradas para os passageiros. Presos uns aos outros, os veículos da via vapórea se moviam desajeitadamente como uma fantástica e extensa caravana.

Viajando sobre o terreno acidentado, os dirigíveis conectados uns aos outros baixaram no distante fim do vale, tocaram os trilhos com um beijo breve e, com o contato, as rodas metálicas completaram o circuito. A energia de fogo frio carregou seus motores a vapor, que mantinham os pistões motrizes bombeando.

Owen observou a fila de veículos passar, carregando tesouros e mistérios de perto e de longe. Como aquilo não iria disparar sua imaginação?

Ele desejava partir junto com a caravana. Uma vezinha só.

Era muito ambicioso ter vontade de ver o mundo inteiro? De experimentar tudo, de vivenciar as paisagens, os sons, os cheiros... de encontrar o Relojoeiro, talvez trabalhar em sua torre-relógio, escutar os Anjos, acenar para os navios a vapor partindo para o Mar do Oeste rumo à misteriosa Atlantis, talvez até *embarcar* em um desses navios e ver aquelas terras com os próprios olhos...?

– Owen, você está sonhando acordado outra vez.

Lavinia juntou a cesta de maçãs.

– Precisamos ir agora, ou vamos ficar encharcados.

Observando os dirigíveis seguirem seus caminhos ao longe, ele pegou suas maçãs e correu atrás dela.

Eles voltaram para o vilarejo quatorze minutos adiantados. No final, ele e Lavinia estavam correndo e dando risadas. Ele adorou aquela inesperada injeção de adrenalina. A risada de Lavinia parecia nervosa – não que uma chuvinha fosse um grande desastre, mas ela não gostava de se molhar. Enquanto passavam pela estátua de pedra de um anjo na entrada da cidade, Owen olhou para o relógio e viu o ponteiro dos minutos andar em direção às 3h11, o horário marcado para o aguaceiro.

As nuvens acima deles ficaram cinzas e ameaçadoras pontualmente, e os dois entraram correndo no escritório de notícias de Barrel Arbor, mantido pelos pais de Lavinia, para uma pausa. O posto recebia relatórios diários de Crown City e palavras de sabedoria do Relojoeiro; os pais dela, Sr. e Sra. Paquette, disseminavam as notícias para todos os moradores.

Owen aproximou-se de Lavinia e segurou a cesta de maçãs dela.

– É melhor você entrar antes que a chuva comece.

Ela tinha o rosto corado pelo esforço quando chegou à porta do escritório. Contente por não estar atrasada, ela abriu a porta mais uma vez com olhar preocupado, dirigido à torre do relógio da cidade em vez das nuvens.

Com seu aniversário e a maioridade perante a lei se aproximando como um dirigível veloz, Owen sentia-se como se estivesse de pé na corda bamba da estabilidade. Ele já havia recebido um cartão pessoal do Relojoeiro, impresso por um gráfico profissional de Crown City, desejando-lhe os parabéns e cumprimentando-o pela vida feliz, estável e repleta de satisfações que teria pela frente. Uma esposa, uma família, tudo que alguém poderia querer.

Mas Owen sabia exatamente como sua vida seria a partir do instante em que se tornasse um adulto. Não que ele estivesse descontente por ser o assistente de gerência no pomar de maçãs da cidade; ele só sentia pelas possibilidades que ficavam para trás. Lavinia era apenas alguns meses mais jovem que ele: é claro que sentia as mesmas limitações, e gostaria de se juntar a ele em qualquer quebra de rotina.

Antes que ela adentrasse o escritório de notícias, Owen teve uma ideia e pediu para ela esperar:

– Vamos fazer algo especial hoje de noite, algo empolgante.

Ela demonstrou que já estava cética franzindo a testa, mas ele abriu seu sorriso mais charmoso.

– Não se preocupe, não é nada assustador – só um beijo.

Ele olhou para o relógio: 3h05, ainda havia seis minutos.

– Eu já beijei você – ela disse.

De maneira casta, uma vez por semana, com promessas de que haveria mais quando eles fossem oficialmente noivos, como era esperado. Logo ela receberia seu próprio cartão impresso do Relojoeiro, desejando-lhe felicidade, um marido, um lar e uma família.

– Eu sei – ele continuou apressado –, mas dessa vez vai ser romântico e *especial*. Me encontre à meia-noite, embaixo das estrelas, na colina do pomar. Eu vou te mostrar as constelações.

– Eu posso ver as constelações em um guia – ela disse.

Ele franziu a testa.

– Óbvio que não é a mesma coisa.

– São as mesmas constelações.

– Estarei lá à meia-noite.

Ele olhou rapidamente para as nuvens e então para o seu relógio de bolso. Mais cinco minutos.

– Vai ser o nosso segredo, Lavinia. Por favor?

Com pressa e sem se comprometer, ela disse "Tá bom" antes de entrar na oficina de notícias e sem dizer tchau.

Radiante, ele balançou os cestos de maçãs que carregava e se dirigiu ao moinho próximo à pequena cabana onde vivia com o seu pai.

Houve mais ruídos de trovões. O dia estava escuro. As ruas da cidade estavam vazias e as janelas cerradas por causa da frustrante tempestade. Todas as pessoas de Barrel Arbor consultavam o almanaque diariamente e planejavam suas vidas de acordo com ele.

Enquanto andava a passos apressados, certo de que tomaria um banho quando começasse a chover, ele encontrou uma figura estranha na rua principal, um caixeiro-viajante vestindo um manto escuro. Ele tinha a barba cinza e longas tranças de cabelo grisalho que escapavam por baixo de sua cartola.

Enquanto batia um sininho, o caixeiro caminhava ao lado de uma carroça repleta de pacotes, bugigangas, potes e panelas, apetrechos com mecanismos de corda e bolhas de vidro que brilhavam com o azul-pálido do fogo frio.

Sua carroça a vapor produzia o som de pequenas explosões enquanto pistões bem lubrificados giravam as rodas. Fogo alquímico aquecia a caldeira de cinco galões, que quase não parecia adequada a uma máquina tão pequena.

O caixeiro não poderia ter escolhido um momento pior para chegar. Ele caminhou por Barrel Arbor com seus produtos exóticos à venda, mas os consumidores em potencial estavam em suas casas, escondidos da chuva. Ele tocou seu sino. Ninguém apareceu para olhar seus produtos.

Enquanto seguia apressado para a fábrica de sidra, Owen gritou:

– Senhor, vai cair uma tempestade às 3h11!

Ele ficou pensando se o relógio de bolso do velho tinha parado, ou se ele perdera sua cópia oficial do almanaque do tempo.

O desconhecido olhou para ele, feliz por encontrar um possível comprador. O olho direito do caixeiro-viajante estava coberto por um tapa-olho, que Owen achou desconcertante. Era muito raro que alguém se machucasse na Estabilidade segura e benévola do Relojoeiro.

Quando o caixeiro-viajante o encarou com seu olhar peculiar, Owen sentiu como se o desconhecido o tivesse procurado desde o início. O homem parou de tocar o sino:

– Não precisa se preocupar, jovem. Tudo tem seu motivo.

– Tudo tem seu motivo – vociferou Owen –, mas mesmo assim você vai se molhar.

– Não estou preocupado.

O desconhecido deteve sua carroça movida a vapor e, sem desviar os olhos de Owen, procurou algo em meio às caixas e aos pacotes, tateando um por um como se estivesse pensando.

– Então, jovem, o que te faz falta?

A pergunta surpreendeu Owen e fez com que esquecesse a chuva iminente. Presumiu que os caixeiros-viajantes costumassem usar frases tentadoras enquanto levavam seus produtos de um vilarejo a outro. Mas mesmo assim...

– O que está me fazendo falta? – Owen nunca tinha pensado nisso. – É uma pergunta estranha de se fazer.

– Esse é o meu trabalho.

O olhar do caixeiro-viajante era tão intenso que compensava o olho que faltava.

– Pense nisso, jovem. O que te faz falta? Ou você está satisfeito?

Owen fungou o nariz.

– Não está me faltando nada. Com seu amor, o Relojoeiro cuida de todas as nossas necessidades. Temos comidas e casas, temos fogo frio e felicidade. Não há distúrbios em Albion há mais de um século. O que mais poderíamos querer?

As palavras saíram de sua boca antes que seus sonhos conseguissem se embrenhar entre elas. A resposta pareceu automática, e não refletia os seus sentimentos. Seu pai havia recitado as mesmas palavras diversas vezes como um ator em uma peça de teatro apresentada todas as noites. Owen havia escutado pessoas dizerem as mesmas palavras na taverna sem que estabelecessem um diálogo, apenas confirmando o que as outras diziam.

O que está me fazendo falta?

Owen também sabia que estava prestes a se tornar um homem com responsabilidades à altura. Ele soltou as maçãs no chão, deu de ombros e disse com toda a convicção que conseguiu reunir:

– Não me falta nada, senhor.

Owen teve a estranha impressão de que o caixeiro-viajante ficou feliz, e não desapontado, com sua resposta.

– Essa é a melhor resposta que alguém pode dar – disse o velho. – Embora uma prosperidade tão consistente torne minha profissão difícil.

O homem vasculhou seus pacotes, abriu a ponta de um deles e parou. Depois de se virar e olhar para Owen, como se quisesse ter certeza de sua decisão, alcançou uma bolsa e tirou de lá um livro.

– Isso é para você. Você é um jovem inteligente, alguém que gosta de pensar. Dá pra ver.

Owen ficou surpreso.

– O que você quer dizer?

– Está em seus olhos. Além disso – ele apontou para as ruas vazias do vilarejo –, quem mais ficou tempo demais na rua porque tinha mais coisas a fazer e outros assuntos nos quais pensar?

Ele entregou o livro nas mãos de Owen.

– Você é inteligente o suficiente para entender o verdadeiro presente que a Estabilidade representa e tudo o que o Relojoeiro fez por nós. Esse livro vai te ajudar.

Owen olhou para o volume e viu uma abelha impressa na lombada: o símbolo do Relojoeiro. O título do livro estava impresso em letras claras: *Antes da Estabilidade*.

– Obrigado, senhor. Eu vou ler.

O desconhecido virou um botão que aumentou o calor alquímico da caldeira, e começaram a sair colunas de fumaça ainda maiores. Ouviram-se pequenas explosões enquanto a carroça deslizava para a frente e o desconhecido a seguia para fora da cidade.

Owen ficou intrigado com o livro e o abriu na folha de rosto. Teve vontade de ficar lendo no meio da rua, mas olhou para o relógio de bolso: 3h13. Estendeu a mão, perplexo porque as gotas ainda não haviam começado a cair. A chuva nunca se atrasava dois minutos.

No entanto, o jovem não queria correr o risco de molhar o livro; ele o enfiou debaixo do braço e correu com suas maçãs até a fábrica de sidra. Alguns minutos depois, quando alcançou a porta do frio edifício de pedra onde seu pai estava trabalhando, virou-se e verificou que o velho e sua carroça autômata haviam desaparecido.

– Você está atrasado – disse seu pai com rudeza.

Owen ficou no vão da porta, olhando para as ruas do vilarejo.

– A chuva também.

Um fato que ele achou bem mais preocupante. Um trovão ressoou no céu e então, como se alguém tivesse aberto um cantil, a água desabou das nuvens. Owen franziu a testa e olhou para o relógio dentro da fábrica de sidra. 3h18.

Só mais tarde ele saberia que a agência de notícias havia recebido uma página atualizada do almanaque naquela mesma manhã, informando que o toró cairia precisamente às 3h18.

CAPÍTULO 2

We are only human
It's not ours to understand
[Somos apenas humanos
Não cabe a nós entender]

Enormes quantias de maçã preenchiam o interior protegido da luz na fábrica de sidra, amadurecendo pacientemente até ficarem adocicadas. Owen e seu pai estavam programados para produzir meio barril de sidra fresca naquela tarde, o que exigiria ao menos três tonéis de maçã – dependeria de o quão suculentas estivessem.

Uma rajada de ideias distraiu Owen enquanto ele ajudava seu pai com o trabalho, operando o espremedor e ajustando a ignição de fogo frio para manter a pressão do vapor no nível apropriado. Como assistente de gerência do pomar, Owen já havia aprendido todas as etapas da produção de maçãs. Enquanto fazia suas tarefas de praxe, pensou no misterioso caixeiro-viajante e ficou ansioso para folhear o livro que ganhara do homem. Como se isso não fosse o suficiente para ocupar seus pensamentos, ele estava ainda mais distraído pela promessa que fizera a Lavinia, de um beijo romântico sob as estrelas à meia-noite: era como uma cena tirada de uma história inventada.

Seu pai, Anton Hardy, havia criado uma versão própria (e totalmente incorreta) para o fato de Owen estar sonhando acordado. Apontando para o espremedor, Anton falou:

– Não precisa se preocupar, filho. Eu treinei você direitinho. Logo, logo você estará apto a cuidar do pomar tão bem quanto eu, caso alguma coisa aconteça comigo.

Owen levou alguns instantes para entender de onde aquele comentário havia aparecido.

– Ah, eu não estou preocupado.

Chegou à conclusão de que era mais fácil aceitar a conclusão do seu pai do que dizer a verdade.

– Mas não vai acontecer nada com você. Nunca acontece nenhum imprevisto.

Olhou para o livro que havia colocado em cima de um barril velho e cheiroso.

– Graças à Estabilidade.

– Bem que eu queria, filho.

Algumas lágrimas inesperadas surgiram nos olhos de Anton Hardy e ele virou o rosto, fingindo estar concentrado na máquina hidráulica ligada ao espremedor. O comentário o fez lembrar de sua mulher: ela havia morrido de febre quando Owen ainda era criança.

Ele era tão jovem que suas memórias eram vagas, mas se recordava de sentar no colo dela, aninhado em sua saia. Ele lembrava especialmente de um vestido azul com uma estampa floreada. Os dois olhavam livros de figuras juntos, e ela contava lendas extraordinárias de lugares longínquos. Apesar de já ser adulto, ele ainda olhava aqueles livros tão estimados com frequência, mas agora Owen tinha de contar as histórias para si mesmo, pois seu pai nunca fizera isso.

Anton Hardy preservava suas memórias da amada Hanneke como uma flor espremida entre duas páginas de um livro: colorida e preciosa, mas delicada demais para ser manuseada. Embora Owen soubesse que ela estava morta, em alguns momentos preferia imaginar que ela só tinha fingido sua febre para que pudesse deixar aquela cidade rural e monótona e sair para explorar as vastidões do mundo. “Finalmente na estrada!” Até hoje ele imaginava as aventuras dela, e um dia a mãe voltaria de Crown City ou da distante Atlantis cheia de histórias incríveis e presentes exóticos.

Ele sempre podia manter uma esperança...

O pai fungou o nariz, murmurou "Tudo tem seu motivo" e encheu a metade de um barril com a sidra recém-preparada. Ele martelou a tampa utilizando um bastão para fechar o barril.

Enquanto Anton completava algumas tarefas desnecessárias na fábrica de sidra, Owen ficou sentado perto de uma das pequenas janelas, por onde entrava luz suficiente para possibilitar a leitura. *Antes da Estabilidade* era um volume compacto e cheio de pesadelos, e o jovem ficou cada vez mais perturbado conforme foi virando as páginas.

O mundo havia sido um lugar terrível mais de um século atrás, antes do Relojoeiro chegar: vilarejos eram incendiados, bandoleiros atacavam famílias desprotegidas, crianças passavam fome e mulheres eram estupradas. Assaltos eram uma epidemia, as pragas dizimavam populações inteiras e sobreviventes isolados se degeneravam até virarem canibais. Ele leu o relato minucioso de olhos arregalados, ansioso para chegar ao final do livro, porque ele sabia que Albion seria salva, visto que agora todos estavam felizes e contentes.

Ele pulou para a última página, aliviado e tranquilo por ler "E Barrel Arbor é um perfeito exemplo do que a Estabilidade trouxe. O melhor vilarejo no melhor dos mundos possíveis, onde todas as pessoas sabem o seu papel e estão contentes". Owen sorriu deslumbrado, feliz por saber que, apesar do que sonhava acordado, sua situação não poderia ser melhor.

O pai não perguntou a respeito do livro. Eles dividiram uma refeição antecipada composta por raspas de maçã (naturalmente), queijo da viúva Loomis, pão e um pedaço de torta de maçã fresca do Sr. Oliveira, o padeiro. Os Hardys forneciam ao Sr. Oliveira todas as maçãs de que precisava, e em troca recebiam abastecimentos constantes de tortas de maçã, bolinhos de maçã, strüdel de maçã e qualquer outra coisa que o padeiro conseguisse inventar.

Pai e filho não tinham muito assunto – era raro que tivessem. Afinados um com o outro e também com o dia, Anton e Owen olharam para o relógio ao mesmo tempo. Os dois haviam terminado as tarefas programadas e ficaram satisfeitos com a refeição. Depois disso, Anton Hardy tinha sua rotina vespertina e Owen foi junto. Dirigiram-se à taverna Tick Tack.

Em um pequeno vilarejo, a maneira mais eficiente de ficar sabendo das notícias é ouvir as fofocas, e o melhor lugar para encontrar as fofocas era a taverna. Anton Hardy sentou em sua cadeira de sempre, onde bebeu um copo de sidra forte enquanto Owen estava sentado atrás dele com uma caneca de sidra fresca. Outros preferiam o inebriante hidromel feito com o mel dos Huangs, cultivado no apiário local que seguia o design padrão fornecido pelos apicultores do próprio Relojoeiro.

Quando Owen completasse dezessete anos, passaria a beber sidra forte, pois era o que se esperava de um adulto. (Na verdade, ele já havia provado alguns goles de sidra forte escondido, embora não devesse. Suspeitava que seu pai soubesse, mas ele nunca dissera nada.)

Conforme os clientes da taverna chegavam, como de praxe, o pai de Lavinia entrou com sua pilha de notícias e declarações datilografadas, que eram entregues no posto de notícias por meio de um sinal de ressonância alquímico. O Sr. Paquette – um homem que tinha orgulho de suas costeletas prodigiosas – ergueu um pedaço de papel amarelo até a lâmpada de fogo frio e olhou para as letras irregulares com os olhos semicerrados. As conversas morreram na Taverna Tick Tack enquanto o Sr. Paquette alimentava o suspense.

Ele ajeitou os óculos, limpou a garganta e começou a falar em tom solene:

– Os alquimistas climáticos anunciam que a chuva desta tarde se atrasará sete minutos para que os sistemas de distribuição higrométrica funcionem com maior eficiência.

Ele embaralhou os papéis, aparentemente constrangido.

– Desculpa, isso chegou hoje de manhã.

Pegando a próxima notícia impressa, leu:

– O Anarquista plantou outra bomba e danificou um trecho da linha norte, interrompendo o tráfego na via vapórea. Por sorte, o capitão do dirigível conseguiu erguer seus vagões em segurança bem na hora e ninguém se feriu.

As pessoas resmungaram e proferiram comentários jocosos acerca do homem maldoso que tentava perturbar com seus esforços solitários a Estabilidade centenária trazida pelo Relojoeiro.

O Sr. Paquette continuou:

– Os Reguladores perseguiram o criminoso logo após a explosão, mas ele escapou, sem dúvidas com a intenção de causar mais destruição no futuro.

– Que o diabo o carregue – disse o pai de Owen.

– Apoiado, apoiado!

Outros ergueram seus copos em um sinal de concordância.

Owen bebeu com eles, mas perguntou:

– Por que alguém iria querer arruinar as criações do Relojoeiro? Ele não sabe como o mundo era perigoso antes da Estabilidade?

O jovem já sabia disso antes mesmo de ler o livro do caixeiro-viajante.

– Ele é um libertário extremista, garoto. Como funciona uma mente perturbada?

– Não cabe a nós entender – disse o Sr. Oliveira. – Duvido que o próprio monstro entenda o que se passa ali dentro.

O Sr. Paquette pigarreou estrondosamente para demonstrar que ainda não acabara de ler as notícias. Ele pegou uma terceira folha de papel e ergueu as sobrancelhas com impaciência até que o burburinho se aquietasse.

– O Relojoeiro também comunica com pesar a perda de um cargueiro a vapor totalmente carregado de joias preciosas e suprimentos alquímicos de valor provenientes de Poseidon City. Acredita-se que os Naufragadores sejam os responsáveis.

Mais resmungos na taverna.

– É o terceiro neste ano! – disse o Sr. Huang.

Pouco se sabia a respeito dos Naufragadores, os piratas e saqueadores que atacavam os cargueiros a vapor que navegavam pelo Mar do Oeste até a longínqua cidade portuária de Poseidon. Esses navios carregavam grandes quantias de ricos elementos alquímicos e gemas raras para a medição do tempo garimpadas nas montanhas de Atlantis, todos recursos vitais para os serviços oferecidos pelo Relojoeiro.

– Aposto que o Anarquista está tramando com eles – disse Owen.

– Uma ruptura interessaria a todos eles.

– O Relojoeiro vai cuidar disso – disse o Sr. Paquette com grande convicção.

Ele deixou os papéis de lado para enfatizar que aquela se tratava de uma opinião pessoal, e não da leitura de um pronunciamento do Relojoeiro.

– Eles vão ter o que merecem.

– Mas como podemos ter certeza? – disse Owen timidamente.

Seu pai cutucou-o no braço.

– Porque nós acreditamos, filho. E você aprendeu a acreditar nisso. Cada coisa tem seu lugar, e cada lugar tem suas coisas.

Anton Hardy olhou para os outros ao redor, como se estivesse com medo de que os outros achassem que ele era um fracasso como pai, tendo permitido que seu filho duvidasse.

– E eu acreditarei nisso até o último segundo.

Todos concordaram, mais alto do que era necessário, e fizeram um brinde ao Relojoeiro.

Quando a tarde chegou ao fim, ele passou algumas horas quietas ao lado de seu pai no chalé onde viviam. Anton Hardy estava sentado junto ao fogo com um lápis apontado e seu livro de registro, averiguando quantos barris de sidra fresca deveriam ser entregues, quantos permaneceriam no depósito para serem fermentados e transformados em sidra forte, quantos restariam para o vinagre e os preços autorizados pelo Relojoeiro. Cada morador do vilarejo tinha um papel a desempenhar, e tudo funcionava em perfeito equilíbrio.

Após terminar, o pai de Owen pôs de lado o livro de registo e começou a ler o jornal de Barrel Arbor, que era uma espécie de compilação semanal dos relatórios de Crown City com o acréscimo de algumas frases dos Anjos do Tempo que convidavam à reflexão e algumas matérias de interesse local, escritas e incluídas em cada edição pelos pais de Lavinia.

Aquela edição trazia um anúncio do vindouro aniversário de Owen, com um pequeno comentário acrescentado pelo Sr. Paquette: "E esperamos ter mais informações sobre o assunto em breve". Pela tradição, um pedido de noivado a Lavinia era bastante esperado.

Owen já tinha lido o jornal e estava mais interessado em espiar os livros cuidadosamente manuseados que havia retirado da prateleira. Ele ficara inquieto com a leitura de *Antes da Estabilidade* naquela tarde, mas essas outras publicações eram reconfortantes. Eram os livros de figuras que ele amava quando criança: belas encadernações com cronótipos em relevo – lâminas coloridas submetidas a um tratamento especial com um lustrador alquímico, que transmitiam ao leitor um sentimento vertiginoso de olhar *para dentro* da imagem.

Primeiro ele folheou o livro de figuras de Crown City, demorando no cronótipo comovente dos Anjos, o símbolo mais conhecido do mundo ordenado do Relojoeiro. Quatro graciosas figuras femininas instaladas em Chronos Square, muito acima dos transeuntes: máquinas simbólicas, mas ainda assim perfeitas e divinas, que abriam suas asas para encher de graça a humanidade. Embora ele mal se lembrasse da mãe, Owen tinha certeza de que cada um dos quatro Anjos do Tempo deviam ter sido esculpidos com o rosto dela.

O segundo volume era ainda mais inspirador, embora nada nele fosse real. Lendas de monstros marinhos e criaturas míticas: centauros, grifos, dragões, basiliscos... e locais imaginários distantes de Albion, incluindo as magníficas Sete Cidades de Ouro, chamadas em seu conjunto de Cíbola. Aqueles livros eram tão antigos que haviam sido impressos antes da Estabilidade. Depois de ler sobre os tempos caóticos no livro do caixeiro-viajante, ele considerava um milagre que qualquer publicação tivesse sobrevivido àquele turbilhão.

Owen estava tão concentrado no livro que não viu seu pai de pé à sua frente. Anton Hardy nunca proibia o filho de olhar os livros, mas tampouco aprovava o fascínio do jovem.

Surpreso, Owen tentou fechar a capa, no entanto seu pai conseguiu impedi-lo. No vívido cronótipo daquela página, a luz do sol incidia sobre uma exótica formação rochosa no Deserto Redrock. Juntos, os dois olharam para as torres fantásticas e imaculadas de pedra decorada, a incrível arquitetura das Sete Cidades de Ouro.

– Esses eram os livros de sua mãe. E eu também sinto saudades dela.

Anton Hardy deixou a mão sobre a página por um longo instante enquanto olhava para baixo, já sem olhar para a ilustração.

– Eu também sinto saudades dela – o pai repetiu, com uma voz fraca, quase um sussurro. – Ah, Hanneke...

Owen nunca havia escutado tanta emoção na voz de seu pai. A emoção sumiu com a mesma velocidade que apareceu.

– Logo chegará o momento de largar esses livros de vez e enterramos eles como parte de nosso passado. O Relojoeiro diz que não podemos parar o tempo. Não olhe para trás, mas demore quanto quiser olhando ao seu redor.

– Mas são as únicas coisas da mãe que ainda temos. Esses livros e as nossas memórias.

– Você tem de seguir em frente – falou Anton. – Assim que se tornar um adulto, o Relojoeiro terá suas expectativas. Você tem de deixar essas besteiras para trás.

Owen fechou o livro, porém permaneceu com ele no colo. Em seu mundo quieto e organizado, "besteiras" nunca haviam sido permitidas.

Seu pai baixou as lanternas de fogo frio até um brilho confortável.

– Hora de dar corda nos relógios.

Antes de se prepararem para deitar, fizeram um ritual. Owen deu corda no relógio de mesa; seu pai fez a mesma coisa com o relógio da cozinha. Owen segurou o contrapeso e balançou o pêndulo do relógio da coluna principal. Eles foram de relógio em relógio, de estante em estante, de cômodo em cômodo. Para a checagem final, Owen pôs a cabeça para fora e olhou para o relógio da torre principal de Barrel Arbor para verificar se o horário estava certo e cada tique era preciso no mundo do Relojoeiro.

Todas as noites, aquele era o tempo que pai e filho passavam juntos, mas como precisavam de tantos cuidados com os relógios, o tempo não *passava* de fato: eles o mantinham. Não deixavam que nenhum segundo escapasse.

Quando estavam prontos e seu pai, satisfeito, Anton desejou boa noite a Owen.

– Vou ficar acordado mais um pouquinho – disse Owen. Ele quase sempre ficava.

Entristecido pelas lembranças da esposa, Anton não reclamou porque olharia os livros por mais um tempo. Sentado ali sozinho, Owen sentiu o pulso acelerar enquanto pensava na tolice planejada para aquela noite. Faltavam apenas duas horas para que saísse de fininho e encontrasse Lavinia para um beijo roubado. Embora soubesse que aquilo duraria apenas um instante, a lembrança permaneceria por muito tempo.

Depois que completasse dezessete anos e o resto da rede de segurança do Relojoeiro se fechasse à sua volta, não teria mais a oportunidade para ser tão espontâneo. Ele pretendia aproveitar ao máximo enquanto podia.

CAPÍTULO 3

On my way at last
[Finalmente em meu caminho]

Seu pai estava roncando baixinho às 22h06, mas Owen definitivamente não estava com sono. Nem os tiques sincronizados dos relógios foram capazes de acalmá-lo. Dentro dele, a ansiedade era como uma mola de relógio bem apertada.

Quanto mais pensava a respeito, mais impressionado Owen ficava com seu ímpeto. O que o tinha levado a sugerir aquilo? Em Barrel Arbor, as pessoas decentes não saíam de casa à meia-noite. Ele e Lavinia eram um casal confortável que passava a maior parte dos dias junto cumprindo suas tarefas. Eles combinavam e claramente haviam sido feitos um para o outro.

Nenhum dos moradores locais pensava uma segunda vez ao vê-lo em companhia da jovem, no entanto os dois ainda não haviam noivado, e Owen imaginava o escândalo que seria se alguém descobrisse que eles se encontravam em segredo muito depois do sol se pôr. O que tornava tudo mais excitante...

O rapaz torcia para que Lavinia estivesse tão empolgada quanto ele. Aquela escapadinha ousada seria algo para lembrar, e algo que *não* contariam aos seus filhos. Quando fossem mais velhos e tivessem vidas estáveis, quem acreditaria que os confiáveis e previsíveis Owen e Lavinia Hardy haviam sido imprudentes ou impulsivos na juventude? Ele riu com a ideia de que seu pai talvez tivesse feito o mesmo quando era jovem. Mas talvez sua mãe aventureira...

Em seus devaneios, ele brincava com a ideia de que Hanneke havia saído para ver o mundo, que visitara as Sete Cidades de Ouro, que havia conduzido veículos a vapor até terras distantes. Talvez ele e Lavinia também partissem um dia para explorar o sedutor continente de Atlantis. A ideia de que sua mãe ainda estivesse misteriosamente viva, rainha em algum país perdido, o fez sorrir. Ela saudaria o filho e sua bela esposa como um príncipe e uma princesa. Eles se fartariam com centenas de tipos de fruta, e não apenas maçãs!

Owen tentava imaginar Lavinia viajando ao seu lado, mas seus pensamentos se perderam...

Ele acordou de susto e viu no relógio ao lado da cama que eram 23h28. Apenas meia hora para a meia-noite – ainda era um monte de tempo, mas sentiu que precisava se apressar. Vestiu a calça e uma simples camiseta cinza e pegou uma pequena sacola com duas maçãs, caso Lavinia e ele decidissem ficar um tempo sob a luz das estrelas. Seria legal se recitasse poesias para ela, mas Owen não conhecia nenhum poema.

A porta rangeu quando ele abriu. Saiu e fechou-a silenciosamente para que seu pai não soubesse que estava acontecendo algo de estranho. Caminhou pelas ruas, passando pelos chalés escuros onde repousavam seus moradores e pelas fileiras geladas e silenciosas das colmeias Huang, que produziam mais mel do que o vilarejo era capaz de consumir. A estátua de anjo da vila parecia pálida e etérea sob a luz das estrelas. Ele subiu pelo caminho que seguia entre as macieiras na noite clara até atingir o topo da colina do pomar.

Lavinia não estava lá, embora ele tivesse torcido para que ela chegasse cedo. Checou seu relógio de bolso: dez para a meia-noite. O Relojoeiro afirmava que a pontualidade era a maior das demonstrações de amor.

Enquanto esperava, Owen ficou olhando para as estrelas e traçando as constelações que conhecia dos livros, mas raramente via no céu.

Os moradores de Barrel Arbor levantavam com os primeiros raios do amanhecer e passavam pouco tempo explorando os desenhos das estrelas tarde da noite. O estudo de coisas desse tipo, bem como as fases da lua, os movimentos dos planetas, as combinações de elementos e a magia, eram o terreno de monges alquimistas especializados, e não de pessoas comuns. O Relojoeiro entendia o funcionamento do universo e contava ao povo tudo o que era preciso saber.

Para Owen, a disposição das luzes no céu parecia incomodamente aleatória, então ele decidiu criar seus próprios padrões, desenhando linhas e ligando os pontos. Suas constelações inventadas eram menos válidas do que aquelas nos livros oficiais? Como as estrelas poderiam saber os padrões impostos pelo Relojoeiro?

Ele ficou tão imerso em seus pensamentos que perdeu a noção do tempo. Nenhum sinal ainda de Lavinia. Olhou para o relógio de bolso e viu que era meia-noite e cinco. Com o coração afundando, ele olhou para o pomar, tentando discernir em meio às sombras o caminho que dava no pé da colina. Não escutou ninguém se aproximando, nenhum som de saias esvoaçantes enquanto ela corria em sua direção. Talvez ela tivesse acordado tarde.

Às 24h36 ela ainda não tinha aparecido. Temeu que algo ruim tivesse acontecido com ela. Sua casa podia ter pegado fogo! Mas ele não viu nenhuma chama no vilarejo. Talvez os pais dela tivessem descoberto seu plano ilícito e deixado-a trancada. Mas como eles poderiam saber?

Esperou mais dez minutos e então desceu pelo caminho dizendo o seu nome em um sussurro forte, mas sem resposta. Ninguém estava fora de casa naquela noite. Será que ela tinha escolhido outro caminho? Ele voltou correndo para o topo da colina.

À 1h15 Owen sabia que ela não viria. Lavinia tinha dado um bolo nele.

O motivo era gritante, embora ele não quisesse ouvir. Lavinia não tinha ido simplesmente *porque não.* Ela teve medo, ou apenas não teve vontade, de quebrar as regras e sair de sua rotina. Pensando nisso, Owen percebeu que ela nem tinha levado o corajoso convite a sério. Quentinha e feliz em sua própria cama, onde dormia em paz, ela provavelmente não achava que ele tivesse falado sério. Um beijo roubado à meia-noite sob a luz das estrelas – que ideia boba. *Você tem de deixar essas besteiras para trás.*

Dentro de algumas semanas Owen teria de enterrar seus sonhos em um lugar bem escondido. Não parecia justo. Ele havia seguido as regras durante a vida toda. Ele tinha feito o que se esperava dele em vez daquilo que desejava; cada dia era planejado, cada ação era programada, cada parte de sua existência era uma engrenagem em uma corrente infinita de outras pequenas engrenagens, cada uma delas girando com suavidade sem jamais ir a lugar nenhum.

A distância, ele escutou um tinido, o tipo de som fantasmagórico provocado por um sino e trazido de longe pelo vento, e, ao virar, viu uma coluna de vapor enquanto uma caravana de imensos veículos a vapor surgia em meio às montanhas, descendo do céu em direção aos trilhos que seguiam o rio no vale abaixo.

Ele sabia das tabelas de horário, que um vapor passava por Barrel Arbor à 1h27 todas as noites, embora nunca estivesse acordado para ver ou ouvir. Num impulso, apenas para provar a si mesmo que era capaz, Owen correu do topo da colina em direção ao vale, sem olhar para a grama alta e molhada pelo orvalho sob seus pés. Segurando com força seu saco de maçãs, correu o mais rápido que podia sem que tropeçasse. Podia ir direto para os trilhos e assistir à magnífica caravana passando, tão de perto que poderia tocá-la.

Mesmo que Lavinia não tivesse aparecido, ele havia jurado fazer *algo* excitante naquela noite. E se nunca mais tivesse a oportunidade? E se, depois de se tornar um adulto, até as ideias morressem dentro dele? Ao menos veria um vapor de perto, e aquilo seria uma recordação e tanto.

O clangor das sinetas e o assovio do vapor foram aumentando conforme ele corria em direção à via vapórea. Ao pousar sobre os trilhos, o trem se transformou em um estouro de mamutes, uma longa fileira de vagões de carga e de gôndolas de passageiros iluminados por luzes fosforescentes e equilibrados por belos sacos de balões. Um gêiser de fumaça saiu do motor principal, como a esbaforida de um dragão adormecido. Rodas de aço percorriam os trilhos de metal e as máquinas soltavam vapor.

Quando Owen chegou aos trilhos, os ruídos pareciam o som condensado de risadas, aplausos e excitação. Olhou o veículo a vapor passando a mil por ele. O trem vinha de terras misteriosas que Owen jamais havia visto, percorrendo a paisagem rumo à Crown City... que ele também nunca havia visto.

O jovem ficou observando em estado de transe enquanto passavam por ele os vagões de carga, e então uma gôndola de passageiros às escuras, repleta de silhuetas de passageiros adormecidos, e então mais vagões de carga. Sentiu o vento enquanto eles passavam, e também o cheiro de vapor e de metal quente. Desejou que Lavinia estivesse ao seu lado, mas sabia que aquilo jamais aconteceria. Ela jamais cogitaria fazer aquilo.

Seu pai tampouco demonstrava qualquer interesse pelos veículos a vapor; eles eram apenas parte da vida cotidiana, como o nascer e o pôr do sol, indo e vindo conforme a tabela horária. *Tudo tem seu motivo.*

Albion era imenso, e Barrel Arbor não. Será que algum dia ele veria Crown City e os Anjos do Tempo? Algum dia encontraria o Relojoeiro em sua torre? Algum dia navegaria pelo Mar do Oeste? Logo teria de pôr de lado os livros de sua mãe e nunca mais ver suas figuras. A ideia lhe parecia incrivelmente triste.

Quando um velho vagão danificado se aproximou, ele viu o vulto de um homem pendurado para fora da porta aberta, o vulto de uma cabeça espiando para fora, uma mão acenando. Owen ficou espantado quando o homem gritou em meio aos ruídos do veículo, como se *soubesse* que Owen estava lá.

– Estenda a mão que eu puxo você pra dentro.

Ele ficou paralisado. Ele poderia subir à bordo do vapor! Ele poderia andar pelos trilhos até Crown City. Ele poderia ver os Anjos com os próprios olhos antes que fosse tarde demais.

– Não devo fazer isso! – gritou em resposta.

– Mas você *quer?* – perguntou o homem, cada vez mais próximo.

O vagão estava ao seu lado, e, por instinto (ou impulso), Owen esticou-se até alcançar a mão do homem. O estranho era forte e levantou-o do chão. Owen sentiu seus pés se erguendo do chão, e quando se deu conta, tão depressa quanto um espirro, havia sido puxado para dentro do vagão de carga.

– Você conseguiu, jovem – disse o estranho. – Estou orgulhoso de você.

Owen olhou para trás, sentindo-se entorpecido, observando seu vilarejo cada vez mais distante. O estranho agarrou seus ombros para deixá-lo ereto.

Ele não podia acreditar que tinha mesmo feito aquilo, embora ainda não compreendesse *o que* havia feito. Owen sentiu a revigorante brisa noturna em seu rosto no instante em que desviou o olhar de Barrel Arbor para olhar para a frente, em direção a Crown City e ao futuro.

– Finalmente em meu caminho – falou.

CAPÍTULO 4

I was brought up to believe
[Fui levado a crer]

Escutando o zumbido estrondoso das rodas de aço sobre os trilhos, Owen mal podia acreditar que estava andando pelo caminho que sempre fora tão convidativo. Riu alto – apenas uma risada ligeira de incredulidade diante do lugar onde estava e do que havia feito. Então deu um suspiro insinuante, e tudo veio à sua mente em uma avalanche: o que *havia* feito? As pernas de Owen fraquejaram, e ele desabou contra uma das laterais do vagão.

O suor de excitação provocou um arrepio gelado em sua pele ao evaporar com a brisa noturna. Seu coração batia forte não devido ao perigo de subir em um vapor em movimento, mas do perigo de fazer algo que sabia estar errado. Seu pai sempre ralhava com ele porque sua cabeça estava tão cheia de sonhos sem sentido que não sobrava espaço para o cérebro. Sim, Owen havia rezado para cair fora dali, mas tudo havia sido uma fantasia que não esperava tornar realidade, apesar do grande impacto que isso exercia em seu coração e sua imaginação. Era como uma história de dragões míticos e cidades perdidas; ele nunca acreditara que faria aquilo *de fato*, nunca fizera planos que fossem além de desejos imaginativos.

E se um dia ele embarcasse mesmo em uma aventura, presumia que Lavinia estaria junto, que eles iriam juntos a terras exóticas. Em vez disso, ele era acompanhado por um estranho que havia estendido um braço na escuridão oferecendo um convite, e Owen não foi capaz de pensar rápido o suficiente para recusar...

O pânico tomou conta dele. *O que foi que eu fiz?*

Ele olhou para as sombras que passavam enquanto o vaporeiro seguia o seu caminho, demorando-se na silhueta de edifícios como a torre do relógio de Barrel Arbor, que mal podia ver, e no espectro adormecido da colina do pomar. Seu pai já era tão solitário sem a mulher... e agora Anton Hardy teria de fazer o trabalho do pomar, produzir a sidra e dar corda em todos os relógios da casa sozinho. E Lavinia, que esperava se casar com Owen (ou ao menos ele presumia que isso aconteceria assim que ambos tivessem seus cartões impressos pelo Relojoeiro desejando vidas felizes, estáveis e repletas de satisfações), também ficaria sozinha.

Mas Lavinia não tinha aparecido à meia-noite para encontrá-lo como tinha prometido... Ela *tinha* prometido mesmo, ou isso era só a esperança dele?

Muitas vezes o assistente de gerência do pomar de macieiras passava os dias agarrado a esperanças, enquanto todas as outras pessoas em Barrel Arbor simplesmente tinham fé e acreditavam que o mundo era como deveria ser. *Tudo tem seu motivo.* Mas Owen pensava se tudo estava *mesmo* como deveria ser. Seu pai dissera que botaria os livros fora no aniversário de Owen. *Deixar essas besteiras para trás.* Para o jovem, aquilo representava muito mais do que abandonar a última conexão com sua mãe – era uma maneira de trancar seus sonhos em um cofre. Owen nunca havia deixado de pensar grande, e aquela era a sua chance, ainda que se tratasse de uma chance acidental, de ver o mundo enorme. Talvez *aquilo* tivesse seu motivo.

Ele se soltou no chão e olhou através da lona esfarrapada que cobria o vagão. Por um furo, viu um agrupamento de estrelas salpicando o céu.

– Finalmente em meu caminho – repetiu.

Ele lembrou-se do outro homem (Anfitrião? Companheiro de viagem?) e piscou para o desconhecido, que havia esperado pacientemente que Owen se arranjasse e recuperasse o fôlego. O estranho tinha o rosto magro, nariz pontudo, bigode aparado e cavanhaque comprido. Seus olhos castanhos eram expressivos, e sua intensidade penetrante se fazia notar até mesmo no vagão escuro. O homem havia baixado o capuz, revelando cabelos castanhos e cacheados e sobrancelhas cerradas. Suas roupas de viagem pareciam confortáveis e de corte impecável, muito superior aos trajes que Owen esperaria de alguém viajando em um vagão sujo.

– Eu não planejava fazer isso – disse Owen. – Eu... eu não sei o que dizer.

– Você pode me agradecer. Cedo ou tarde você entenderá o que eu fiz por você... ou, melhor dizendo, o que você fez a si mesmo.

Owen estendeu a mão, lembrando de repente das boas maneiras.

– Sou Owen Hardy, de Barrel Arbor, assistente de gerência do pomar de macieiras.

Ele esperou. Como o homem não disse nada, perguntou:

– E qual é o seu nome?

O homem deu de ombros.

– Nomes são muito limitadores. Eles trancam você em uma caixinha. Eu sou *eu*, e você pode ver quem sou. Posso mudar depois. Por que eu iria querer um nome me prendendo a alguém que eu fui um dia?

Sem cerimônia, o estranho colocou uma mão na sacola que Owen trazia consigo e pegou uma das maçãs. Sua mão esquerda tinha rugas e cicatrizes, e a pele assumia um vermelho-vivo em alguns pontos e um aspecto demasiado branco e molenga em outros. O homem recolheu a mão queimada e escondeu-a sob a manga.

– Somos companheiros de viagem, vamos deixar por isso. Eu vi você ali e sabia que você queria vir. Então o convidei para me acompanhar.

– Como você poderia saber que eu queria ir embora?

– Você estava à beira da linha vapórea depois da meia-noite.

– Isso não significa...

– Sim, significa, meu amigo. Você deveria estar na cama, pronto para se levantar cedo amanhã para a sua rotina... *de rotina*. Como você estava onde queria estar, eu soube que você buscava a liberdade em vez de aderir às regras mundanas. Talvez eu conheça você melhor do que você mesmo.

Ele arqueou as sobrancelhas cerradas.

Owen estava confuso. Aquela era a conversa mais estranha que já tivera.

– Nunca tinha ouvido alguém dizer que as regras do Relojoeiro eram *mundanas*.

O estranho mordeu um pedaço da maçã.

– Se você só escutou o Relojoeiro, e mais ninguém, então há muitas coisas incríveis sobre as quais você nunca ouviu falar. Sorte sua ter escapado às regras! Agora você pode ir para onde quiser e fazer o que bem entender. Todas as pessoas deveriam se sentir assim.

Owen engoliu com a garganta seca.

– Não é isso o que o Relojoeiro diz.

– Essa é a sua chance de romper com o passado. Que o diabo carregue o Relojoeiro! – disse o homem, e então gargalhou de sua bravata.

Desconfortável, Owen olhou ao redor no vagão de carga. Percebeu que o cheiro doce e resinoso que sentia vinha dos montes de lenha de pinho cultivadas nas florestas do norte. Ele havia lido a respeito delas no colégio: faziam parte de uma simples lista de produtos e recursos cultivados em Albion, mas Owen nunca havia visitado as florestas altas e escuras. Serrarias processavam os pedaços de tronco, transformando-os em tábuas, e agora a madeira seguia para Crown City, onde seria usada para a construção de novas casas, novos produtos, novos... tudo.

O jovem se apoiou contra uma pilha de madeira, buscando uma posição confortável, e então se deu conta de uma segunda coisa: não estava apenas viajando para longe da casa que nunca deixara, e sim viajando justo para Crown City, a gloriosa metrópole de seus sonhos, sede do governo do Relojoeiro, onde os Anjos do Tempo agraciavam Chrones Square com suas bênçãos mágicas. O centro do mundo.

– Você já esteve em Crown City antes? – perguntou ao desconhecido sem nome.

– Tantas vezes quanto gostaria... ou, melhor, preferiria ir com menos frequência.

– O que leva você até lá?

– Negócios.

Owen esperou, mas o homem não aprofundou.

– Me conte dos Anjos do Tempo.

– Geringonças de corda. Símbolos da opressão.

– Opressão! Mas eles são… os Anjos do Tempo! Eles são lindos.

O homem pensou por alguns instantes e então admitiu relutante:

– Eles têm algum mérito estético, e seu funcionamento é bem fluido. Mas venerá-los só porque o Relojoeiro os ativa e deixa que distribuam anúncios impressos... As pessoas acreditam em cada bobagem.

Owen já não se sentia confortável junto àquele homem intenso e peculiar.

– Mas é o nosso amado Relojoeiro!

A voz do homem estava cheia de escárnio:

– Sim. Ele morre de amor pela gente.

– Mas... Nós tivemos mais de duzentos anos de paz e estabilidade.

– Sim, a Estabilidade. Uma estátua tem estabilidade. Um ser vivo precisa de liberdade.

O desconhecido terminou sua maçã e jogou o miolo fora pela porta aberta do vagão. Owen só tinha mais uma.

O rapaz aproximou os joelhos do peito e envolveu as pernas com os braços, abraçando-se a si mesmo. A adrenalina estava baixando. Ele nunca tivera uma discussão intelectual com outra pessoa antes. Nem mesmo no colégio ele aprendera a debater. Não era preciso, pois todos acreditavam nas mesmas coisas e o Relojoeiro sempre fornecia as respostas. O que poderia ser debatido?

Como havia aprendido no livro do caixeiro-viajante, no passado o mundo havia sido dividido pelo caos e pela imprevisibilidade, pelas guerras, pela fome, pela pobreza e pelas doenças. Mas o Relojoeiro e seus monges alquimistas haviam trazido ordem a Crown City e às regiões ao redor. Ele lhes deu um mapa, a Estabilidade. Sem o Relojoeiro, a terra seria governada pela anarquia. Ninguém saberia o seu lugar. Haveria muitos fora da lei.

Pensando nessas antigas histórias assustadoras, Owen reuniu coragem.

– Não foi nisso que fui levado a crer.

– Levaram você a crer... que moleza! – o homem acentuou com um tom tão afiado que daria para descascar uma maçã. – É fácil *acreditar*. Mas você deveria conhecer a verdade. Ver Crown City com os próprios olhos.

Owen deu de ombros.

– É exatamente isso que pretendo fazer. Verei o que há para ver. Irei aonde quiser.

O vaporeiro andou por quatro horas, e Owen se sentia esmagado pela estranheza de tudo, por sua própria audácia inexplicável e pelas crenças bizarras de seu companheiro. Lá fora, a luz frágil do amanhecer aparecia no céu.

Na sua casa em Barrel Arbor, os alarmes dos relógios tocariam na hora certa, acordando seu pai para mais um dia de trabalho. Mas o alarme no quarto de Owen ficaria tocando. Seu pai acharia que ele havia dormido demais, entraria lá para despertá-lo e encontraria a cama vazia...

As pessoas ficariam preocupadas com ele, no entanto Owen não se arrependia, não naquele momento. Ele contaria tudo quando voltasse para casa. Fechou os olhos e imaginou os edifícios de Crown City a partir dos cronótipos no livro da mãe. Pensando agora, aquilo era o que ele sempre quisera. Certamente tinha o seu motivo. Owen poderia subir em outro vaporeiro e voltar a Barrel Arbor quando quisesse. Antes, porém, viveria uma grande aventura, que um dia poderia contar a Lavinia e, mais tarde, aos seus filhos e netos.

As rodas de aço raspavam contra os trilhos que emanavam o brilho tênue dos resíduos alquímicos. Quando o vaporeiro começou a andar mais devagar ao se aproximar da cidade, o desconhecido sem nome se levantou e bateu nas roupas para tirar a poeira.

– Você está preparado para o que lhe espera, jovem Owen Hardy? Vejo que você não trouxe muita coisa.

– Tenho uma maçã... – ele respondeu, mas percebeu que não seria o suficiente.

O desconhecido não se deixou impressionar.

– Você tem dinheiro? Crown City funciona com dinheiro.

Owen ficou sem jeito.

– Desculpa, senhor, estou mal preparado.

– Às vezes é melhor não planejar.

O homem pegou uma algibeira de couro e virou seu conteúdo nas mãos de Owen, dando a ele todo o dinheiro que tinha: nove moedas com diferentes nomes, cada uma delas ornada com a abelha do Relojoeiro.

– Pegue isso, meu bom amigo. Assim você terá mais liberdade para fazer o que quiser.

Owen aceitou o presente com muita gratidão.

– Obrigado, senhor. Você é muito generoso.

O homem lhe dirigiu um sorriso que não era um sorriso e segurou a borda do vagão usando a mão com cicatrizes e queimaduras.

– Generoso, eu? Talvez eu simplesmente ache bom que você fique me devendo.

– Então darei o meu melhor para poder devolver sua bondade algum dia – acrescentou Owen.

O vaporeiro reduziu a velocidade ao se aproximar de seu destino, e os primeiros edifícios ficaram visíveis: depósitos e fábricas se propagavam nas extremidades da cidade. Eles passaram por ruas cheias de casas enfileiradas; algumas das janelas estavam bem iluminadas, enquanto outras permaneciam escuras enquanto as pessoas adormecidas aproveitavam seus últimos momentos na cama.

– É melhor você sair do vaporeiro antes que ele chegue ao centro da cidade.

O homem arqueou as sobrancelhas cerradas.

– Os Reguladores não gostam de penetras.

O vagão de carga passou por arbustos densos. Sem olhar para Owen, o desconhecido saltou para fora do vaporeiro como se estivesse levitando e sumiu pela porta do vagão. Com um ganido, Owen se levantou, certo de que o homem estava morto. Mas quando se inclinou para fora do vagão e olhou para os trilhos, viu o homem saindo dos arbustos, batendo as roupas e saindo em disparada. Owen colocou as moedas que o desconhecido lhe dera no bolso junto com a maçã que ainda restava e olhou para os edifícios de Crown City à sua frente. Sobre eles se impunha a gloriosa e monolítica torre do relógio, a mais alta do reino – e, sem dúvidas, em todo o mundo. Ele já conhecia diversas das maravilhas que encontraria, mas o livro de sua mãe estava velho e despedaçado. Certamente Crown City tinha milhares de outras atrações por serem descobertas. A ansiedade era quase insuportável.

No entanto, o desconhecido havia mencionado os Reguladores – os seguranças do Relojoeiro. Esses vigilantes confiáveis ajudavam a manter a Estabilidade e impediam qualquer um de quebrar as regras. Owen jamais sentira medo deles antes, mas agora, com o pulso acelerado, deu-se conta de que estava quebrando as regras. Faíscas saltaram das rodas de aço quando os freios dos vagões de tração se comprimiram ao redor dos trilhos. Owen viu a estação secundária que se aproximava, onde as plataformas eram ocupadas pelo serviço de descarga. Tendo chegado tão longe, ele não queria que sua aventura acabasse antes da hora, não até que conseguisse explorar Crown City e ver os Anjos do Tempo com os próprios olhos, e quem sabe até vislumbrar o próprio Relojoeiro, ou a fonte palpitante de fogo frio abaixo de Chronos Square. O vaporeiro havia reduzido consideravelmente a velocidade, e, embora os próximos arbustos parecessem pontudos e nada convidativos, ele se preparou e pulou do vagão com muito menos elegância do que tivera ao subir a bordo.

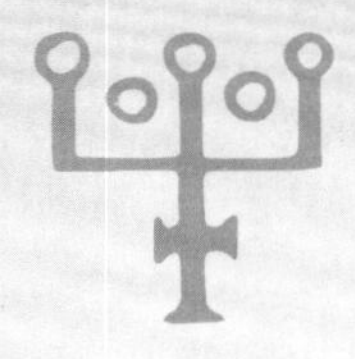

CAPÍTULO 5

Where a young man has a chance of making good
[Onde um jovem tem a chance de fazer o bem]

A cada outono em Barrel Arbor, Owen recolhia as folhas caídas com seu pai ao redor do chalé, usando ancinhos, e reunia-as em montes de cheiro doce. Em uma dessas tardes alguns anos antes, Owen havia quase terminado sua tarefa quando uma rajada inesperada de vento ergueu as folhas amarelas no ar, esparramando-as. Rindo, ele correu em meio ao redemoinho dourado, erguendo as mãos enquanto as cores tiniam ao seu redor.

Crown City era assim.

Depois de ser deixado para trás pelo vaporeiro, ele se desenredou dos arbustos, bateu as roupas e caminhou penosamente em direção à cidade. O caminho ao lado dos trilhos havia dado lugar a uma trilha, e a trilha deu lugar a uma rua. No intervalo de uma hora ele testemunhou surpresas suficientes para deixarem seus olhos cansados, e foi tragado pela majestade de Crown City. Ele queria ver tudo, experimentar tudo. O jovem não conseguia acreditar que estava mesmo ali, fosse por acidente ou determinação.

Owen passou por depósitos dispersos, cada um deles com um tamanho próximo ao de seu vilarejo. Das indústrias vinham ruídos de grandes pistões, prensas hidráulicas e linhas de montagem – um maquinário movido a fogo frio, utilizado na manufatura de utilidades para a vida cotidiana: veículos eficientes, máquinas agrícolas, engenhos de mineração, itens domésticos e engenhocas alquímicas para o prazer e o conforto do povo do Relojoeiro.

Mais adiante, nos bulevares arborizados, passou pelos edifícios amontoados e discretos da Universidade do Relojoeiro, onde a próxima geração de engenheiros e matemáticos aprendia diferentes maneiras de contribuir com a Estabilidade. A imagem de uma abelha havia sido esculpida na viga mestra do arco de entrada.

Em edifícios adjacentes, fios de fumaça expeliam nuvens coloridas de diversos experimentos conduzidos em laboratórios reforçados. Owen reconheceu a Faculdade de Alquimia do livro de sua mãe; era ali que aprendizes se debruçavam sobre os elementos para desvendar os segredos químicos do universo, expandindo a sabedoria humana para além da simplicidade do ar, da água, da terra e do fogo. Com a esperança de se tornarem membros do grupo de elite dos monges alquimistas do Relojoeiro, os aprendizes trabalhavam com metais, solos raros, sais e inclusive algumas substâncias mais raras que ainda precisavam ser nomeadas.

Owen olhou para os edifícios com melancolia, imaginando aulas cheias de alunos atentos recebendo lições de filósofos-professores. Se Owen tivesse nascido em um lugar diferente e tomado um outro caminho, talvez tivesse sido um daqueles estudantes. Certamente possuía o intelecto necessário, ou ao menos a imaginação. Mas ele fazia parte dos planos do Relojoeiro, e tudo tinha seu motivo. Não cabia reclamar.

Ele continuou explorando a cidade, cumprimentando todos os que encontrava por motivos de educação. Eles respondiam, mas não paravam para uma conversa casual como as pessoas faziam nas tardes silenciosas de Barrel Arbor ou à noite na Taverna Tick Tack. Invejava os habitantes de Crown City, para quem as maravilhas da capital eram tão banais quanto o seu pomar de macieiras.

Por estar familiarizado com o livro de sua mãe, Owen sabia o caminho até Chronos Square, o centro da cidade, onde ficava a sede do Relojoeiro. Lá encontraria a gigantesca torre do relógio e os Anjos do Tempo. Ruas amplas irradiavam daquela praça, cruzando bulevares redondos que se formavam ao redor dela. Owen sabia seus nomes: Crown Wheel,

Center Wheel e Balance Wheel... uma combinação de vias em linha reta e de círculos perfeitos, tudo parte de um plano maior que pessoas simples como Owen jamais compreenderiam.

Os edifícios ficaram mais altos. As ruas estavam abarrotadas de gente e eram adornadas por tendas, lojas e quiosques. O pescoço de Owen doía porque ele olhava de um lado ao outro tentando absorver tudo, como um gatinho brincalhão distraído por borboletas no ar. Ele não estava concentrado no caminho que deveria tomar, tão envolto pelo cenário quanto aquelas folhas douradas pelo vento.

Passou por vendedores de frutas, cafeterias e mercados com anúncios em giz: "promoção especial" (embora os preços fossem fixados na Estabilidade e se exigisse de cada vendedor que cobrasse exatamente os mesmos preços, com o objetivo de eliminar a incerteza da competição desnecessária).

Dois trabalhadores carregando esfregões de cabo comprido, botijões com solventes de forte odor e baldes de água ensaboada estavam na entrada de um beco; os trabalhadores pareciam constrangidos e estavam com pressa. Um dos homens aplicou solvente em um símbolo pintado sobre a parede de tijolos. Era possível vê-lo com clareza da rua principal – um grande "A" envolto por um círculo desleixado. Com a aplicação do solvente a pintura começou a escorrer, derretendo o símbolo – seja lá o que significasse. O segundo trabalhador embebeu o esfregão na água ensaboada e esfregou com firmeza, como se quisesse remover a superfície dos tijolos junto com a pintura. A marca ofensiva desapareceu graças a seus esforços.

Quatro homens de ombros largos vestindo uniformes azul-escuros avançaram como se fossem soldados de corda. Cada um deles usava um chapéu translúcido de três pontas. Suas jaquetas estavam bem passadas, tinham os botões prateados polidos e as mangas serviam como exemplo de um retângulo perfeito. As pessoas abriam caminho para deixá-los passar e Owen tentou desesperadamente não chamar atenção, mas não conseguia desviar o olhar.

Os Reguladores do Relojoeiro eram conhecidos mantenedores da Estabilidade. Apenas os candidatos com ritmo e senso horário perfeitos eram admitidos na Guarda Azul, que vigiava as ruas seguindo um rígido cronograma. Eles percorriam uma rota fixa de inspeção, sempre com o olhar à frente, atentos a tudo. Mais do que exigir que as normas fossem cumpridas, eles demonstravam como fazer isso.

A Guarda Azul seguiu seu caminho e, enquanto ela passava, as pessoas pareciam corrigir a postura e fazer o que estavam fazendo com maior cuidado. Owen sentiu crescer a confiança de que tudo na sua vida, mesmo aquela aventura inesperada, era parte de um imenso e intrincado plano central.

Homens e mulheres entravam e saíam de um grande edifício levando folhas de papel. As paredes eram cobertas por janelas hexagonais e espessas, como uma colmeia, e um grande ruído vinha lá de dentro, onde filas e filas de lâminas metálicas automatizadas se chocavam contra carretéis de polpa de papel – um escritório central de notícias, muito maior do que a pequena loja dos Paquette com sua única máquina de notícias em Barrel Arbor. Os funcionários do escritório saíam correndo e afixavam as notícias mais recentes nos quiosques públicos: anúncios de serviços, alertas de segurança, relatórios climáticos e até pronunciamentos filosóficos que iam direto da mente do Relojoeiro para as máquinas.

Em uma livraria contígua ao escritório de notícias, Owen viu uma grande pilha da obra *A Biografia Oficial do Relojoeiro, Versão Atualizada*. Cada volume tinha o símbolo da abelha estampado na lombada, assim como *Antes da Estabilidade*, o livro do caixeiro-viajante. Owen folheou algumas páginas do livro grosso, jurando a si mesmo que um dia sentaria e leria sobre os séculos da Estabilidade e como o Relojoeiro havia tornado este o melhor mundo possível. Um aviso informativo apontava que a edição atual incluía "até eventos da semana passada". Owen supôs que o livro estaria muito mais grosso quando ele conseguisse sentar para ler.

Antes disso ele ainda precisava ver Crown City.

Mais adiante, uma mulher estava experimentando chapéus na vitrine de uma loja. O vendedor pairava ao seu redor.

– Você está encantadora com ele, senhora. Absolutamente encantadora.

A mulher ajeitou o chapéu para um lado e depois para o outro, contemplando-se em um pequeno espelho.

– Mas talvez você devesse experimentar esse azul – ele observou. – Ficaria ótimo.

O vendedor alcançou um chapéu escarlate, que definitivamente não era azul. Ela não fez nenhum comentário acerca da cor e experimentou. O homem disse:

– Agora sim, madame. Azul é mesmo a cor que fica melhor em você.

O vendedor era um velho de barba fina, juntas artríticas e rosto enrugado. Seus olhos eram quase fechados, suas pálpebras pareciam feitas de camurça acolchoada. E Owen percebeu que o homem era cego. Hesitante, a mulher experimentou o chapéu ainda em dúvida quanto à cor.

– Tem certeza, senhor?

– Claro, senhora. O Relojoeiro me escolheu para essa profissão. É minha habilidade pessoal. Confie em mim, você está linda – afirmou o homem cego.

– Bom, então tá. Tudo tem seu motivo.

Ela pagou ao vendedor e saiu com seu novo chapéu escarlate, que não combinava nem um pouco com sua roupa.

Embora estivesse surpreso no início, Owen também se sentiu tranquilo com o fato de que a sociedade do Relojoeiro era tão organizada que até um homem cego sabia qual chapéu vender para os seus clientes. Confiando na Estabilidade, as pessoas faziam exatamente o que se esperava delas.

– E você, jovem – perguntou o velho rouco, virando a cabeça na direção de Owen. – Acho que pra você é melhor um chapéu porkpie.

– Eu... não preciso de chapéu – disse Owen.

Ele não tinha nem pensado naquilo quando saiu depois do anoitecer para se encontrar com Lavinia.

O vendedor tateou em meio aos seus produtos, parou em um chapéu de *tweed* cinza, sentiu a aba para verificar o tamanho e o estendeu na direção de Owen. O jovem colocou o chapéu na cabeça e admitiu que ficava bem nele.

– Como você sabia que eu precisava de um chapéu se não pode ver?

– Porque eu estava esperando você vir. Senão, como faria o meu trabalho?

Como Owen não sabia quanto um chapéu custava, ofereceu um punhado das moedas que o desconhecido havia lhe dado. O cego futricou elas, retirou uma de tamanho médio e largou-a em uma pequena caixa dentro de seu chapéu de palha na mesa. Owen agradeceu e seguiu seu caminho.

Ele comeu a última maçã, embora quisesse algo mais substancial. Mas, embora seu estômago rugisse, tinha muitas coisas para ver. Ele podia comer depois. Além disso, não fazia ideia de quanto uma refeição de carne de carneiro assada ou uma torta de frango custavam.

Enquanto seguia em direção a Chronos Square, impressionado com o tamanho de Crown City, encontrou um aglomerado de gente que ria e aplaudia. Curioso, espiou por cima dos ombros e em meio aos braços, ficando na ponta dos pés, até ver uma incrível criatura mecânica vermelha e dourada que estava dentro de uma vitrine emoldurada com madeira envernizada. A cabeça era feita de um cristal transparente, cheio de vapores coloridos que rodopiavam; o corpo era um aglomerado de esferas e geradores e uma caldeira central pressurizada, conectada a meia dúzia de braços hidráulicos e pernas encurvadas de pistões. Na ponta de cada braço articulado de cobre, havia uma baqueta de madeira presa a uma meia; as pernas dobradas estavam ligadas a pedais. Ao redor da engenhoca havia uma bateria com partes de diversos tamanhos e formatos. Um homem com um pequeno bigode e uma manta vermelha no pescoço estava de pé ao seu lado, sorrindo com orgulho radiante para sua invenção.

– Eu vos apresento o Fabuloso Percussionista Pontualista do Dr. Russell! Vamos fazer um som alegre.

Com um jato repentino de vapor, os braços começaram a se mexer, aleatoriamente de início, mas logo em uma sequência de batidas organizadas no conjunto de baterias e címbalos. Cada membro se esticava e se movimentava de maneira graciosa, e todo o kit criava um som de rá-tá-tá que lembrava um despertador maníaco.

Owen ficou deslumbrado pela dança intrincada dos braços e pernas da criatura de cobre frente à bateria de pau-rosa e os címbalos de bronze, cada um mantendo seu tempo. Mais do que isso, o poder ritmado do baterista autômato parecia afetar todo o seu ser. Cada nota do bumbo soava como um sopro em seu peito, deixando-o sem ar. As batidas secas e a chocalhada da caixa ressonavam em seu crânio com suas rajadas velozes, e as batidas primitivas dos tom-tons pareciam aquecer seu sangue ao ponto de causar febre. Os címbalos chegavam como ondas contra sua pele, eletrificando todas as terminações nervosas.

O Percussionista continuou com sua música mecanizada com velocidade e complexidade incríveis, até que Owen sentiu vertigens, exaltado pelo poder do ritmo. As pessoas ao seu redor aplaudiam o belo espetáculo, mas Owen estava surdo a tudo aquilo.

De repente o feitiço foi quebrado, quando uma das baquetas do Percussionista escapuliu de sua meia e atingiu uma das vidraças de sua vitrine, criando uma grande rachadura. O braço desequilibrado debateu-se no ar, e aquele movimento pernicioso comprometeu o equilíbrio de todo o mecanismo hidráulico. O Percussionista descendeu a um caos de movimentos descontrolados e ruídos aleatórios. Dr. Russel correu para abrir a portinhola de vidro da vitrine, abaixando-se e desviando da máquina descontrolada, e aliviou a pressão do vapor através de uma válvula no centro da máquina. Desacelerando aos assovios, os braços articulados desceram e o Percussionista voltou à inércia.

Limpando suas sobrancelhas suadas com a manta vermelha, o Dr. Russell lembrou-se de passar seu chapéu para que as pessoas pudessem fazer doações pela performance. Vendo que se esperava isso dele, Owen jogou uma de suas moedas no chapéu sem olhar para suas inscrições.

Mas por mais maravilhoso que o Percussionista fosse, ele não era digno nem sequer de segurar uma lâmpada de fogo frio para iluminar os Anjos do Tempo.

Owen levou a tarde inteira para transpor as distrações e chegar ao centro da cidade. Lá os edifícios eram maiores, mais impressionantes, com colunas e relógios luminosos em todos os arcos principais e o símbolo da abelha esculpido nas vigas de todas as construções. Owen torcia para chegar a tempo de ver a performance dos Anjos, mas, quando chegou perto da entrada da praça, viu uma linha de Reguladores de uniforme vermelho, erguidos feito estátuas proibitivas.

A Guarda Vermelha atuava como corpo de guarda em lugares importantes, sempre estoicos e imóveis.

Para não ser detido ao fim de sua longa jornada, Owen se apresentou ao capitão da Guarda com um sorriso educado.

– Com licença, senhor, mas eu vim para ver os Anjos do Tempo.

O capitão dos Reguladores continuou olhando para a frente, como uma ave de rapina atenta a uma lebre distante; ele não olhou para Owen.

– Você tem um ingresso?

– Ainda não. Como faço para arranjar um?

– Deveriam ter emitido um ingresso para você.

– Não tem como eu dar uma espiadinha na praça? – perguntou Owen.

– Não, hoje é terça-feira.

– Então é melhor eu voltar amanhã?

– Não.

Owen sentiu a ansiedade crescer.

– Por favor, senhor, você poderia me dizer como faço para arrumar um ingresso?

– Não estou autorizado a dizer. Deveriam ter emitido um ingresso pra você.

Owen tentou espiar entre os homens para ter um vislumbre da praça, mas o capitão dos Reguladores inflou o peito e se aproximou mais dos outros homens de uniforme vermelho.

Owen recuou, desapontado. Talvez levasse mais tempo do que esperava, mas descobriria um jeito.

CAPÍTULO 6

Spinning lights and faces
Demon music and gypsy queens
[Luzes e rostos girando
Música demoníaca e rainhas ciganas]

Depois que escureceu, Owen não tinha para onde ir, um lugar para ficar, nem um espaço para dormir. O Relojoeiro podia ter um plano, mas Owen estava longe disso.

Quando viu a placa de uma estalagem, Owen perguntou sobre a comida e a hospedagem, e o proprietário ficou contente por ficar com seu dinheiro – a maior parte dele. A refeição era basicamente um pedaço de galinha magra demais e nabos passados do ponto. A cama era dura e os lençóis eram viscosos e engomados, mas o quarto tinha seu próprio despertador, e Owen conseguiu ajustar o alarme para pouco antes do amanhecer. Ele estava ansioso para ver mais de Crown City e não queria perder tempo dormindo.

Na manhã seguinte, ele saiu da estalagem sem arrependimentos. Encontrou na rua um vendedor de tortas, que tinham um cheiro delicioso. As massas douradas haviam sido salpicadas com mel. Ele pagou com uma de suas moedas pequenas e pegou uma torta de maçã por força do hábito, e se deteve no meio do ato. Como tinha feito tantas coisas inesperadas, decidiu provar uma torta de *framboesa*. Por que não arriscar? O sabor explodiu em sua boca, doce e complexo, muito suculento, cheio de pequenas sementes. Que descoberta maravilhosa! Ele queria ainda mais sabores para poder comparar, mas trabalharia nisso mais tarde – uma coisa por vez. Cada coisa tinha o seu lugar, e cada lugar tinha a sua coisa. E Crown City estava repleta de coisas maravilhosas.

Enquanto se deliciava com a torta doce, passou por uma comoção na rua, onde dez membros da Guarda Vermelha haviam se reunido ao redor de um edifício de pedra. Os guardas montaram barricadas para impedir as pessoas de ver a parede maculada, mas a mera presença deles era suficiente para incitar a curiosidade.

Owen ficou chocado quando conseguiu ler as letras rabiscadas. *Quem criou o Relojoeiro?* E *Você sabe que horas* realmente *são?* Mais uma vez ele viu a letra "A" com um círculo grosseiro ao redor.

Uma carroça chegou trazendo um barril de aço conectado a um compressor de fogo frio. Os garis abriram a porta de uma casa, ativaram o compressor e despejaram uma camada de tinta cinza sobre as palavras ofensivas.

– Mas o que isso quer dizer? – Owen perguntou a um homem quase careca, mais porque ele estava ali ao lado, e não porque o homem aparentasse ter algum conhecimento aprofundado.

– Maldito Anarquista – resmungou o homem. – Ele quer estragar tudo.

– Pichar é melhor que explodir pontes, isso podemos admitir – comentou outra pessoa ali perto. – Ao menos isso pode ser corrigido com um pouco de tinta fresca.

Perturbado, Owen voltou a Chronos Square na esperança de ter melhor sorte dessa vez. Ele perguntou a diversas pessoas como fazer para conseguir um ingresso, torcendo para que as restrições se limitassem às terças-feiras, como havia explicado o capitão da Guarda Vermelha. Todos diziam que o ingresso dele deveria ter sido emitido e, quando ele insistia nas perguntas, recebia olhares céticos como resposta. Ele decidiu não comentar que não era de lá.

Àquela altura, Barrel Arbor deveria estar fervilhando com a notícia de seu desaparecimento. Ele se perguntou se Lavinia estava pensando nisso. Será que ela sequer lembrava que tinha prometido encontrá-lo na colina do pomar à meia-noite? Será que seus vizinhos estavam com medo que algo tivesse acontecido com ele? Owen sentia saudades do pai, mas se lembrou da admoestação do velho, dizendo que ele teria de deixar as "besteiras" para trás quando se tornasse adulto - então Owen concluiu que era melhor ter feito a maior de suas besteiras enquanto ainda era possível. Embora não estivesse pronto para voltar para casa, já tinha vivenciado coisas incríveis o suficiente para ocuparem sua mente por toda uma vida. Qualquer coisa podia acontecer. E então ele viu o circo.

A atração itinerante havia se instalado em um parque aberto da cidade; um sinal em formato de arco resplandecia letras fosforescentes que dançavam pelo anúncio: *Circo e Parque de Diversões César Magnusson's Extravaganza*. E era, de fato, uma mistura de circo e parque, com diversas apresentações e uma infinidade de brinquedos. Uma roda-gigante erguia passageiros a uma altura estonteante, de onde eles podiam ver a cidade. As traves da roda-gigante eram adornadas com uma fachada de pedaços de metal pintados para fazer com que parecesse uma engrenagem gigante. Em outros brinquedos, pessoas gritavam enquanto vagões rodopiavam nas extremidades de braços pneumáticos, ou motores a vapor soltavam estampidos para elevar assentos acolchoados em um andaime, e então soltar os passageiros em alta velocidade por uma inclinação abrupta.

Como em um transe, Owen foi atraído em direção ao circo como um filamento de ferro puxado por um ímã. As pessoas passavam pela bilheteria com moedas na mão, e Owen não resistiu ao ser levado pela massa. Ele não contava as moedas, não se preocupava com o tempo que elas durariam: ele não podia imaginar nada mais incrível do que aquilo (exceto talvez pelos Anjos do Tempo).

A mulher roliça de meia-idade que vendia os ingressos para o circo tinha os cabelos loiros, um vestido floreado e uma barba completa que cobria seu queixo e as bochechas. Suas tranças faciais eram tão compridas que ela usava fitas floreadas para prendê-las em rabos de cavalo ao redor de sua mandíbula.

Owen não conseguia parar de olhar. Ele nunca havia visto uma mulher barbada antes, mas ela não ficou ofendida, apenas risonha.

– Eu sou a coisa menos surpreendente que você verá aqui, jovem rapaz! Rainhas ciganas, acrobatas, engolidores de fogo, truques de espada, jogos de azar. O Circo e Parque de Diversões Magnusson's Extravaganza tem tudo isso.

Ele olhou para o ingresso que tinha em mãos, que anunciava "Maravilhas para deleitar-se e emocionar-se". Não tinha dúvidas de que o circo estaria à altura da promessa.

– Você... você sabe onde eu posso arranjar um ingresso para ver os Anjos? – ele perguntou. – Você parece entender bastante de ingressos.

– Não de ingressos desse tipo – ela respondeu. O nosso espetáculo não é suficiente?

Com medo de tê-la ofendido, Owen se apressou em direção ao circo.

Lá dentro, o barulho e a energia eram como uma sinfonia. Ele caminhou ao lado de tendas de diversões lotadas de jogadores ávidos. Um animador mirradinho com a cabeça manchada inclinou-se sobre três tigelas invertidas e colocou uma pequena bola embaixo de uma delas. Embora o velho homem parecesse fraquejar, debilitado, embaralhou as tigelas, mudando suas posições enquanto falava e improvisava piadas para distrair os observadores.

– Grana de verdade – ele tagarelou. – Grana de verdade!

O velho sempre conseguia induzir os observadores a apostarem na tigela errada, e embolsava suas apostas.

Em outra tenda de jogos, uma mulher magra girou uma roda vertical automática com segmentos coloridos; os jogadores atiravam dardos e tentavam atingir os locais marcados. Em outro jogo, jovens atiravam bolas e tentavam derrubar uma pirâmide de cálices que resistia de maneira surpreendente.

Ele escutou uma música alta e viu três palhaços com tatuagens extravagantes e trajes coloridos tocando uma versão fora do tom de "A Marcha do Anarquista". Os palhaços tocavam címbalos com um pedal, batiam os tons da bateria e tocavam uma trompa, criando uma música dos demônios que fazia jus ao vilão que tentava sabotar a Estabilidade de suas vidas. A plateia reagia com risadas descontroladas.

Um levantador de pesos bronzeado e vestido apenas com uma tanga flexionou os bíceps, cada um deles maior que a cabeça de Owen. O levantador de pesos se agachou e encantou a plateia ao erguer halteres com o tamanho das rodas de aço de um vaporeiro. O levantador de pesos ergueu a carga sobre a cabeça e a sustentou, fazendo um grande esforço até o ponto em que seus músculos pareciam prestes a explodir para fora de seus braços, como uma correia danificada. Exausto, ele soltou o peso com um impacto tão forte que deixou marcas no chão. O homem cambaleou desorientado, e Owen foi convencido de que aquele esforço não era uma encenação.

Um homem jovem e bonito com cabelo escuro e olhos escuros passou por ele em um passo de dança; ele tirou um pacote da calça, despejou um pó azul na boca e contraiu os lábios. Suas bochechas incharam, fazendo com que parecesse uma criança malcriada prendendo a respiração; seus olhos se arregalaram e lacrimejaram, e finalmente ele tossiu uma chama azul-esverdeada. Em seguida, arrotou algumas faíscas de fogo, limpou a boca e deu um passo atrás sob os olhares incrédulos da plateia.

Owen nunca havia escutado tantas risadas e tanta zoeira em toda sua vida. Jovens casais andavam de braços dados. Pais traziam suas crianças. Ele viu cobre queimado, vidros coloridos, metais pintados; escutou o assovio do vapor e viu uma onda de fumaça – tudo parte de um show multissensorial. Enquanto caminhava, golpeado por visões e sensações, uma voz fraca chamou sua atenção:

– O que o futuro reserva para você, meu jovem?

Ele se virou e viu uma barraca com janelas, pintada na cor de uma maçã vermelha maduríssima. Dentro ele viu o autômato de uma velha. A placa dizia *Adivinhadora Cigana*. Ela vestia um vestido de remendos, e suas mãos mecânicas estavam cobertas por luvas para que parecessem mais humanas; sua cabeça parecia um chapéu de ponta murcho, uma boneca de maçã desidratada com cabelos cinza-azulados presos em um coque. Exatamente com a mesma voz (sem dúvidas eram palavras gravadas em uma bobina metálica), o autômato repetiu:

– O que o futuro reserva para você, meu jovem?

Ele olhou ao redor, mas não viu mais ninguém por perto. Ela só podia estar falando com ele. Havia um pequeno orifício convidando-o a colocar uma moeda. Como poderia resistir?

Ele deu a ela uma de suas moedas, e o autômato adivinhador não reclamou, nem se alterou. Ele virou a chave de metal na lateral da barraca, apertando cada vez mais até que a mola estivesse espremida. Enquanto as chaves zumbiam e as engrenagens rodavam, as mãos hidráulicas da adivinhadora reuniram estupidamente as cartas de um baralho de tarô espalhado por ali. Ela pegou o baralho, embaralhou as cartas e, destrambelhadamente, posicionou-as para a leitura.

– A Justiça contra O Enforcado – ela disse, e então posicionou mais duas cartas no lado oposto. – Cavaleiro de Paus contra A Morte.

– O que isso significa? – ele perguntou.

Mais duas cartas.

– O Eremita contra Os Enamorados.

Owen estava tão atento aos movimentos intrincados de sua mão autômata que ficou surpreso ao ver seu rosto. Seus olhos de pássaro eram azuis e atentos, e ela estava piscando para ele.

– O Diabo contra O Louco.

Sua boca franziu e depois se descontraiu, formando um sorriso.

Ela estava *viva* – ou ao menos uma parte dela!

Desconcertado, ele se afastou, sem saber se queria conhecer seu destino. Ainda emitindo ruídos, a chave do mecanismo chegou ao fim e parou. A adivinhadora reuniu as cartas, sentou-se outra vez e voltou à inércia. Owen murmurou um agradecimento e partiu, sentindo-se ao mesmo tempo feliz e confuso.

Postes com cordas haviam sido erguidos no centro do circo para um número de acrobacias na corda bamba. O mestre do picadeiro (um homem de tanta presença que Owen presumiu que seria o próprio César Magnusson) estava lá vestindo uma cartola e um fraque preto, com um grande bigode de pontas que já era uma proeza por si só. Ele gritou por cima do barulho da multidão em uma voz capaz de dar ordens a trovões.

– Sobre os fios, o mais belo de nossos anjos – Francesca! Vejam-na desafiar a morte com suas proezas de postura e equilíbrio. O perigo nunca foi tão gracioso.

Uma mulher jovem e flexível surgiu e abriu estrelinhas com a perfeição de uma engrenagem de movimentos suaves. Ela vestia um traje de ginástica branco perolado e uma camisa branca decorativa que não limitava seus movimentos. Seus longos cabelos negros lembravam um rio de tinta em torvelinho, e seus cachos capturavam a pureza das noites escuras sem lua. Francesca se virou e sorriu para a plateia, revelando uma grande rosa que segurava entre os dentes. Owen nunca tinha visto alguém tão bonito na vida.

Feito um gato subindo em uma árvore, ela subiu no poste por meio de ganchos que haviam sido instalados a modo de degraus. Owen viu (e logo esqueceu) um pacote plano preso às suas costas, engenhosamente escondido sob seus cabelos. Ela subiu até a primeira plataforma e olhou para a corda estreita que levava ao outro poste. Mais no alto, Francesca desafivelou um trapézio suspenso. Com habilidade natural e de tirar o fôlego, ela envolveu a barra com um braço e se dependurou, deslizando para a frente e para trás como o pêndulo de um grande relógio. Ela sustentou o peso com os braços fortes e esbeltos, rodopiou e se lançou no ar, onde agarrou a corda superior e aproveitou o impulso para balançar o corpo. Francesca voltou para baixo e em meio ao arco que lançou no ar, segurou as barras do trapézio como se estas esperassem por ela. Francesca se balançou mais uma vez, sem jamais deixar que a rosa caísse de sua boca. Então, quando estava a uns sete metros acima do chão, os dedos do pé apontaram direto para baixo, um pé em frente ao outro, enquanto andava pela corda bamba com a mesma facilidade que Owen tinha para andar pela calçada. Ela parecia ter asas nos calcanhares.

Durante a performance, ele abriu caminho até a frente da multidão e ficou ali, com todas as suas atenções voltadas para Francesca. Ele a assistiu com os olhos arregalados e a boca aberta, como uma vaca perdida em devaneios. Não conseguia pensar em mais nada ou ver mais nada e, quando Francesca olhou para o público, ele teve certeza de que ela olhou diretamente em seus olhos. Seu novo chapéu caiu, e ele se agachou para pegá-lo.

Erguendo as mãos como se estivesse se espreguiçando ao acordar, ela agarrou o trapézio e balançou o corpo no alto. Quando voltou para baixo, a trapezista empurrou as pernas com força contra a tensão elástica da corda e se catapultou no ar. No ponto mais alto do voo, ela puxou uma pequena corda na parte frontal da roupa e o pacote semiescondido em seus ombros se abriu, revelando um par de asas angelicais. O par havia sido confeccionado com lâminas finas de alumínio e estanho dispostas em camadas umas sobre as outras, como penas gigantes, e a aparência sob a luz era gloriosa.

Com asas de anjo, Francesca abriu os braços e voou para baixo em um voo extático. As asas frearam sua descida o suficiente para que chegasse ao chão sem um fio de cabelo fora do lugar. A jovem aterrissou na frente de Owen, que não conseguiu fazer nada além de perder o fôlego, enquanto o resto da multidão aplaudia.

Com um floreio e um sorriso misterioso, Francesca tirou a rosa da boca e alcançou-a para ele. Owen não sabia o que dizer. Suas mãos tremiam quando ele a pegou, e ela o recompensou com um lindo acesso de riso antes de encerrar o número, deixando-o completamente fora de órbita.

Owen estava tão atordoado que não percebeu o silêncio que percorreu a multidão. Uma tropa de Reguladores, doze homens com chapéus tricórneos perfeitos e uniformes enrugados marcharam ao lado das tendas de jogos dando ordens para que o circo fosse fechado.

A Guarda Azul marchou até onde estava César Magnusson em seu fraque e com sua cartola, com postura ereta, não parecendo nada intimidado.

– Como posso ajudá-los, cavalheiros?

Ele alisou o longo bigode.

– Foram verificadas irregularidades em seu alvará – disse o Regulador chefe. – Sua concessão para atuar está vencida. Por decreto do Relojoeiro, você deverá encerrar essas operações e remover todo o equipamento antes do pôr do sol. Você poderá tentar uma nova permissão para atuar dentro de 24 horas.

O Regulador procurou dentro de sua jaqueta de botões e tirou uma notificação escrita, que entregou ao proprietário.

Magnusson aceitou o papel sem protestar, tirou a cartola e fez uma reverência.

– Devemos fazer tudo conforme os desejos do Relojoeiro. Tudo tem seu motivo.

INTERLÚDIO

O Relojoeiro

While our loving Watchmaker
loves us all to death
[Enquanto nosso amoroso Relojoeiro
Nos ama até a morte]

O Relojoeiro estava sentado na mais alta torre do relógio na terra de Albion e contemplava o universo.

Seu quadro estava coberto com equações: cópias heliográficas, com desenhos precisos de como deveria ser a ordem das coisas, repousavam sobre escrivaninhas. Em mais de dois séculos de Estabilidade (ele já não deixava as pessoas saberem exatamente o tempo transcorrido), o Relojoeiro havia realizado diversas coisas, mas restava muito a ser feito. O mundo era um lugar muito grande e caótico.

Seus engenheiros e físicos peritos entendiam as causas e efeitos, a epifania de linhas retas e círculos perfeitos. Seus monges alquimistas, antes considerados mágicos, entendiam a relação precisa entre os átomos e os elementos. Mas a ele, o Relojoeiro, cabia a maior das responsabilidades: ele era o eixo principal, a engrenagem que fazia todas as engrenagens rodarem, a mola precisa que salvava a população dispersa e ineficiente de Albion da desordem comprometedora. Tique-taque. Tique-taque.

Ele levou a cadeira para perto de sua mesa com seus papéis meticulosamente ordenados, sua régua, seu compasso e sua calculadora com diversas chaves para dar corda. Dali ele podia escutar o mecanismo implacável do grande relógio da torre, engrenagens de força bruta capazes de submeter o tempo às suas batidas. O ruído alto gerava um ritmo tão reconfortante quanto as batidas de um coração, sem jamais variar. Embora o pulso do próprio Relojoeiro pudesse acelerar quando ele pensava em uma ideia nova ou quando ouvia notícias de mais um distúrbio causado pelo Anarquista, o imenso relógio da torre mantinha seu tempo perfeito. Isso o ajudava a se concentrar.

O Relojoeiro era um homem de barba bem aparada, com o rosto cheio de anos, que nem os tratamentos de rejuvenescimento haviam sido capazes de apagar; o barbeiro vinha todos os dias, precisamente às 7h30min. Seu cabelo cinza era cortado na altura que ele considerava perfeita. Suas unhas eram cortadas uma vez por semana em perfeita uniformidade por uma manicure.

Às 10h em ponto, seu assistente chegou com uma bandeja e lhe serviu uma xícara de chá quente. O Relojoeiro espremeu um favo de mel em uma tigela à parte, e então pingou a quantia exata da essência dourada em seu chá. Duas mexidas circulares com uma colher de prata e o café estava perfeito.

Ele odiava desfazer o hexágono perfeito do favo de mel, mas era uma porção necessária de desordem. Os ângulos e as câmaras interligadas eram uma perfeição geométrica de ordem natural bastante rara; aquilo o fascinava. Por instinto, as abelhas entendiam a ordem e a perfeição da geometria. Se ao menos as pessoas pudessem aprender de maneira intuitiva as mesmas lições de insetos insignificantes.

E o mel: um líquido dourado como o ouro que seus alquimistas criavam – mas criado através da alquimia dos insetos, uma transformação arcana do néctar pelos processos biológicos das abelhas. Nem mesmo o mais brilhante de seus monges alquimistas era capaz de reproduzi-lo. O Relojoeiro mantinha suas próprias abelhas para fins de diversão e estudo. Não era de se espantar que tivesse escolhido as abelhas como seu símbolo pessoal, lembrando a todos da ordem doce e perfeita da Estabilidade...

Ele olhou para as cópias heliográficas diante de si: a expansão de uma ala na Universidade Alquímica, uma nova via vapórea para trazer cobre processado e molibdênio das jazidas no nordeste e um design modificado para os vaporeiros de carga, para poderem resistir melhor às tempestades ao cruzar o Mar do Oeste vindo de Atlantis carregados de suprimentos alquímicos indispensáveis.

Tique-taque.Tique-taque.

Às 10h30min o comandante da Guarda Preta, corpo de elite, entrou marchando e apresentou seu relatório.

– Está tudo bem, senhor – ele disse, como fazia todos os dias. – Tudo está como deveria estar, e tudo tem seu motivo.

O comandante entregou um documento resumido e o Relojoeiro passou os olhos. Era igual ao dos dias anteriores, escrito à mão com boa caligrafia e atenção aos detalhes. O comandante da Guarda Preta poderia utilizar uma prensa para escrever os documentos, mas o Relojoeiro desencorajava a complacência, sobretudo enquanto aquele maluco, o Anarquista, tentava arruinar a perfeição. O homem tinha tanto potencial, e tanto fracasso...

O comandante da Guarda partiu às 10h45min, e o Relojoeiro lembrou com um triste anseio que aquele era o momento de passear com o cachorro, como ele fazia havia anos. Martin, seu Dálmata, estava encolhido sobre um tapete próximo à janela do seu escritório. Um cão perfeito, bem treinado, que jamais incomodava, com pelagem branca e uma linda aleatoriedade de manchas (era preciso reconhecer os méritos de certa quantia de desordem imprevisível na natureza). O Dálmata não se espalhava pelo chão e não o interrompia para brincar: ele sentava quando recebia ordens para tanto e levantava sempre que o Relojoeiro o chamava. Sim, um cão perfeito. Martin ficava lindo ali sobre o tapete.

Infelizmente, o reloginho da biologia havia desacelerado; os anos eram diferentes para os cães, embora a perda ainda parecesse profunda e dolorida para ele quando vista por olhos humanos. Martin havia morrido quatro anos antes. Sem querer quebrar sua rotina diária, o Relojoeiro havia pedido ao melhor taxidermista de Albion que empalhasse e dispusesse o cachorro de modo que ficasse sentado, encolhido em seu lugar de costume o dia todo, um pedaço reconfortante de Estabilidade para o próprio Relojoeiro. Ele havia decidido que essa era uma solução melhor do que arranjar um novo cachorro.

Por sorte, sua sofisticação com as sutilezas da alquimia, da biologia hidráulica e de pequenos mecanismos de corda permitiam que o Relojoeiro transpusesse até mesmo o obstáculo que a morte de Martin representava. Ele abriu a gaveta de sua escrivaninha e tirou um conta-gotas cheio de um fluido de luminosidade intensa, eletricidade líquida... quintessência destilada.

O cachorro não era o seu primeiro experimento, e certamente não era o seu melhor, mas ainda assim era muito importante para o Relojoeiro. Aquele era *Martin*. Ele acariciou o pelo das costas do cachorro, encontrou a pequena portinhola que revelava seu coração de corda e os músculos hidráulicos e pingou duas gotas do fluido bruxuleante na bateria do animal.

Ele mal teve tempo de fechar a portinhola novamente e guardar o conta-gotas de volta na gaveta antes que Martin voltasse à atividade, erguendo-se nas quatro patas e balançando o rabo como um metrônomo perfeito. O Relojoeiro sorriu. Muito melhor do que a bagunça e o comportamento espontâneo lamentáveis de um cão de verdade.

Ele se viu pensativo, escutando o tique-taque firme do grande relógio. 10h55min – hora de visitar os monges alquimistas para a inspeção diária.

– Venha, Martin. Vamos dar uma volta.

Crown City era o coração de Albion, e Chronos Square era o coração de Crown City. Nas catacumbas abaixo da grande torre do relógio, o Relojoeiro podia ver o coração alquímico do mundo bater. Sua fonte de fogo frio.

Condutores sabiamente ocultos sob as ruas de paralelepípedos levavam energia à cidade, carregando caldeiras de vapor, iluminando lâmpadas nas ruas, aquecendo as casas e garantindo o funcionamento de hospitais. Os monges alquimistas haviam criado uma grande câmara abobadada nas catacumbas, a conexão de todo o fogo frio que mantinha a Estabilidade estável.

Não faltava nada às pessoas, e as máquinas da sociedade funcionavam com engrenagens bem lubrificadas.

O Relojoeiro caminhou decidido, com o cão vindo atrás de si com passos duros e medidos. Ele podia ouvir os tiques do mecanismo de Martin, o movimento das engrenagens não tão suaves em suas juntas principais. No entanto, acreditava que mesmo aquele simulacro do cão era capaz de curtir sua caminhada diária, e confirmava para si mesmo que tudo estava como deveria ser – para sempre.

Os monges alquimistas chefes, que eram dez (porque este era um número perfeitamente redondo) mantinham o pulsante coração de fogo frio. Acrescentavam as quantias prescritas de enxofre e antimônio, mercúrio, sódio e os destilados, alótropos em pó e cristalizações correspondentes. Eles seguiam as receitas para as reações conforme especificado em grandes livros repletos de símbolos alquímicos.

Aquelas magias e aqueles rituais eram o ápice da ciência moderna. Em uma liberação de empatia elemental – uma mudança de sinergia –, as reações químicas bem-sucedidas colocavam em movimento as turbinas subterrâneas da cidade. Um estalo deixou o ar com um odor metálico de ozônio após uma trovoada. Diversos monges alquimistas tinham os rostos cobertos por mantas para se precaverem das fumaças químicas, mas para o Relojoeiro o aroma era uma mistura de esperança e potencial, embora nem todos pudessem sentir isso. Os olhos dele sequer lacrimejavam.

Mais de dois séculos antes, a cidade era um pandemônio de chaminés e favelas. As pessoas se amontoavam em condições precárias. Assassinatos, doenças e até mesmo pragas acometiam as classes mais baixas. Havia inúmeros acidentes nas fábricas e incêndios saiam de controle – era um caos total. Naquela "civilização" sem leis, que era qualquer coisa menos civilizada, era cada um por si.

Em meio àquele turbilhão, o homem que se tornara o Relojoeiro havia organizado suas pesquisas e reunido uma equipe de alquimistas peritos para dar início a investigações metódicas. E eles finalmente encontraram a Pedra Filosofal, que permitia que transformassem metais simples em ouro.

Um homem mais simples teria dado os sonhos por realizados. Ele teria ficado rico, construído um palácio e relaxado em uma vida de confortos. Mas para o Relojoeiro, aquilo era apenas o primeiro passo. Ele confeccionou quantias imensas de ouro, acumulou reservas maiores do que aquelas imaginadas pelo mais cobiçoso dos dragões e se dirigiu a Crown City com vagões forrados de riquezas. Simplesmente comprou tudo o que precisava, todos os edifícios, todas as fábricas, de maneira tão ágil e metódica que passou a controlar a cidade antes que a economia entrasse em colapso sob aquela nevasca de ouro barato.

Então teve início o seu verdadeiro trabalho. Ele já era o homem mais rico do reino, mas como até o ouro se tornava irrelevante depois de um tempo, pretendia realizar maiores desafios. Seus alquimistas descobriram o fogo frio, que gerava energia para a cidade de maneira limpa e barata, eliminando a necessidade do uso de carvão sujo e a ineficiência da indústria. Depois dessa grande substituição ele se dedicou a mudar o mundo.

Ele continuou a fazer melhorias, elevou o padrão de vida, limpou a cidade, alimentou e vestiu as pessoas. E ele impôs a ordem, dando a elas um lugar, mostrando a elas linhas retas, convidando-as a seguir os ritmos místicos propostos pelo universo.

Tique-taque. Tique-taque.

Com Martin atrás dele, o Relojoeiro olhou para o azul fosforescente rodopiando de maneira hipnótica, uma visão gloriosa que faria inveja até ao centro do sol. Ele não sabia como criar diamantes ou a variedade de gemas vitais para os diversos mecanismos ao redor da cidade, mas suas diversas descobertas alquímicas, dentre outras coisas, permitiam que aviões voassem e os vaporeiros continuassem com seu comércio perfeito, além de produzirem um tônico quintessencial que mantinha o vigor do Relojoeiro, apesar de sua idade avançada.

Vestindo um chapéu branco e alto que segurava o seu cabelo, o chefe dos monges alquimistas apresentou seu relatório.

– Um novo carregamento vindo de Atlantis deve chegar no porto amanhã, senhor. Nossas reservas durarão por mais dois meses, e o próximo vaporeiro chegará muito antes disso. Mesmo com a perda recente de carga por causa dos Naufragadores, nossa Estabilidade está garantida.

– É claro que está. Venha, Martin.

Ele cutucou o cachorro autômato, que o seguiu sem reclamar nem resistir.

Duzentos anos antes, quando ele havia imposto a Estabilidade e dado às pessoas a melhor das vidas possíveis, estas haviam proclamado que ele era mais do que um rei ou líder. Era o *Relojoeiro*, que ele considerava o melhor título para si mesmo, pois ele era, afinal, um homem humilde.

O cidadão médio não desejava, nem precisava, entender o funcionamento interno de uma máquina. Elas seguiam com suas vidas alheias ao sistema circulatório existente embaixo de Crown City; elas nunca viam os inúmeros ajustes minuciosos feitos pelo Relojoeiro.

Ele havia desmontado e reesquematizado todos os tipos de relógio, pequenas engrenagens, rodas, escapamentos, molas, eixos balanceadores, ligaduras, travas e coroas. Ele se interessava intensamente pelo funcionamento detalhado de sua cidade, bem como do universo como um todo. Ele havia escrito sua própria história por mais décadas do que as pessoas podiam lembrar, e a essa altura elas já haviam esquecido como era o resto da realidade.

Antes da apresentação vespertina dos Anjos do Tempo, ele subiu por sua escada metálica particular até a casa de máquinas da torre. Sozinho em meio ao maquinário das quatro figuras surreais, ele ficou de pé ao lado dos enormes mecanismos. O contrapeso caía em intervalos calculáveis, fazendo com que o pêndulo oscilasse e o mecanismo se mexesse, travando o escapamento para cima e então fazendo com que voltasse ao lugar, avançando o segundo ponteiro, um pouquinho por vez.

Tique-taque. Tique-taque.

Quando os ponteiros de hora, minuto e segundo do grande relógio se alinhavam ao meio-dia, outras engrenagens entravam em ação, e as contrarrodas começavam a zumbir. Brilhando, o fogo frio aquecia o vapor que acionava os pistões e ordenava os mecanismos especiais para que os Anjos funcionassem. Embora ele estivesse olhando para fora de dentro da sala de máquinas, o Relojoeiro sabia que as pessoas reunidas na praça estariam admiradas, curvando-se em reverência, vendo os autômatos polidos e etéreos como se fossem visitantes do paraíso disseminando sabedoria todos os dias.

Do lado de fora, em frente à grande construção, os Anjos do Tempo acordaram e abriram suas asas.

O Relojoeiro permaneceu dentro do grande mecanismo, sentindo o peso das engrenagens, também da responsabilidade, mas nunca se sentia pequeno diante de seus grandes pensamentos...

Depois que os Anjos terminaram o número programado e distribuíram suas bênçãos, o Relojoeiro desceu pela escada metálica em espiral e voltou ao escritório. Tudo estava certo no mundo, mas ele não conseguia ficar contente. Algum tempo atrás, seus calculadores de destino haviam apontado um jovem em particular, sem nenhum talento ou interesse especial, apenas um espécime típico. Alguém que poderia causar problemas... ou reafirmar tudo. Uma única pessoa em um mundo perfeito era pouco mais que um grão indistinto de areia ou uma pedrinha à beira de uma estrada. Qual poderia ser o efeito de um homem como esse? Mesmo assim, se um grão de areia entrasse no olho ou uma pedra afiada perfurasse um tênis, os problemas poderiam ser enormes. O Relojoeiro precisaria ficar atento.

E ele sabia que não era o único observando Owen Hardy de Barrel Arbor.

Em seu escritório, ele foi até o armário e encontrou sua antiga capa, pôs sua barba cinza falsa e a peruca de fios cinzas e trançados. Ele ajustou o tapa olho no rosto, pôs uma cartola alongada e, após acariciar a cabeça do Dálmata por força do hábito, saiu para caminhar em meio às pessoas, olhando e escutando.

CAPÍTULO 7

Stars aglow like scattered sparks
Span the sky in clockwork arcs
Hint at more than we can see
Spiritual machinery
[Estrelas brilham como faíscas esparsas
Ocupam o céu em abóbadas precisas
Insinuam mais do que podemos ver
Máquinas espirituais.]

O Winding Pinion River era um córrego verde e tranquilo que passava por Barrel Arbor. Owen havia nadado lá com frequência em dias quentes de verão. Mas no interior da metrópole do Relojoeiro o rio assumia um aspecto totalmente distinto. Com seu novo chapéu na cabeça, Owen seguiu o curso do rio até as docas de Crown City conforme ele se abria perto da costa. Catamarãs trazendo passageiros e mercadorias de outras partes do rio atracavam nas docas para a descarga. Estivadores de pele escura carregavam caixotes pesados nas costas, cantando músicas ritmadas enquanto puxavam polias para pôr e tirar a carga no convés, enquanto engrenagens movidas a fogo frio alocavam os itens mais pesados em seu devido lugar.

Merceeiros guiando carroças a vapor retiravam do barco sacos de batatas, alqueires de grãos e até maçãs frescas. Owen parou para observar a pilha de engradados recheados de frutas nodosas maiores do que melões, e quando ele perguntou a um dos trabalhadores a respeito delas o homem riu.

– É um abacaxi, rapaz!

Ele usou uma faca para tirar a parte de cima e cortou uma fatia da fruta dourada e gotejante para Owen. Ele deu uma mordida, e o abacaxi tinha gosto de sol e mel misturado com ouro fundido. Ele nunca havia vivenciado algo como aquilo antes. Ele ajudou como pôde, apenas porque gostou de conversar com os trabalhadores. Nenhum deles imaginava que seu trabalho diário fosse particularmente interessante, mas ficaram contentes com a ajuda inesperada. Quando Owen mencionou que era um visitante de Barrel Arbor, descobriu que nenhum deles tinha ouvido falar em sua cidade.

Gaivotas varriam o céu acima deles, arrebatando pedaços de comida apodrecida. Ninguém se importou quando Owen comeu sua cota de comida remanescente do navio como almoço improvisado. A generosidade absoluta da situação fez com que ele ficasse abismado com a benevolência do Relojoeiro.

Enquanto navios entravam e saíam no porto, contadores mantinham registros de cada embarcação, registrando nos livros todas as cargas e membros da tripulação. Owen já tinha achado o tráfego de barcos no local bem impressionante, mas quando viu a chegada de um vapor de carga marítimo exalando fumaça branca ele ficou ainda mais abismado. O grande navio encostou em uma doca especial, grande o suficiente para acomodar três embarcações normais. No convés havia grandes pilhas de caixotes marcados com símbolos alquímicos, algumas cobertas por lonas para protegê-las da água marinha; outras caixas estavam mais expostas às intempéries. Um dos estivadores contou a ele que as substâncias mais valiosas ficavam trancadas no porão em compartimentos de aço, de maneira a prevenir que se envolvessem em reações químicas não autorizadas (a utilização delas era um direito restrito aos monges alquimistas). Não se poderia permitir que a natureza tomasse um rumo acidental.

De acordo com os relatórios de notícias, piratas selvagens eram os responsáveis por afundar um número crescente de navios cargueiros que faziam a rota de Poseidon City. Os conhecidos Naufragadores criavam um grande caos, embora Owen admitisse que os relatos a respeito deles eram empolgantes. Assim que o vapor de carga atracou, correu até as rampas de acesso para ajudar. Quando ofereceu sua força para carregar os sacos de pó químico pela prancha, ele ficou maravilhado ao pensar que estava encostando em algo que viera de outro continente. Atlantis, do outro lado do mar, Poseidon, e as míticas Sete Cidades...

Ele mal podia acreditar na sorte de vivenciar aquelas coisas. Aquilo era tudo que ele sonhara na colina do pomar. Depois de quase dois dias em Crown City, o vocabulário de Owen já era insuficiente para descrever o que via – e ele nem sequer havia visto os Anjos do Tempo, que haviam sido o motivo que o levara até lá. Ele queria que Lavinia estivesse compartilhando aquilo com ele. Ou qualquer pessoa que fosse capaz de entender aquelas maravilhas.

Ele encontrou um edifício que continha todo o universo – o sol, a lua, os planetas e as estrelas. Construído originalmente como uma exposição educativa, o Planetário era uma representação mecanizada do firmamento, rodas dentro de rodas dispostas em espiral. Irradiando de um globo central que representava o mundo, longos suportes de metal seguravam a lua e o sol. Ao redor deste engenho havia uma esfera armilar representando a luz diamantina das estrelas dispostas em arco sobre a abóbada celeste.

Owen ficou parado no meio da engenhoca, incapaz de desviar o olhar até que seu pescoço começasse a doer. Ele precisou segurar o chapéu na cabeça. Ele sempre achara as constelações fascinantes, tanto nos livros quanto no próprio céu noturno, e ele lembrou daquela última noite clara na colina do pomar, enquanto esperava em vão pela chegada de Lavinia. Agora ele tentava encontrar naquele modelo os padrões que havia inventado.

O astrônomo docente do Planetário ficou contente por ter um visitante.

– Como isso funciona, senhor? – perguntou Owen.

Ele havia visto o grande dispositivo hidráulico na parte posterior do prédio, que criava todos os movimentos. Agora o aparato celestial estava em silêncio e os planetas parados em seu lugar, com o sol e a lua congelados em suas posições, embora os verdadeiros continuassem percorrendo seus caminhos siderais muito acima de suas cabeças.

– Como funciona o universo? – o astrônomo docente disse, fungando o nariz.

Ele era um homem careca de voz monótona, totalmente incompatível com a grandeza de seus discursos.

– Apenas o Relojoeiro sabe ao certo, e nós, em nossa imperfeição, só podemos tentar compreender. Essa representação não mostra como o universo é, mas como deveria ser.

– Então ela não é precisa? – Owen perguntou.

– O universo não é preciso. Estamos tentando arrumar isso.

– Não sou um astrônomo. Apenas o assistente de gerência de um pomar.

– Então você não precisa entender, mas fico contente pela companhia.

O homem assumiu uma expressão mais dócil. Ele parecia solitário, muito embora tivesse o universo em seu local de trabalho. Owen apontou para a máquina.

– Posso ver ela se mexendo?

O astrônomo docente mexeu os dedos no ar, como se tentasse capturar um pássaro.

– Existe uma taxa simbólica estipulada pelo Relojoeiro.

Owen pegou as moedas remanescentes e o docente pegou todas elas.

– Isso é simbólico o suficiente.

Owen não esperava ter de dar todo o dinheiro que restava, mas quando olhou para o Planetário ele percebeu o quanto queria ver aquilo em ação. Ele ainda tinha a rosa que Francesca lhe dera, bem mais importante do que as moedas; ela estava guardada em sua camiseta rudimentar, embora estivesse murchando.

O homem careca foi até a máquina, soltou as moedas e deu corda no mecanismo. Ele torceu as válvulas para aumentar o brilho da luz azul na bateria interna, proveniente do fogo frio.

– A máquina está fria. Ela não é ligada há alguns dias.

Owen esperou enquanto a pressão crescia, os canais se enchiam em um ímpeto carregado de espuma e os tubos hidráulicos vibravam. Acima de suas cabeças, com o som de cliques, correntes puxavam, engrenagens viravam e os planetas, o sol, a lua e as estrelas começaram a se mexer.

Owen viu o movimento gracioso dos arcos como se estivesse em uma máquina do tempo. Os dias, meses e anos rodopiavam em uma velocidade alucinante. Ele ergueu a voz:

– Se essa é a ordem perfeita da abóbada celeste, como ela pode ser diferente daquela das estrelas e planetas de verdade?

O astrônomo docente estalou a língua contra os dentes.

– No início nós acreditávamos que nossas observações eram falhas, mas os registros são bastante antigos, anteriores mesmo à Estabilidade. Os planetas desviam de seu caminho feito cães errantes. Em vez de viajar em círculos perfeitos, eles mudam de ideia às vezes, recuando em órbitas retrógradas antes de voltarem para o caminho certo. Isso é imperdoável! Em um universo perfeito, as estrelas, o sol e a lua viajam em círculos exatos, bem como os planetas. Tudo funciona conforme o esperado.

O astrônomo docente deu um tapinha no ombro de Owen.

– Mas você pode ficar tranquilo, jovem. Os melhores engenheiros do Relojoeiro estão trabalhando em seus cálculos. Ele salvou Albion com a Estabilidade, e agora voltou seu olhar para o próprio universo. Mais cedo ou mais tarde, nosso amado Relojoeiro encontrará um jeito de fazer os planetas viajarem em órbitas circulares.

– Não tenho dúvidas – disse Owen.

E ele estava sendo sincero. Ainda que o Relojoeiro não pudesse impedi-lo de pensar grande.

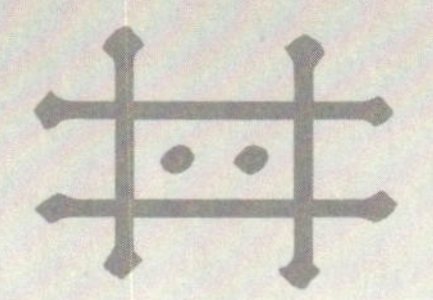

CAPÍTULO 8

The joy and pain that we receive
Must be what we deserve
[A alegria e a tristeza que recebemos
Deve estar de acordo com o que merecemos]

Quando a noite caiu no fim daquele dia tão longo, o corpo de Owen estava exausto da ajuda nas docas, e sua mente estava exausta por ter visto o grande Planetário, sem falar na enxurrada de outras coisas incríveis vistas na cidade. Graças ao astrônomo docente, no entanto, Owen estava sem dinheiro, então não podia pagar por um quarto em uma estalagem, e tampouco tinha amigos que pudessem oferecer uma cama sobrando.

Ele ouviu um pregoeiro passando pelas ruas e anunciando em voz alta "Dez horas, e tudo tem o seu motivo!", embora fosse possível escutar as batidas dos relógios por toda a cidade. Enquanto o pregoeiro ia embora, Owen manteve os olhos atentos à procura de um lugar onde pudesse buscar abrigo. Ele daria um jeito. "Tudo tem seu motivo", ele murmurou para si mesmo.

As ruas haviam silenciado para a noite; as pessoas retornavam às suas casas para ajustar os relógios, ir para a cama e acordar com os despertadores na manhã seguinte. A cidade parecia ampla e cheia de gente ao redor dele, e ele se sentia pequeno e sozinho. Ele caminhou pelos bulevares, como se tivesse uma razão importante para estar lá. Ele sabia que passos decididos sugeriam que ele tinha de fato um destino. Talvez ele continuasse caminhando até o amanhecer. Sob a luz das esferas de fogo frio nos postes da rua, a noite era clara.

Enquanto passava por um beco sombrio que conectava duas ruas principais, ele se deparou com uma figura furtiva e ouviu um barulho de chocalho e um silvo concentrado. Embora um arrepio de medo tenha percorrido sua espinha, Owen se aproximou. O homem estava ocupado se mexendo na escuridão, acenando a mão com gestos selvagens como se estivesse executando umas espécie de feitiço. Junto com o som do silvo fraco, Owen sentiu cheiro de tinta.

– Oi? O que você está fazendo?

Ele tentou soar corajoso e importante. Ele estava na entrada do beco, e ali sua silhueta negra devia conferir-lhe uma aparência ominosa.

Alarmado, o vulto soltou algo que produziu um retinido metálico ao cair no pavimento do beco, e então saiu em disparada com incrível velocidade, saindo pelo lado oposto do beco e entrando na rua adiante.

Owen se aventurou beco adentro, onde encontrou um cilindro de cobre com uma roda dentada no topo; aquilo devia ser o que o homem soltara, a origem do som metálico. Ele tocou na roda e encontrou uma espécie de pequena alavanca erguida; ao baixá-la, um jato de tinta brilhosa escarlate saiu do bastão. A mancha se espalhou como traços de sangue pelos tijolos. Curioso, Owen olhou para o vasilhame. Um apetrecho para aplicação de spray? Ele girou a roda mais um pouco e brincou com a alavanca outra vez, e dessa vez respingos verde-limão se chocaram contra a parede. Então se lembrou do símbolo grafitado que os dois trabalhadores estavam esfregando tão vigorosamente no seu primeiro dia em Crown City, e as palavras ofensivas e provocativas que o Anarquista havia escrito no prédio em frente à estalagem.

Com os olhos já ajustados à escuridão do beco, ele olhou e viu o símbolo do "A" envolto por um círculo na parede junto com outro pronunciamento ousado: *A estabilidade faz o tempo parar!* e, mais uma vez, *Quem criou o Relojoeiro?*

Agora que sabia que o símbolo do "A" era uma assinatura do Anarquista, ele estremeceu ao se dar conta de que estivera a poucos passos do assassino que estava provocando o caos ao redor de Albion! O homem que plantava bombas, explodia trilhos da via vapórea e trazia devastação à vida cotidiana.

Ele ouviu passos de alguém marchando no bulevar por onde entrara no beco, e pelo ritmo perfeito, um eco sincopado de botas, ele sabia que era a Guarda Azul fazendo sua ronda e protegendo a cidade de criminosos... como o Anarquista.

Owen poderia soar o alarme e mandar os Reguladores perseguirem o criminoso. O Anarquista estivera ali apenas alguns momentos antes! E se eles capturassem o homem mais procurado de Albion, Owen seria um herói, e talvez até recebesse uma medalha do próprio Relojoeiro.

Mas de repente ele se deu conta de que *ele* estava no beco, segurando um tubo de spray em frente em frente a frases de traição com a tinta ainda fresca.

Ele largou o cilindro de cobre e saiu correndo do beco. Ele escutou as botas pararem de marchar atrás de si, e então uma sucessão de gritos furiosos, mas ele continuou correndo para não ser visto pela Guarda.

Arquejante e com o rosto corado, voltou para o parque arborizado onde o circo estava instalado. Havia trilhas e jardins de flores, bem como a grande clareira onde o Magnusson Carnival Extravaganza estava instalado. Com as pálpebras caindo, tremendo e exausto, Owen sentou sob uma árvore alta. Aquela era uma cama adequada. Ele podia deitar com as costas na grama e olhar entre os galhos para o céu noturno, onde as constelações haviam sido varridas pelo brilho das luzes da cidade.

Ele sabia que sua aventura estava chegando ao fim, e que precisaria voltar para casa logo, mas ele estava determinado a não voltar para Barrel Arbor antes de ter a chance de ver os Anjos do Tempo. Após perguntar diversas vezes ele ficou sabendo que todos em Crown City recebiam ingressos distribuídos de acordo com seus endereços, suas profissões e sua posição social, bem como o dia da semana. Era uma fórmula complexa, compreendida apenas pelos Reguladores e pelo Relojoeiro.

Mas Owen havia chegado ali por impulso, portanto não havia lugar para ele naquele algoritmo padrão. Ele era uma engrenagem que havia se soltado da correia; ele não deveria estar em Crown City. No contexto dos planos perfeitos do Relojoeiro, aquilo era desestabilizador e certamente questionável.

No entanto, se tivesse se contentado em vez de ousar quebrar as regras, não teria visto as coisas mais incríveis que encontrara na vida.

Deitado na grama úmida, ele decidiu que precisava persistir. O universo tinha um plano.

Depois que a noite caiu, o parque vazio estava quieto e silencioso – mas a Guarda Azul continuava suas rondas a passos militares, percorrendo as ruas e seguindo uma rota precisa, independentemente do horário. Owen havia apagado, mas acordou quando um patrulheiro gritou em tom ríspido:

– Cidadão, onde você mora?

Owen se ergueu, limpando a grama de suas roupas rústicas e amarrotadas.

– Ué, embaixo dessa árvore, senhor.

– Seu cartão, seus documentos, seu ingresso.

– Não tenho nada disso, senhor. Sou de um vilarejo do interior, estou aqui para prestar homenagem ao Relojoeiro.

– Prestar homenagem? O Relojoeiro enviou algum tíquete?

Os Reguladores pareciam aturdidos.

– Você não pode dormir aqui... é um parque público.

– Faço parte desse público – disse Owen –, e eu estava cansado.

O membro da Guarda Azul agarrou-o pelo braço e marchou com ele até as luzes brilhosas das lâmpadas de fogo frio. Eles o revistaram, procurando dinheiro, armas ou documentos em seu bolso, mas não encontraram nada além da rosa murcha de Francesca – o que eles acharam ainda mais suspeito.

Owen percebeu que eles deviam estar cautelosos por causa do perigoso caos gerado pelo Anarquista: as explosões violentas, as sabotagens e até mesmo aquelas pichações incômodas.

– Eu não quis fazer nada de errado, senhor.

– De qualquer forma, esse não é o seu lugar. A sua presença interfere na Estabilidade. Devemos acompanhá-lo para fora da cidade.

Owen sempre achara que "ser acompanhado" seria um processo mais prazeroso. Enquanto eles marchavam puxando-o grosseiramente pelo caminho, ele temeu que tivesse passado dos limites mais uma vez. Ele insistiu para que o capitão da Guarda deixasse ele ir embora. O homem de uniforme disse:

– É exatamente essa a nossa intenção.

Por algum motivo, a perspectiva não deixou Owen animado.

Sua presença não autorizada no parque havia desorganizado a tabela horária de suas rondas, o que deixou os membros da Guarda carrancudos.

– Agora vamos ter que incluir isso no nosso relatório – queixou-se o capitão.

– Não tínhamos nenhum incidente há mais de um mês.

Owen se esforçava ao máximo para acompanhar o seu passo.

– Nenhum incidente? Mas o Anarquista não explodiu os trilhos de uma via vapórea na entrada da cidade? E todas essas pichações na parede?

O capitão da Guarda fungou.

– Os incidentes envolvendo o Anarquista são de uma categoria totalmente distinta. Não é preocupação nossa.

Eles colocaram Owen no compartimento traseiro de um veículo que percorreu as ruas vazias aos estampidos. Sua saída de Crown City era bem diferente de sua chegada. À luz do dia, aquelas ruas ficavam cheias de vendedores, artistas e pedestres. Mas Owen não era um turista, e as sombras pareciam mais negras e apavorantes.

Os Reguladores eram muito eficientes. Antes das 23h, de acordo com os relógios que ele podia ver nos edifícios pelos quais o veículo passava, eles já o haviam retirado da cidade. Eles pararam o veículo nos arredores da cidade e destrancaram o compartimento traseiro para que ele saísse. Desorientado, o rapaz não tinha nem ideia de onde estava ou de como voltar para o seu vilarejo. Sem responder a mais perguntas, a Guarda Azul voltou para o veículo barulhento, inverteu as rodas e voltou para a cidade, ansiosa para dar continuidade às suas rondas. Eles tinham um cronograma a seguir.

Owen ficou piscando, perdido e com fome. Seu pai diria que ele recebera exatamente o que merecia. O jovem nunca deveria ter deixado Barrel Arbor, nunca deveria ter rompido com seu passado e se aventurado em uma cidade a qual não pertencia. Os arredores áridos da cidade pareciam primitivos e bárbaros. Aquela era a maneira como as pessoas haviam vivido antes da Estabilidade, e ele lembrou das imagens e histórias terríveis do livro do caixeiro-viajante. Como uma pessoa simples poderia sobreviver ali? Para onde ele iria?

Mais cedo ou mais tarde ele teria que encontrar a via vapórea e voltar para casa; ele havia aprendido a lição e deixaria de lado os pensamentos que envolvessem aquelas "besteiras", como seu pai havia insistido, embora fosse se divertir em segredo com as memórias de suas aventuras por muito tempo. Naquele momento, contudo, a experiência não parecia particularmente boa.

Muitas vias vapóreas se espalhavam em todas as direções saindo da cidade, e a Guarda Azul o havia deixado longe do ponto em que ele chegara. Para identificar o trilho que o levaria de volta a Barrel Arbor ele precisaria voltar à estação central em Crown City. E se os Reguladores o expulsassem outra vez?

Haviam ensinado a ele que o universo tinha um plano, mas Owen não estava gostando muito do plano.

Ele se afastou da cidade em busca de uma casa amigável e iluminada, embora todos devessem estar dormindo àquela hora. Seus músculos doíam e seu estômago roncava enquanto ele caminhava sozinho. Era quase meia noite quando ele viu uma luz à frente; ele não se perguntou se aquilo seria uma ajuda ou um perigo. Ele subiu uma colina coberta de grama e observou abaixo de si o campo onde o circo havia se instalado, com muitas luzes e bastante atividade mesmo naquele horário tão improvável.

Owen piscou e então sorriu. Após todas as surpresas por que passara, ele não questionou o que viu. Ele desceu correndo pelo outro lado da colina, saindo da escuridão da noite até ser banhado pela iluminação do circo.

O Magnusson Carnival Extravaganza não estava aberto a visitas: tratava-se apenas de um acampamento em um espaço aberto entre dois destinos. Mesmo assim, as atrações pareciam tão exuberantes quanto diante do público. Eles haviam armado pavilhões iluminados, tendas de jogos, a barraca da adivinhadora e até um fio para a prática do trapézio e da corda bamba, bem como trailers e barracas para dormir. Lanternas de fogo frio estavam penduradas em postes, mas boa parte da luz e do calor vinha de fogueiras – chamas que queimavam madeira de verdade. O brilho laranja e revigorante e o cheiro de fumaça aqueceram o coração de Owen.

Ele se aventurou campo adentro esperando que alguém reparasse nele, mas ninguém o confrontou. Os funcionários jogavam seus próprios jogos, atirando bolas para derrubar uma pirâmide de canecas reforçadas, parecida com aquela que havia causado tanta consternação aos frequentadores. Na roda que girava, um homem tentava acertar adagas afiadas em vez de dardos; cada faca passava assoviando pelo ar e cravava na roda com um som carnudo, sempre em um espaço premiado.

Os três palhaços do circo estavam deitados no chão de colete e pantalonas; eles passavam uma caneca dentro da qual chacoalhavam dados de formatos estranhos e cheios de protuberâncias, com pequenos símbolos alquímicos estampados em cada lado. "Roll de Bones, rolar os ossos", disse um dos palhaços, e soltou os dados sobre o chão aplainado. Dois dos homens assoviaram e outro resmungou, derrotado; Owen não entendeu as regras do jogo.

Ao olhar para cima, ele perdeu o fôlego ao ver Francesca dando um salto mortal no trapézio, tendo as estrelas como público. Ela balançava para a frente e para trás, fazendo parte da sua rotina ou simplesmente brincando, curtindo seus movimentos e a graça de suas acrobacias. Ela não estava vestindo a roupa branca angelical, mas uma malha remendada de ensaios. O cabelo voava atrás dela como o rabo de um cometa preto. Dois outros jovens funcionários subiram no trapézio depois de Francesca. Uma pequena garota tentou caminhar em uma corda bamba rebaixada para o treino, mas caiu; ela se segurou na corda, e então se soltou a dois metros do chão. Ela não se machucou e subiu no poste outra vez.

Aquelas pessoas não estavam fazendo um show de acordo com as diretrizes aprovadas pelo Relojoeiro. Elas estavam fazendo aquilo apenas para se divertir, pela alegria de fazer o que queriam: improvisar.

Seu rosto havia sido tomado por risadas mudas. Ele se virou e deu de cara com a ponta de uma espada afiada, como o ferrão de um monstro mítico. A lâmina girou no ar, passando a poucos centímetros dele em uma brincadeira perigosa.

– Quem é você?

Ele reconheceu o homem bonito que havia engolido pós alquímicos e cuspido fogo em seguida. O homem tinha o corpo definido, e vestia uma túnica justa e calças pretas. As falhas da barba lhe conferiam um aspecto jovial.

Owen recuou e ergueu as mãos.

– Eu enxerguei as luzes... só vim dar uma olhada.

O homem dançou com a espada, deu um passo atrás e avançou, uma caricatura cômica de um espadachim; ele deixou Owen intimidado, mas não deixou nenhum arranhão em sua pele. O espadachim rodopiou a ponta da lâmina e circundou Owen, que se virou em uma tentativa de manter os olhos neles.

– Nosso próximo show ainda não está programado, desconhecido. O preço por esta apresentação é...

Ele elevou a cadência de sua voz.

– O seu nome.

– EU sou Owen. Owen Hardy.

Nervoso, ele deixou o nome escapar o mais rápido que pôde.

O espadachim fez uma investida, e então dançou para trás, sempre com um sorriso no rosto.

– Então, Owenhardy, eu sou Tomio – o engolidor de fogos, de espadas e, em breve, um perito esgrimista.

Ele girou a espada mais uma vez. Uma risada rude veio do lado esquerdo.

– Ele só diz que é especialista porque não tem com quem praticar. Assim ele pode dizer que é o melhor de nós todos.

Owen se virou outra vez, sentindo-se acuado. Quem havia falado era o garboso César Magnusson, ainda vestido com seu fraque preto e sua cartola, mas o bigode pontiagudo parecia torto, como se tivesse sido ajeitado às pressas.

– Estou expandindo minhas habilidades – disse Tomio. – Encontrando novas coisas para incluir em nossa apresentação.

Ele se inclinou para trás como um salgueiro sendo dobrado pelo vento, ergueu a cabeça em direção aos céus, abriu bastante a boca e abriu os braços. A ponta da espada fina oscilou um pouco enquanto ele a passava pela boca. Ele mergulhou a espada para dentro até que Owen não aguentasse mais assistir àquilo. Empalar a si mesmo pelo estômago, mesmo naquela direção atípica, era uma habilidade que nem todos os públicos apreciavam.

Mas a performance de Tomio silenciou os outros funcionários, que observaram em silêncio respeitoso. Com grande concentração, ele retirou a espada lentamente, inclinou-se, engoliu forte e fez uma reverência. Ele disse com uma voz rouca:

– Também sou um vigia noturno, ao que parece, pois encontrei esse desconhecido perambulando pelo nosso campo.

– Não sou um desconhecido – sou Owen Hardy. Ao menos eu não me julgo um desconhecido.

– Mas por que você está aqui, Owenhardy? – perguntou César Magnusson.

– Porque eu...

A explicação completa – sua longa história, as tribulações e aventuras, todos os lugares que ele havia visto – vieram à mente dele, deixando-o paralisado. Incapaz de dar uma explicação detalhada, ele disse apenas:

– Porque estou.

– Você precisará de uma explicação melhor – disse outra voz. A voz de Francesca.

– Eu vi sua apresentação!

Ele procurou em sua camiseta e encontrou a rosa agora murcha.

– Você me deu isso.

Francesca deu uma risadinha.

– Você guardou ela. Que fofo.

Tomio ergueu as sobrancelhas.

– Você andou flertando outra vez, querida Francesca.

Owen finalmente se acalmou e proferiu um relato abreviado contando que havia deixado seu vilarejo para ver Crown City, mas que assim que o seu dinheiro acabara os Reguladores o haviam levado para fora da cidade.

– E então eu vi vocês – ele disse. – Posso ficar com vocês?

César Magnusson cruzou os braços e encarou Owen.

– Você não tem nenhum outro lugar aonde ir?

Owen balançou a cabeça.

– Não.

Jogando os cabelos para o lado, Francesca disse:

– Então esse é o lugar certo para você.

CAPÍTULO 9

Each moment a memory in flight
[Cada momento uma memória em pleno voo]

Era um tipo estranho e revigorante de liberdade. Quando finalmente montaram acampamento para a noite, os funcionários não ligavam se Owen se aninhasse onde bem entendesse, exaustos como estavam de sua jornada e seus trabalhos. Nenhum Regulador o perseguiria nos gramados onde ele se deitava ao lado de uma fogueira. As maravilhas, as emoções e a incerteza dos últimos dias pesaram sobre ele; ele ajeitou o chapéu porkpie na cabeça e adormeceu em seguida. Embora Owen tenha dormido muito pouco (em termos de horas), acordou disposto. Talvez os funcionários tivessem descoberto uma maneira de virar as válvulas de algum reservatório subterrâneo para deixar que a energia alquímica brotasse no solo...

Quando ele se virou para ver o céu claro, ele em parte esperava que o acampamento tivesse sido um sonho. Mas ele esfregou os olhos e viu as pessoas se preparando para um novo dia, conversando e rindo enquanto desempenhavam suas tarefas.

Perto dos vagões ele viu Francesca, que parecia o nascer do sol em pessoa. Ela tinha um sorriso que preenchia todo o seu corpo, e até quando caminhava ela parecia estar dançando. Cada passo era uma acrobacia.

Ela parou para conversas com o elegante e belo Tomio, que a envolveu com os braços e a girou em um semicírculo. Rindo, ela o beijou na bochecha e foi conversar com o Sr. Magnusson. Owen sentiu uma ferroada de ciúmes e decepção ao ver a conexão próxima que ela tinha com o engolidor de fogo e espadachim.

– Venha tomar o café conosco, jovem Owenhardy.

Ele se virou e reconheceu a mulher que falara isso de imediato. Louisa era bonita, e não apenas por causa da barba. Owen a tinha visto vendendo entradas para o circo em Crown City, mas agora ela havia ajeitado o cabelo castanho e a barba, sem se dar ao trabalho de usar a fita floreada. Seus olhos azuis brilhavam.

– Eu adoraria.

Assim que disse isso, o estômago dele roncou em concordância. A mulher barbada pegou o seu braço como uma enfermeira e o acompanhou – nada a ver com a maneira como a Guarda Azul o acompanhara para fora da cidade – até um grupo de mesas feitas com tábuas apoiadas em cavaletes. Os funcionários reunidos se espremeram, abrindo lugar para que ele e Louisa sentassem no banco. Ele comeu um repasto maravilhoso com ovos, bacon e pão assado, tudo aquecido em uma chapa térmica que funcionava com reagentes químicos. Ele escutou suas conversas sobre o dia que teriam pela frente, a próxima apresentação agendada e os alvarás válidos, como se a atividade frenética fosse rotina para eles como as tarefas do pomar eram para Owen.

Sentindo saudades de casa, ele contou para Louisa histórias de Barrel Arbor, e ela escutou com educação, alisando a barba enquanto mastigava uma tira de bacon.

– Eu sei bem como é Barrel Arbor – disse Louisa.

Owen se animou.

– Você já esteve lá?

Ele não se lembrava da última vez em que um circo visitara a cidade.

– Visitamos o mesmo vilarejo centenas de vezes. Talvez o nome não fosse Barrel Arbor, mas todos os vilarejos do país foram desenhados a partir do mesmo plano. Então, sim, já estivemos lá.

Owen nunca imaginara aquilo. Como nunca havia saído de Barrel Arbor antes, como poderia saber que o próximo vilarejo ao longo do rio ou nas colinas tinha exatamente a mesma aparência? Owen se perguntou se ele tinha uma contraparte idêntica lá – outro jovem assistente de gerência do pomar local com uma bela garota em seu coração, a filha do operador de notícias do vilarejo.

Ele terminou o café da manhã, limpou a boca com um guardanapo e não tinha a menor ideia do que faria ou para onde iria a seguir. Sem perguntar, ele ajudou a lavar as panelas em uma bacia de água com sabão, e ninguém reclamou que aquela tarefa não havia sido programada para ele. Então ele olhou ao redor em busca de outras oportunidades para pagar por sua estadia e retribuir a hospitalidade.

Mais tarde, na esperança de encontrar um espaço para si, ele perguntou a Louisa:

– Será que eu poderia ajudar o show de vocês de alguma maneira?

Ele não queria ir embora, não tão cedo.

Ela sorriu por trás de sua barba prodigiosa.

– Ah, eu não sou uma artista, jovem, sou apenas uma das atrações. As pessoas olham para mim e seguem em frente.

Owen e Louisa escutaram o som de pratos de metal batendo e viram que mais adiante Golsan, o robusto levantador de pesos, estava agachado e tinha os músculos flexionados enquanto encaixava mais dois discos de metal em seu haltere. Então ele se esforçou para levantá-lo. Golsan não percebeu que eles o observavam, embora ele parecesse ganhar força por ter uma plateia, mesmo que fosse tão pequena como aquela. Ele havia carregado sua barra com todos os pesos da pilha, exceto pelos últimos dois, que continuavam do lado, presos com uma corrente e um cadeado.

Achando aquilo inusitado, Owen cochichou para Louisa:

– Tem uma história por trás disso?

– Todos têm uma história, mas nem sempre vale a pena contar ou ouvir.

Ela sorriu antes de prosseguir:

– Golsan é só um nome de palco, criado a partir de Sansão e Golias, porque ele diz que tem as melhores qualidades de ambos. Seu mentor foi o maior halterofilista de todos os tempos – nosso levantador de pesos anterior.

Louisa abaixou os olhos e reduziu o tom de voz.

– Golsan pode até ser mais forte, eu acho, mas ele não tenta levantar mais peso. Ele se recusa.

– Por que não? – perguntou Owen.

– Por medo, pura e simplesmente, embora todos possamos entender. O mentor dele morreu quando se esforçou demais e tentou bater sua marca pessoal. Ele acrescentou mais peso do que podia suportar, e até conseguiu erguer... mas ele não podia aguentar todo aquele peso. Ele foi esmagado ali mesmo, diante de uma grande plateia.

– Que horror!

Louisa assentiu.

– E é por isso que Golsan mantém aqueles dois últimos discos trancados com um cadeado, para nunca sentir a tentação de ir longe demais.

Owen engoliu em seco. Quando fora ao circo pela primeira vez ele havia visto aqueles artistas como boas distrações, mas agora ele percebia que eram pessoas com suas próprias vidas e tragédias. Talvez alguns deles tivessem seus próprios livros de figuras presenteados por suas mães, que haviam partido cedo em suas...

Tomio saiu de seu vagão particular, que tinha diversas janelas com as persianas baixas. Pequenas chaminés e exaustores assomavam no telhado. O vagão tinha seu próprio motor propulsor e grandes pneus conectados a uma rede intrincada de molas, com o objetivo de minimizar os impactos de uma estrada ruim.

O gracioso espadachim levava algo na palma da mão; quando ele arremessou a coisa no chão, surgiu um feixe de luz acompanhado de um estouro de fumaça roxa. "Presto!" Ele saiu pavoneando, brandindo sua espada como se fosse uma varinha mágica e arremessando pequenos pacotes com a outra mão; ele contava o tempo para que os movimentos da espada fossem pontuados por explosões de fumaça colorida. "Presto!" Quando já havia gasto todos os pacotes de pó alquímico, Tomio voltou para o seu trailer para continuar com seus experimentos.

Owen percebeu que a vida era muito mais empolgante fora de Barrel Arbor.

– Francesca!

A mulher barbada acenou, e a acrobata de cabelos negros deixou sua área de treino e foi na direção deles. O coração de Owen começou a bater mais rápido.

– O jovem Owenhardy quer participar de algum número.

– Ã... não foi bem isso que eu disse – ele recuou, mas antes que pudesse inventar outras desculpas Louisa já havia ido embora.

De repente a língua dele ficou estúpida, conectada a um cérebro incapaz de lembrar como manter uma conversa.

– Você terá de justificar seu salário se pretende ficar conosco – disse Francesca. – Há muito trabalho a ser feito.

Owen foi pego despreparado por aquele convite implícito. Ele não havia planejado ficar por muito tempo, apenas precisava de um lugar até pensar em uma maneira de voltar para casa.

– É... é sempre um prazer ajudar – ele finalmente conseguiu dizer.

Francesca apoiou as mãos nos quadris.

– Bom, o que você sabe fazer?

Ela era uma mulher vivaz, enérgica e independente – o oposto de Lavinia em todos os sentidos. Sua simples presença parecia algo cintilante. Mais do que nunca, Owen desejou saber alguns poemas.

– Eu era o assistente de gerência de um pomar.

– Excelente – disse Francesca. – Infelizmente, o circo não tem um pomar para ser cuidado, então teremos que encontrar outra coisa para você fazer.

Um baque alto, mas abafado, veio do trailer de Tomio. Com um estrépito, as venezianas das janelas se escancararam e anéis de fumaça flutuaram pelo ar. Owen ficou boquiaberto.

– Não é melhor conferirmos se ele está bem?

Francesca não estava preocupada.

– Essa é apenas a primeira de suas explosões diárias. Nós só corremos até lá se o impacto for muito maior. Caso contrário, passaríamos o dia todo, todos os dias, correndo para resgatar Tomio.

Eles assistiram a fumaça mudar de cor enquanto subia a partir da chaminé.

A porta do trailer se abriu e Tomio cambaleou para fora tossindo e esfregando os olhos, mas ele acenou para mostrar que saíra ileso. Ele esperou até que as fumaças se esvaíssem de seu trailer antes de voltar para dentro e fechar a porta. Francesca apontou com a cabeça.

– Ele insiste que, se eu me preocupar com os experimentos dele, ele vai começar a se preocupar com meus treinos na corda bamba, e não posso permitir isso. Então chegamos a um equilíbrio. Temos de aceitar as pessoas que somos, ou não valeria a pena sermos quem somos.

Perto da tenda de comida, ela vislumbrou um cesto de maçãs que fora servido para o café da manhã. Ela pegou uma do topo da pilha.

– Então você colhia maçãs?

– Sim – pocã, fuji, gala, argentina. Tínhamos diferentes variedades de árvores.

Ele estava prestes a listar para ela os tipos de maçã mais apropriados para comer direto do pé, para produzir sidra, para fazer tortas e para fabricar vinagre. Ela atirou uma maçã para ele, que agarrou-a instintivamente.

– E você se importava com as maçãs?

– Eu era um assistente de gerência de pomar muito diligente.

Ela atirou uma segunda maçã, que ele também agarrou.

– Então você não deve deixar nenhuma delas cair no chão. Não pode deixar que se machuquem.

– Eu jamais deixaria qualquer maçã se machucar.

Ele se desdobrou para pegar a terceira maçã que ela atirou.

– É melhor mesmo.

Francesca pegou outra maçã do cesto.

– Então você vai ter de aprender a pegar todas elas.

Ela atirou a quarta, e Owen teve de lançar uma das maçãs no ar para pegar esta última, então ele resgatou a maçã que estava caindo. Mas ele não conseguiu manter o ritmo, e todas caíram no chão em uma desordem frustrante.

Francesca soltou uma risadinha, mas não era um riso de deboche.

– Precisa trabalhar nisso, mas já é um bom começo.

Ela juntou as maçãs e deu um passo para trás.

– Um malabarista nos viria bem.

Ela atirou as maçãs contra ele outra vez.

CAPÍTULO 10

Clockwork angels, spread their arms and sing
Synchronized and graceful, they move like living things
[Anjos do Tempo abrem os braços e cantam, altivos
Sincronizados e graciosos, movem-se como seres vivos]

Quando o circo se preparou para seguir adiante, a agitação tinha o aspecto de um redemoinho aleatório, mas de eficiência coreografada. César Magnusson havia preenchido os papéis adequados, pagado as taxas adequadas e recebido a licença para atuar em uma área diferente de Crown City.

Sem que precisassem pedir, Owen ajudou a trupe em tudo o que ele via que precisava ser feito. Eles desmontaram as tendas e carregaram-nas junto aos brinquedos desmontados em vagões de reboque. Tomio organizou as coisas em seu vagão e acionou seu motor para juntá-lo à fila de veículos, e a caravana resfolegante voltou à cidade como em um longo e demorado processo de evaporação.

No tempo livre, Owen praticava malabarismo com as maçãs, e ficava consternado cada vez que deixava uma cair. A essa altura suas frutas já estavam bem machucadas, então ele sugeriu a Francesca que seria melhor praticar com bolas de borracha. Ela rejeitou a sugestão.

– Nem pensar.

– Mas daí eu não estragaria outras maçãs.

– Exato: daí você não se *importaria*. Isso é mais importante do que umas poucas maçãs.

Enquanto a trupe do circo percorria uma curva arqueada em uma estrada secundária com destino a Crown City, Owen caminhava atrás dos veículos. Cauteloso, ele praticava com apenas duas maçãs, mas ele estava se tornando mais proficiente. Ele entendia as parábolas, a suave trajetória da gravidade. Ele seguia adiante sem perder a intensa concentração: ele observava cada maçã enquanto ela subia e caía, estudando a sinfonia de seus músculos, dedos, pulsos e palmas das mãos. Era como uma das equações do Relojoeiro que regiam o universo.

Mas quando Francesca estava por perto ele tinha dificuldade para pensar em algo que não fosse ela. Ela seguia em um vagão que passou lentamente por ele, e riu quando ele derrubou as maçãs outra vez. Ele se apressou para juntá-las do chão empoeirado da estrada enquanto seguia os vagões em movimento. Depois que ele recolheu as maçãs, ela deu uma palmada no banco ao seu lado.

– Senta aqui.

– Você quer que eu viaje ao seu lado?

– Eu quero que você *fale* comigo.

Ela deu outro tapinha no assento, e Owen pôs as mãos em um degrau na lateral do vagão, pisou na superfície em movimento e se projetou para cima; de alguma maneira ele conseguiu evitar que as duas maçãs caíssem. Quando ele sentou ao lado dela, Francesca pegou uma das maçãs, limpou-a em uma manga e deu uma mordida.

– Eu podia arranjar para você uma maçã melhor, que não estivesse machucada.

Owen se virou e olhou para o vagão de comida.

Francesca deu de ombros.

– Nada na vida sobrevive sem alguns arranhões e batidinhas. Isso melhora o caráter, e o gosto continua o mesmo, talvez até melhore um pouco.

Owen comeu a outra maçã, e o gosto era melhor, mas principalmente porque ele estava sentado ao lado dela.

Ele contou a ela da frustração de não ter visto os míticos Anjos do Tempo.

– Ah, eu curto os Anjos – disse Francesca. – E quando vejo o quão empolgado você fica com coisas simples do cotidiano, tenho medo que você fique eufórico e fora de combate ao vê-los.

Ele suspirou.

– Sim, devem ser maravilhosos.

Ela ficou com pena dele.

– Owenhardy, eu amo seu otimismo e sua inocência. Não é algo que se veja todo dia.

A palavra "amor" ficou ressoando em seus ouvidos, e ele precisou se concentrar para entender o resto das palavras. Ele nem percebeu que ela havia dito o seu nome emendado para pentelhá-lo.

– Eu lembro de você na plateia alguns dias atrás, quando desci com as asas de anjo e aterrissei na sua frente.

– Estou guardando a rosa – disse Owen, tateando sua camiseta rudimentar.

– Esse tipo de maravilhamento e apreciação geralmente fica reservado às crianças, mas alguns adultos podem experimentá-lo.

– Não sou adulto – admitiu Owen. – Ainda não. Falta um pouco mais de uma semana. Eu devo voltar para casa antes disso...

Ele olhou para a frente, e viu que os prédios altos de Crown City cresciam aos poucos.

– Mas eu ainda não vi os Anjos do Tempo.

Francesca vasculhou o seu vestido simples, encontrou um bolso e tirou dali dois ingressos entalhados em papel metalizado, endossados com o símbolo da abelha do Relojoeiro. Os ingressos refletiam a luz como uma ilusão prismática.

– Humm, por coincidência eu tenho esses dois ingressos e vou levá-lo para ver os Anjos do Tempo hoje à noite.

Acima deles, as estrelas incandesciam como faíscas perdidas. Enquanto Francesca o conduzia pela cidade rumo a Chronos Square, Owen não precisaria nem de uma corda bamba para caminhar pelo ar. Ele estava na cidade mais incrível do mundo, prestes a ver os Anjos do Tempo, acompanhado pela mulher mais bonita e fascinante que já conhecera. Ele até podia estar machucado e batido como uma maçã caída por causa de sua viagem até ali, mas nada disso era importante. Com certeza aquilo fazia parte do plano perfeito do Relojoeiro. De fato, tudo tinha seu motivo.

Enquanto ele e Francesca acompanhavam o fluxo de pessoas e se aproximavam do centro da cidade, Owen segurava seus ingressos como se fossem um talismã. Seus dedos pareciam eletrificados e escorregadios. Ele disse a ela:

– Que sorte você ter tíquetes pra essa apresentação! Tentei muito conseguir um, mas eu não tinha o endereço apropriado e não estava no dia certo.

Francesca deu uma risadinha.

– Nós sempre temos alguns ingressos conosco... eles são falsificados, mas a Guarda Vermelha jamais perceberia a diferença.

Owen segurou os ingressos como se o símbolo da abelha fosse capaz de picá-lo.

– São... falsificados?

Francesca não parecia nem um pouco preocupada.

– Ninguém nunca fez perguntas. Por que os Reguladores imaginariam que poderia haver algumas entradas falsas?

Agora a empolgação dele havia sido maculada pelo receio, mas Francesca enganchou o braço no dele. Ele estava tão próximo a ela, encostando em seu corpo, que sentiu uma reação alquímica se estabelecendo entre eles. Ela parecia muito à vontade com ele, como quando havia dado um beijo na bochecha de Tomio. Ele não queria perguntar a ela sobre o engolidor de fogo, não queria pensar em nada além dela – e dos Anjos.

Sentindo uma centelha de culpa, ele teve certeza de que Lavinia devia estar preocupada com ele no vilarejo. Será que ela havia decidido desistir do noivado? E quanto ao cartão impresso do Relojoeiro, prometendo felicidade aos dois? Nem ela nem Owen jamais duvidaram daquilo. De acordo com o plano, era esperado que ele se casasse com seu verdadeiro amor... mas agora ele estava longe de Barrel Arbor e com outra mulher.

Em um lapso de consciência, Owen se perguntou se não havia pensado no noivado errado o tempo todo. E se esses eventos fossem parte do grande plano...? Ele se virou e olhou para Francesca com um novo tipo de admiração, mas ela puxou seu braço antes que ele pudesse falar. Eles haviam chegado à fila de homens durões da Guarda Vermelha, que pegaram seus ingressos falsificados sem fazer objeções. Cada um deles recebeu um programa impresso em uma oficina gráfica – o pronunciamento dos Anjos programados para aquela noite –, que Owen guardou no bolso esperando pelo momento certo. Finalmente eles passaram pelo arco da última entrada.

Chronos Square era envolvida por prédios do governo decorados, os ministérios do Relojoeiro e a Catedral dos Guardadores do Tempo. A torre do relógio principal se assomava sobre a multidão que viera para ver a máquina espiritual como uma sábia matriarca. Cada edifício apresentava símbolos de abelhas em diversos pontos visíveis. Esferas pulsantes de fogo frio pairavam pelo ar como sóis particulares crepitando com luz elemental.

Francesca ajudou-o a cavoucar seu caminho em meio à multidão para que tivesse a melhor visão possível. Havia uma eletricidade no ar – uma empolgação, uma energia pessoal vinda dos espectadores ansiosos. Das fissuras entre as pedras escapava uma fraca luz azul, como se os Anjos tivessem invocado tanta energia das pessoas reunidas que a cidade pudesse pegar fogo. As conexões de fogo frio estavam logo abaixo deles! Owen sentiu tinidos metálicos sob os pés.

Uma fumaça de cheiro doce soprava dos exaustores, tornando o ar espesso e inebriante. Quando Owen respirou aquilo, ficou risonho – mais do que seria justificável pela pura alegria de estar lá. Sua visão formigou um pouco e ele ficou mais calmo, ao mesmo tempo mais contente e extasiado.

As esferas flutuantes faiscaram, e os arcos ofuscantes de luz saltaram de uma à outra em um show espetacular, imergindo a plateia em um grande silêncio. Os globos se uniram por uma corrente de luzes, pulsando.

– Já vai começar – sussurrou Francesca.

Até ela parecia fascinada, embora já tivesse assistido ao espetáculo diversas vezes. Owen olhou para a torre do Relojoeiro, concentrado nas portas imensas sob o relógio. Em um ritmo mecânico, as engrenagens internas giraram e as portas começaram a se abrir. A plateia respirou fundo em um lúgubre uníssono.

Mergulhados na luz, os quatro Anjos do Tempo emergiram de suas alcovas dentro da torre: quatro belas mulheres com o tamanho de Titãs, mantos esvoaçantes de rocha e asas angelicais. Seus corpos eram de um branco tão estonteante que até um alabastro parecia sujo ao lado delas.

Aquelas figuras representavam os quatro elementos básicos do universo conforme os fundamentos da alquimia, que o Relojoeiro utilizara para salvar o mundo da barbárie: luz, mar, céu e terra. Esses quatro elementos abrangiam o mundo inteiro, independentemente das nuances adicionais que eram extraídos e dissecados da química da Criação na Universidade Alquímica.

As pessoas observavam boquiabertas e de olhos arregalados, cheias de amor. Owen não conseguia respirar; os outros estavam tão próximos, tão encantados, que o escoravam quando ele se inclinava. Quando ele olhou para os Anjos, ele percebeu que os seus sonhos mais belos com o rosto de sua mãe não eram tão bonitos quanto aquilo.

Os anjos planaram com seus mecanismos autômatos, abriram as asas, ergueram os braços – e Owen não conseguia parar de olhar. Embora fossem apenas autômatos gigantescos, eles se moviam como seres vivos.

Toda a plateia prendeu a respiração quando os Anjos silenciosos ficaram firmes em suas posições. Owen se sentiu inclinado a reverenciá-los, arrebatado pela grandeza, tonto e desorientado. Ele fechou os olhos e fez uma reverência. As pessoas ao seu redor ficaram de joelhos.

Planando para a frente com mecanismos hidráulicos, o primeiro Anjo passou ao primeiro plano. Ela não falou, e seu rosto continuava estático, impassível, dolorosamente belo... mas ainda assim ele escutava o eco de vozes vibrando em sua cabeça. Ele se sentiu estranho, e a fumaça no ar fez seus olhos lacrimejarem e seus ouvidos zumbirem.

Ele olhou para o cartão impresso, o programa recebido em troca de seu precioso ingresso, e os Anjos trouxeram à vida as palavras ali escritas. *Não confie no seu próprio entendimento.* O segundo Anjo rodou sem sair do lugar, e Owen sentiu a ânsia de olhar outra vez para as frases escritas. *A ignorância é uma verdadeira bênção.*

Mas as palavras eram apenas letras, linhas de tinta. O que ele lia, escutava, vivenciava e *entendia* tinha muito mais conteúdo, como se os Anjos tivessem implantado um condutor hidráulico em sua mente e assim fizessem revelações para ele. "Ignorância" não era apenas uma falta vazia de conhecimento, mas uma aceitação da vasta incompreensibilidade do mundo, uma grade de proteção cósmica que mantinha pessoas como ele a salvo. Ele não estava trancado no escuro; os Anjos estavam protegendo-o de todas as coisas que ele não entendia, das coisas que ele não precisava entender. O Relojoeiro era amoroso e onisciente, e *isso* era tudo o que ele precisava saber. O dever de Owen era apenas ficar contente...

Acompanhado por palavras ritmadas na cabeça dele, o pronunciamento do terceiro Anjo dizia: *Acredite no amor perfeito e nos planos perfeitos.* Ele se perguntou se o Relojoeiro estaria usando algum truque, vibrações acústicas que faziam com que as palavras *significassem* mais.

O efeito era muito envolvente: mobilizador, sensual, penetrante, emocional, intenso... intoxicante. Owen semicerrou os olhos, tentando ver melhor. Embora os rostos não mudassem, uma voz coletiva emanava das figuras, um soprano alienígena, às vezes em um solo, às vezes em uníssono, depois se desdobrando em harmonias de partir o coração. Juntos eles criavam um efeito que tomou conta de todo o seu ser – seus sentidos, seu físico, seu emocional. Enquanto ele escutava, podia imaginar que os Anjos, tão grandiosos e delicados, eram mesmo criações divinas.

A fumaça no ar ficou mais espessa, e finalmente o quarto Anjo tomou posição para dar uma bênção reconfortante: *Tudo acabará se revelando positivo.*

A multidão murmurou em resposta: *Tudo acabará se revelando positivo.*

Os Anjos se ajustaram para a frente e retornaram à plataforma da torre do relógio, abrindo as asas como se fossem voar. A multidão de olhos brilhando se levantou, e todos ergueram os braços, abrindo os dedos e tentando alcançar o universo, como se pudessem voar.

Os globos azuis que pairavam sobre todos escureceram, e as fagulhas que voavam em círculos recuaram de uma esfera à outra, desconectando a corrente elétrica. Os Anjos do Tempo fecharam as asas novamente, curvaram-se como se quisessem agradecer à adulação do público e então voltaram para a torre do relógio. As portas se fecharam, como mãos se unindo durante uma oração.

Owen percebeu que estava prendendo o fôlego e respirou fundo. Apenas então ele se lembrou que Francesca estava atrás dele – e isso sozinho era suficiente para demonstrar como os Anjos do Tempo eram maravilhosos, a manifestação perfeita dos elementos fundamentais: luz, mar, céu e terra.

Mas Francesca havia observado *ele* em vez dos Anjos.

– Nunca vi um olhar tão maravilhado em minha vida, jovem Owenhardy.

Ela riu e se inclinou para dar um beijo em sua bochecha.

– Obrigada – emendou ela.

INTERLÚDIO

O Anarquista

The lenses inside of me that paint the world black
[As lentes dentro de mim que pintam o mundo de preto]

O Anarquista caminhava pelas ruas de Crown City, vestindo um uniforme padrão de guardião do tempo: um macacão verde escuro com três relógios de bolso sincronizados grampeados em seu cinto. Ele levava um kit com as ferramentas apropriadas para ajustar molas e pêndulos nos grandes relógios públicos. No bolso ele tinha ordens de serviço forjadas. Ninguém questionaria sua presença.

Os comerciantes viam com bons olhos as inspeções regulares de um guardião do tempo. Os relógios não se ajustavam sozinhos. Embora o tempo fosse perfeito e imutável, como o próprio Relojoeiro, os mecanismos humanos estavam sujeitos a falhas e precisavam ser duplamente conferidos, com cada medidor do tempo ajustado e afinado da maneira certa. Se o Relojoeiro estava certo, o pulso de todas as pessoas seguiria a mesma batida.

Ninguém reparou no Anarquista andando pelas ruas porque ele parecia alguém normal, mas era muito diferente por dentro. Seu intelecto e sua imaginação eram um conjunto especial de lentes internas através das quais ele conseguia vislumbrar imperfeições na Estabilidade do Relojoeiro. Ai, ai, aquelas lentes não melhoravam as cores nem aprimoravam o foco; em vez disso, elas pintavam o mundo de preto e permitiam que ele visse apenas o coração apodrecido do excesso de ordem e opressão. Ele via os detalhes tristes das vidas produzidas em massa.

Em uma cidade como essa, ele poderia caminhar pelas ruas com os olhos fechados, porque todos se mexiam com precisão mecânica, seguindo cronogramas exatos. Era como se o Relojoeiro tivesse inserido uma chave em suas costas, dado corda e os largado para que vivessem suas vidas diárias. Uma pequena parte dele – uma parte muito pequena – invejava aquelas pessoas por sua alegre aceitação. *A ignorância é verdadeiramente abençoada*, como diziam os Anjos.

A raiva interior solapava suas outras emoções, mas ele a mantinha escondida lá dentro, sem dar qualquer indício exterior de que havia algo errado. Ele era como uma caldeira reforçada para abrigar paixões extremas. Até em seu uniforme de trabalho ele vestia um broche aparentemente banal na lapela, um diamante de corte disforme com uma coloração avermelhada. Nenhum joalheiro olharia duas vezes para ele, mas *ele* havia criado a gema. Um diamante, um simples e eficiente entrelace cristalizado de átomos de carbono, temperado com sangue, o sangue *dele*, em um experimento que havia dado violentamente errado. Os cirurgiões haviam retirado o pequeno diamante do osso, arrancando-o da carne estraçalhada de seu pulso. Como ele poderia deixar de vestir aquele emblema de honra? Ele tocou no broche para se lembrar de suas motivações enquanto ia para o trabalho.

Ele pôs a mão queimada e cheia de cicatrizes em uma luva escura, com um tanto de constrangimento. Ele não queria que os outros vissem os sinais do acidente. A *transformação*.

A outra mão, que segurava a maleta de ferramentas, tinha uma tatuagem: um símbolo alquímico que ele havia escolhido em textos obscuros que havia estudado quando ainda era um estudante na Universidade Alquímica – algo que ele nunca esqueceu. O símbolo era um retângulo com um lado aberto que abrigava seis pontos empilhados em forma de pirâmide. Entre os estudantes de alquimia, aquele sinal indicava uma precipitação. *Um sólido separado de uma solução*, como ensinou o monge alquimista. *Um produto resultante de um processo, evento ou sequência de ações.*

Ele também colocou a mão tatuada em uma luva.

Todos os ingredientes de sua vida haviam preenchido um vazio que ele trazia dentro de si, tinham precipitado uma nova personalidade a partir da neutra e homogênea Estabilidade – uma criatura diferente daqueles outros cordeiros. Um homem que apreciava a liberdade ao extremo. *Eu sou o que minha vida fez de mim*. Ele jamais esqueceria aquela lição, o *processo* ou *evento* que havia marcado sua mão esquerda: o cáustico fogo branco, as chamas ácidas que comeram até os seus ossos. Mas uma parte dele havia se enrijecido, tornando-o ainda mais forte para fazer o que precisava ser feito. Os outros não fariam. Ninguém mais queria tomar a decisão terrível como preço para ser livre.

O Anarquista não tinha uma família para aplaudir seus feitos, nem para vituperá-lo. Ele havia abandonado seu nome muito tempo atrás, como um homem que esvazia uma latrina. Aquele havia sido o seu primeiro passo rumo à liberdade.

Mas era um peso enorme ser o único no mundo que não era um tolo. O Anarquista ansiava por um aliado que tivesse as mesmas lentes que permitissem ver o lado negro, o mesmo ímpeto, mesmo que fosse necessário criar ele mesmo este aliado. Ele já havia posto as coisas em movimento e começado a preparar um candidato, uma tábula rasa, uma pessoa comum... na esperança de precipitar mais alguém como ele.

Não podia ser tão difícil. Afinal, o Relojoeiro havia criado *ele*.

Ele escutou o ruído de uma sineta e um estampido. Em meio à azáfama de metrônomo da cidade, um caixeiro-viajante com uma cartola comprida, cabelo cinza entrelaçado e um tapa olho acompanhado por uma carroça autômata passava pela rua. A carroça estava amontoada com bijuterias, barriletes, pacotes e geringonças. O velho gritou:

– O que te faz falta?

Pelo tom de voz dele, era como se ele realmente quisesse saber.

O que me faz falta? Que pergunta ridícula e inconveniente! Ele engoliu sua resposta, guardando as palavras para si. Ele resmungou em voz baixa apenas para suas orelhas, já que ninguém entenderia mesmo.

– Me falta liberdade. Falta liberdade a toda essa gente. Se um homem tem uma vida perfeita mas não pode tomar suas próprias decisões, então de que adianta viver?

Ah, eles tinham suas roupas e seus confortos, suas famílias, seus relógios de bolso e ouro barato, seus sorrisos e seus diamantes. Mas *ele* escolheria o livre arbítrio a qualquer uma dessas coisas. Eles nem sequer sabiam o que era isso.

Mas o caixeiro-viajante não encontrou nenhum cliente nas ruas lotadas. Ninguém sequer respondeu a pergunta do velho – o Anarquista não ficou surpreso, já que as pessoas não tinham imaginação suficiente para cogitar o que poderia faltar em suas vidas.

O caixeiro-viajante se virou para ele com um olhar penetrante, como se visse algo ali, reconhecesse-o, apesar do uniforme de trabalho e do disfarce. O Anarquista recuou, encolhido atrás da máscara da *normalidade*, sem deixar escapar qualquer expressão atípica. Consciente, ele tirou as luvas que cobriam suas mãos. Ele também sentiu algo de estranho no velho caixeiro-viajante, mas não sabia identificar o quê.

– O que te faz falta? – repetiu o velho, aparentemente falando para qualquer um que pudesse ouvir, mas suas palavras se dirigiam somente ao Anarquista.

Coisas demais para que você entenda, ele pensou, mas no momento o que faltava a ele era liberdade para falar. Seus olhos se encontraram, e depois de um estranho momento o caixeiro-viajante seguiu adiante sem receber uma resposta.

Preocupado, o Anarquista se irritou e saiu na outra direção. Faltavam muitas coisas às pessoas, fossem elas capazes ou não de perceber. Como cordeiros, elas presumiam que o Relojoeiro só queria a lã delas, quando na verdade ele tinha fome de sua carne. Em suas tentativas prévias e fracassadas de despertar a população, o Anarquista havia rompido trilhos de vias vapóreas, interrompido entregas de itens vitais, e transformado encontros ritualísticos em um caos completo. Ele entraria em contendas ainda maiores. Ele acordaria todos eles, mesmo que morresse no processo. Ele dedicava o dia inteiro aos seus trabalhos.

Ele sorriu e entrou em outra torre do relógio com sua maleta de ferramentas e seus equipamentos de medição do tempo. Era preciso muito esforço e atenção para manter uma cidade funcionando em perfeita sincronia. Tique-taque. Tique-taque. Era bem mais fácil desestabilizar tudo.

Ele apresentou sua ordem de serviço para o superintendente do prédio, que o deixou subir pela sinuosa escada de metal até o sótão atrás do relógio público. Assoviando sem uma melodia determinada, ele começou a trabalhar com suas ferramentas...

Na época da Universidade Alquímica ele havia sido um estudante com aspirações tão elevadas! Com a expectativa de se sobressair, ele havia estabelecido como meta despertar a atenção do Relojoeiro, talvez um dia se tornando o seu sucessor. Ele de fato atraíra sua atenção... até demais. Ele havia feito trabalho extra, trabalho *superior*... e havia sido punido por isso. Na Estabilidade do Relojoeiro, uma irregularidade – mesmo uma clara melhoria – jamais era recompensada. Em um campo de papoulas, se uma flor crescia mais do que as outras ela era podada de volta para o padrão. Com mensagens secretas de encorajamento, enviadas para serem vistas apenas por ele, o Relojoeiro havia celebrado a ascensão gloriosa do estudante. E quando aquele estudante cresceu demais, o Relojoeiro fez a poda. Achando-se especial e impulsionado por correspondências confidenciais, o estudante havia realizado seus próprios experimentos, testado novas combinações de elementos e liberado mais energia... com resultados catastróficos.

O Anarquista dobrou a mão queimada.

Ele fora mandado embora da Universidade Alquímica, e disseram a ele em tom de superioridade que ele tivera o que merecia. Após seu exílio ele perambulou por Albion e acabou entrando para um circo-parque itinerante. Ele via aquelas pessoas como espíritos bondosos que amavam a liberdade – no início. Ele passou uma temporada com eles, atuando em suas apresentações e contribuindo com suas ideias. Eles eram receptivos, até o momento em que disseram que ele havia ido longe demais.

Agora o Anarquista tinha percebido que mesmo aquele acidente doloroso e suas consequências tinham seu motivo, porque todas aquelas experiências o haviam transformado em quem ele era, tinham precipitado sua verdadeira personalidade...

Dentro da sala do relógio, o Anarquista ajustou o pêndulo que balançava fazendo sons de clique, inspecionou as engrenagens e comparou o ponteiro das horas com os três relógios de bolso precisos que trazia no cinto. Uma simples chave inglesa arremessada no meio das engrenagens teria mudado tudo, mas aquela seria uma interrupção muito bruta, pouco mais do que uma travessura. Indigna de sua causa. O Anarquista acrescentou alguns fios e conectou um dispositivo complexo que ele mesmo criara no mecanismo intrincado do relógio. Seus esquemas precisavam rivalizar com aqueles do Relojoeiro.

Com o trabalho concluído na torre do relógio, ele guardou suas ferramentas e foi embora sem falar com o superintendente do prédio. Ele tinha tempo suficiente para ajustar o relógio de mais um prédio antes da hora marcada. A desordem atacaria às 17h.

Depois que ele terminou, satisfeito, mas ansioso, ele comprou uma maçã de um vendedor de frutas e se sentou em um banco de onde podia ver muitos dos relógios de rua de Crown City. Era a melhor vista para ter noção da magnitude de seu feito.

Às cinco horas as torres começaram a ressoar em perfeita harmonia, mas de repente as notas se transformaram em zunidos dissonantes. Os ponteiros de muitos relógios deslizaram para a frente, enquanto outros voltaram para trás, seguindo batidas totalmente imprecisas.

Cada um dos relógios que ele havia "inspecionado" havia guinado para um horário diferente, errado por algumas horas ou apenas alguns minutos atrasados. A sentença de morte é que eles estavam *imprecisos.*

Assim que as pessoas da cidade perceberam o que estava acontecendo, lamentos de consternação se acumularam no ar como a música dissonante de um coral suicida. Membros da Guarda Azul caminharam pelas ruas tentando manter a ordem, mas eles não sabiam o que fazer. Ninguém podia ter certeza da hora exata. Até os relógios mais precisos eram vistos com suspeita e desconfiança.

Perfeito. Tique-taque. Tique-taque.

O Anarquista terminou sua maçã e assistiu àquilo calmamente por um bom tempo.

CAPÍTULO 11

Find a measure of love and laughter
And another measure to give
[Encontre uma quantia de amor e de risadas
E outra quantia para dar]

Owen viajou com o circo enquanto eles faziam uma apresentação atrás da outra em frente a plateias satisfeitas. Ele assistiu e aprendeu, e se encaixou bem. Embora aqueles fascínios tivessem se tornado parte de sua vida cotidiana, ele nunca se tornou indiferente a eles. Seu otimismo era contagiante; a trupe ria com ele e o provocava, e ele ria de volta.

Ele conheceu os três palhaços do circo – Deke, Leke e Peke –, e ficou surpreso ao saber que, apesar de seus tombos durante as performances, os três eram homens sérios e inteligentes. Antes de cada aparição diante da plateia eles aplicavam sua maquiagem com perfeição e prendiam cordas bambas e ganchos de mola em suas fantasias para efeitos-surpresa. Embora a plateia nunca percebesse, os palhaços eram tão peritos em suas acrobacias quanto os trapezistas, mas eles preferiam a recompensa das risadas aos aplausos de admiração. Ele se deu conta de quanto planejamento e quanta interação cada performance exigia, especialmente aquelas que pareciam as mais fáceis e banais. Para cada estrela que despertava assovios de admiração da plateia – como o levantador de pesos Golsan, ou Tomio e seu número de engolir fogo, ou o show de Francesca no trapézio – dez outras pessoas ajudavam a montar as barracas, armar as cordas, armar as tendas de jogos, pegar o dinheiro dos ingressos e preparar as refeições da equipe.

A trupe aceitou Owen sem fazer perguntas, sem licenças ou despachos do Relojoeiro. Eles sabiam que ele tinha fugido de sua vida mundana, e nunca perguntaram quanto tempo ele pretendia ficar. Ele não pediu um pagamento, embora Magnusson o tivesse incluído na folha de pagamentos junto com todos os outros.

Em uma cidade, tentando mostrar um lapso de responsabilidade, ele parou em um posto de notícias e pagou para enviar uma mensagem para casa. Àquela altura, seu pai e Lavinia deviam estar desvairados. Como ele não tinha dinheiro para transmitir um livro sobre suas explorações ele apenas tranquilizou a todos dizendo que estava bem e feliz, pedindo que não se preocupassem. O Sr. Paquette levaria o papel impresso à Taverna Tick Tack, coçaria suas prodigiosas costeletas e leria a mensagem para uma sala cheia de ouvidos atentos.

Um dia, quando voltasse a Barrel Arbor, Owen contaria suas aventuras em todos os detalhes. Sentado na Taverna bebendo sidra forte – agora já era um homem –, ele falaria sobre os Anjos do Tempo, o Planetário, os navios no porto, o circo com todo o seu charme e Francesca.

Durante uma semana ele praticou o malabarismo e estragou diversas maçãs, mas logo ficou bom o suficiente para impressionar e entreter os espectadores (desde que não tivessem grandes expectativas). Mas na maior parte do tempo ele ficava nervoso se tentava fazer malabarismos enquanto caminhava no meio da multidão, e cometia erros crassos; algumas pessoas até achavam que aquilo fazia parte da apresentação.

Francesca passava muitas horas no vagão particular de Tomio, às vezes saindo apenas tarde da noite, mas ela também conversava com Owen, comia ao seu lado e ria de algumas de suas piadas inocentes (ele não contou a ela que nem sempre estava tentando ser engraçado).

Um dia, enquanto ela ensaiava seu número na corda bamba, Owen subiu na plataforma para alcançar-lhe um copo de água. Ela o encarou da metade da corda, equilibrou-se nos dois pés e o chamou:

– Traz aqui pra mim, Owenhardy.

Ele olhou para a corda, para seus pés e para a água em sua mão; embora ele quisesse encontrá-la mais do que qualquer coisa, ele não conseguiu reunir os colhões, ainda que a corda de prática estivesse a menos de dois metros de altura. Finalmente ela cedeu e rodopiou de volta para a plataforma, onde pegou a água.

– Quem sabe outro dia – ela disse.

Um dia, após o café da manhã, Louisa foi até o vagão de Tomio e Owen seguiu atrás dela. A mulher barbada debochou dele:

– Por que você está tão interessado nos esforços de uma mulher para manter sua bela aparência?

– Estou interessado em todos os aspectos da beleza de uma mulher.

A resposta de Owen saiu automática, pois ele estava pensando em Francesca. Ele também estava curioso para ver o que Tomio fazia em seu vagão com aqueles experimentos alquímicos.

Louisa bateu na porta do trailer e Tomio abriu e sorriu para a mulher barbada.

– Eu sabia que você viria nessa manhã. Acabei de terminar um lote novo.

Ele alcançou para Louisa um pequeno pote de loção que cheirava a baunilha e ruibarbo com um toque de enxofre.

– Obrigada. Minha barba estava se sentindo fraca.

Ela enfiou os dedos no pote e espalhou a loção pela cara. Ela piscou para Owen.

– Esse tônico mantém minha barba cerrada e volumosa – é o meu ganha-pão.

Aquela não era a resposta que Owen esperava. Notando seu interesse, Tomio riu.

– Talvez você devesse deixar o jovem Owenhardy experimentar o tônico para ver se a barba dele cresce!

Consciente de seus gestos, Owen tocou nos fiapos de sua bochecha.

– Eu ficaria parecendo mais velho e mais bonito?

– Você ficaria parecendo mais *peludo*, sem dúvidas.

Louisa foi embora com sua loção, massageando o creme em sua pele, mas Owen ficou em frente à porta do vagão. Tomio olhou para ele com uma expressão de espanto.

– Dá pra ver que esse não foi o motivo que te trouxe aqui.

Owen tentou espiar o interior do trailer.

– Eu... Eu só estava curioso para ver o seu vagão. Ele é muito misterioso.

– Sou uma atração – disse Tomio. – Espera-se que eu seja misterioso.

– A fumaça de ontem à noite cheirava particularmente mal – disse Owen.

Tomio assentiu sério.

– Sim, pele de iaque coberta de piche – uma combinação repugnante. Nunca mais pretendo usar aquilo, prometo. Você pode entrar se quer ver a minha biblioteca.

Owen entrou, hesitante como se estivesse entrando na toca de um monstro.

Tomio tinha uma coleção impressionante de volumes repletos de símbolos alquímicos, listas de elementos e tabelas de sais, metais e pós, bem como instruções para a obtenção de reações químicas extraordinárias. Além disso, o engolidor de fogo tinha uma "biblioteca" de amostras químicas organizadas e catalogadas de acordo com suas cores, tipos de reação e grau de periculosidade.

– Você estudou na Universidade Alquímica? – perguntou Owen. – Eu vi os prédios na primeira vez que entrei em Crown City.

– Não fui selecionado para a Universidade Alquímica, mas tomei minhas próprias decisões.

– Eu também não escolhi me tornar o assistente de gerência de um pomar – admitiu Owen.

– E olhe onde você veio parar!

Tomio folheou seus livros, procurando uma receita, e então começou a pegar algumas amostras da biblioteca química.

– Olhe onde todos nós estamos agora. O universo tem um plano, mas ele parece um tanto desordenado. Acho que alguém está improvisando conforme as coisas acontecem.

Owen ficou embasbacado ao ouvir tamanho sacrilégio contra o Relojoeiro. Tomio misturou uma pitada de pó em um cadinho, adicionou quatro gotas de um líquido azul com um conta-gotas e então usou uma pinça bico de pato para segurar o cadinho sobre a chama de um fogareiro que funcionava com uma bateria de fogo frio.

Ele continuou falando enquanto trabalhava:

– O circo é um lugar para os desajustados, diferente da Estabilidade. Você se juntou a nós, e nós lembraremos de você, mas mais cedo ou mais tarde você irá fazer outra coisa.

Uma imagem surgida do nada começou a se desvelar em frente aos olhos de Owen: Francesca na corda bamba estendendo a mão para ele.

– Eu ainda não decidi – ele disse –, embora eu complete dezessete anos amanhã. É quando minha vida mudará e eu me tornarei um adulto.

– Isso é quando o *calendário* diz que sua vida deveria mudar. Para o resto de nós, será como qualquer outro dia.

Ele tirou o cadinho das chamas.

– Já vimos outras pessoas se juntarem a nós e depois seguirem seus caminhos. Isso sempre acontece. Em uma temporada eu tive um assistente particularmente talentoso, que parecia ter sido treinado na Universidade Alquímica mas não queria falar sobre isso. Eu conseguia ver nos olhos dele – e nas cicatrizes de sua mão – que algo terrível havia acontecido lá, mas suas cicatrizes iam muito além de um pedaço de pele queimada.

Owen lembrou do desconhecido que o havia ajudado a subir no vaporeiro quando ele saiu de Barrel Arbor.

– Hava algo *faltando* dentro dele – Tomio balançou a cabeça. – Ele adorava espetáculos, até arranjou um nome de palco: *D'Angelo Misterioso*.

Owen franziu a testa.

– O Anjo Misterioso?

Quando esfriou, uma chama laranja e borbulhante irrompeu da substância no cadinho – um cata-vento que quicava no pequeno recipiente como se fosse um pequeno duende. Ela saltitou, lampejou e finalmente ricocheteou contra o teto, mas se dissipou antes de atear fogo a qualquer coisa. Tomio riu e então ficou sério outra vez.

– No início nos dávamos muito bem, mas ele não estava tão interessado nas performances e no entretenimento quanto estava em explosões sem motivo. D'Angelo Misterioso propôs um show incrível de pirotecnia – um tanto perigoso. O menor erro de cálculo ou a menor inconsistência nas misturas poderia criar uma bola de fogo que carbonizaria o público inteiro. Quando me recusei a acrescentar aquilo em nosso número, ele deu um discurso, vociferou e então caiu fora. Estaria mentindo se dissesse que fiquei triste ao vê-lo partir.

– Espero que eu não seja assim – disse Owen.

Tomio riu.

– Não, você não é, jovem Owenhardy. Não mesmo.

Ele lançou um olhar pensativo sobre o garoto, então abriu uma gaveta e tirou de lá seis bolas delicadas, uma por vez. Ele colocou-as todas em um saco. Elas pareciam bolhas frágeis de sabão.

– Isso aqui vai te ajudar com o malabarismo. Elas vão servir de incentivo.

– Posso fazer malabarismo com elas?

– Igualzinho às maçãs, mas melhor.

Owen não conseguia imaginar o que Tomio queria dizer, mas aceitou o presente e agradeceu. Do lado de fora ele retirou com cuidado três bolas do saco e lançou uma, depois a outra e então a terceira no ar. Elas começaram a brilhar, um brilho intenso como o de um sol em miniatura, mas quando ele deixou uma cair durante um lapso momentâneo de concentração, a bolha estourou com uma nuvem verde de fumaça que cheirava a gambá e picava feito urtigas.

Castigado, ele treinou com as bolas restantes, e quando finalmente deixou outra cair, ela explodiu com os mesmos efeitos constrangedores.

Ele aprendeu a lição e, dali em diante, nunca mais deixou outra das quatro remanescentes cair.

Owen já estava intrigado com a adivinha cigana autômata que ficava fechada em sua cabine, mas ficou ainda mais surpreso ao saber que a velha era a tataravó de Francesca. Sua cabeça era mantida viva por meio de uma alquimia rara e secreta conectada ao simulacro mecanizado de seu corpo. Ninguém estava disposto a explicar mais; eles pareciam constrangidos ou apavorados pelas medidas extremas que haviam sido tomadas para preservá-la.

– Foi um dos primeiros experimentos do Relojoeiro – disse César Magnusson. – Ele estava desesperado.

Owen não entendeu.

– Desesperado? Como é possível que o Relojoeiro estivesse desesperado?

Mas Magnusson apenas cofiou seu bigode extravagante, ajeitando os fios como se quisesse esconder a preocupação em seu rosto.

– Parte da rotina de um circo, jovem Owenhardy, é viver no presente. Nossos relógios sempre dão a mesma hora: *agora*. Seu passado não é problema nosso, e você não deve se preocupar com o nosso...

Então Owen continuou curioso, ainda que de forma cautelosa. A velha continuava vivendo sua vida sedentária, tendo seus pensamentos e distribuindo sabedoria. Agora que já não tinha um corpo, seu cérebro estava mais afinado com as vibrações cósmicas e as ressonâncias dos fios do destino. Ela via coisas que os outros não podiam ver.

Em algumas noites silenciosas, Owen dava corda na chave ao lado da cabine e fazia companhia à velha. Enquanto os suportes mantinham seu pescoço no lugar, a velha conversava com uma voz frágil e vazia.

– Você é tão velha, senhora – disse Owen. – Você se lembra de como era o mundo antes da Estabilidade?

– Sim, eu me lembro.

Seus lábios enrugados esboçaram um sorriso, e seus braços mecânicos se contorceram inquietos. Ela virou o rosto tanto quanto pode, levando em conta as limitações de seu corpo autômato.

– Era tão horrível assim? – perguntou Owen. – Selvagem e apavorante? Eu li um livro a respeito disso.

Ele estremeceu ao pensar nos assassinatos, na fome e na inexistência de leis.

Estranhamente, a cigana sorriu diante daquela pergunta.

– Eu era jovem naquela época, e o mundo parecia incrível. Tantas coisas para ver, lugares para explorar, e amigos... eu tinha muitos amigos.

Owen se agachou para ficar mais próximo dela.

– Mas não era um pesadelo desorganizado e perigoso? Bárbaro.

A mulher autômata emitiu um som estranho e desrespeitoso.

– Era um pouco de cada coisa – às vezes entediante, às vezes imprevisível. Uma vida normal. O Relojoeiro criou um círculo de proteção ao redor da sociedade, mas pessoas são pessoas.

Um som de chocalho veio da garganta dela enquanto a chave vagarosa na lateral da cabina ficava sem corda.

– Eu gostaria de viver tudo de novo.

A trupe deu uma festa para comemorar o décimo sétimo aniversário de Owen, que foi mais estranha e maravilhosa do que poderia ter sido em Barrel Arbor. Se ele estivesse em casa, teria pedido a mão de Lavinia em noivado com palavras escritas de antemão, de acordo com o plano. Ele sentiu uma pontada ao pensar em seu verdadeiro amor, mas então ele parou, surpreso ao perceber que mal se lembrava da aparência de Lavinia.

Os cozinheiros da trupe haviam feito um bolo para ele, que foi servido em uma grande mesa de tábua. Com sua voz estrondosa, César Magnusson declarou que dali para a frente o "*jovem* Owenhardy" seria chamado respeitosamente de "Owenhardy".

Tomio preparou dúzias de seus pequenos gnomos flamejantes para a comemoração, que dançaram e rodopiaram no ar. Os palhaços Leke, Deke e Peke apresentaram trapalhadas que o fizeram rir. Deke pegou a espada de Tomio, inflou o peito e ficou se vangloriando enquanto mexia a lâmina no ar, fingindo ter tropeçado, terminando com uma brilhante cambalhota no ar. Então Deke demonstrou suas proezas alquímicas. Simulando uma convulsão, ele arrotou uma nuvem de fumaça colorida.

Leke enfiou panos pelas mangas de sua camisa e inflou seus ombros até um ponto absurdo, e então andou imitando Golsan, em uma ótima performance na qual ergueu pedaços de bolo como se fossem tremendamente pesados.

Peke apareceu com uma peruca de cabelos longos e escuros, pavoneando e rebolando ao caminhar em uma corda bamba imaginária sobre o chão, em uma imitação clara de Francesca. E então Deke roubou o chapéu de Owen e olhou para a Francesca de mentira com os olhos bem abertos e a boca escancarada. Deke fingiu desmaiar, caindo de costas no chão, e "Francesca" simplesmente caminhou sobre ele. Toda a trupe riu junto com Owen (embora ele fosse o único que estava corado).

Todos cantaram para ele fora do tom, mas com grande emoção. Louisa até dividiu com ele um pequeno jarro de sidra forte que ela tinha arrumado em uma das cidades que haviam visitado recentemente. Ela serviu uma caneca para ele comemorar, e a voz de Owen ficou presa na garganta.

– Essa é a melhor coisa depois da Taverna Tick Tack! – ele disse, e então percebeu que não era verdade.

Aquilo era ainda melhor.

O melhor de tudo foi que, após Owen ter comido uma segunda fatia de bolo e experimentado o agradável conforto de estar com a barriga cheia e o coração quente, Francesca limpou um pedaço perdido de glacê no rosto dele e lambeu o dedo. Então ela se inclinou e beijou ele nos lábios diante dos assovios e apupos do resto da trupe.

Embora estivesse com saudades de casa em seu aniversário, Owen olhou para Francesca e decidiu ficar com a trupe por mais um tempo.

CAPÍTULO 12

I learned to fight, I learned to love and learned to feel
[Aprendi a lutar, aprendi a amar e aprendi a sentir]

Durante a turnê daquela temporada, o Magnusson Carnival Extravaganza percorreu uma rota pendular, dirigindo-se a vilarejos nos arredores de Crown City e então voltando à capital, depois seguindo para outra série de vilarejos idênticos para as novas apresentações.

Multidões de famílias com crianças sorridente apareciam para se divertir com os jogos e apresentações. A essa altura, Owen até ganhava algumas moedas com malabarismo (quando conseguia impedir as maçãs de caírem), passando o chapéu para doações. Incluiu as esferas de bolha de sabão feitas por Tomio em seu pequeno show e, felizmente, não derrubou nenhuma.

Cada dia oferecia outra aventura, nunca exatamente igual. Francesca até conseguiu convencê-lo a praticar na corda bamba em duas oportunidades. Ela ficava pouco além do seu alcance e o chamava sorrindo. "Olhe para mim". A trapezista apontava os dedos para seus olhos escuros e hipnóticos. "Foque em mim, não na queda".

"Farei isso com prazer". O jovem dava um passo à frente, um pé depois do outro. Mas ele oscilava, se excedia ao tentar compensar o peso, balançava ainda mais e então caía todas as vezes. Mas a queda era de só um metro e meio, então afora uns arranhões, só feria o seu orgulho. Não era pior do que as bombas de fedor de Tomio.

Francesca riu enquanto Owen se levantava do chão, mas não *dele*.

– Alguns hematomas apenas servirão para reforçar seu caráter. Uma das primeiras habilidades que é preciso desenvolver ao andar na corda bamba é cair de maneira graciosa.

– Continuarei praticando – ele disse.

Da plataforma, Francesca gritou:

– Eu vi sua expressão. No que você estava pensando quando tentou andar na corda?

Ele bateu as roupas, ignorando o ponto dolorido que certamente se tornaria um ferimento.

– Eu estava pensando: *Não caia!*

A jovem lançou os cabelos para trás.

– Em vez de ter medo do que pode acontecer, no que você deveria pensar?

Ele subiu no poste outra vez e arriscou:

– Em chegar no outro lado.

– Errado, mais uma vez. Você não deveria ter qualquer meta. Apenas esvazie sua mente, curta a sensação dos pés sobre a corda com o vento soprando em seus cabelos. Não pense em *nada* e deixe seus pés fazerem o que já sabem fazer.

Ele caiu nas vezes seguintes, no entanto foi mais adiante, passando até da metade. E quando finalmente foi bem sucedido, Francesca não deixou que houvesse comemorações.

– Isso foi só uma vez. Agora faça isso de novo. E faça todas as vezes.

Ela deu uma mordida na maçã que trazia consigo.

– Quando tiver praticado o suficiente, podemos começar a tentar com você fazendo malabarismo ao mesmo tempo.

Owen mandou mensagens escritas para sua casa em Barrel Arbor diversas outras vezes, mas havia tantas outras coisas para contar que sentia que não conseguia relatar muita coisa. Passou a considerar a trupe como uma segunda família, fazendo amizade com os organizadores dos jogos, os artistas e os trabalhadores braçais.

Tomio provocava pessoas da plateia com sua espada em cada show, em uma divertida dança de desafio em que dava sustos com suas explosões de fumaça colorida. O espadachim criou uma apresentação divertidíssima com os três palhaços, em que os perseguia e cortava a parte traseira de suas calças até que algumas abas caíssem, revelando suas cuecas de bolinhas.

Owen continuou assistindo à relação entre Tomio e Francesca, e seu coração doía a cada vez que ela ria com o belo espadachim. Ela roçava em Tomio, encostava os ombros nos seus e caminhava pertinho dele com uma graciosidade espontânea. Tomio nem sequer aparentemente percebia. Mas quando Francesca fazia coisas assim com Owen – e se lembrava de cada situação em que isso ocorrera – não conseguia pensar direito. O beijo dela em seu aniversário foi um momento tão importante quanto a primeira vez em que vira os Anjos do Tempo...

Burly Golsan assumiu para si a missão de deixar Owen mais forte, encorajando-o a manusear as imensas marretas para fincar as estacas das tendas no chão cada vez que o circo era montado em um novo lugar. Embora os braços e os ombros de Owen doessem, Golsan alegava que os resultados seriam satisfatórios, prometendo que tudo melhoraria com o tempo. Só mais tarde Owen percebeu que o halterofilista o tinha manipulado para fazer parte de suas obrigações, no entanto, o jovem não se importou. Golsan compensava isso de diversas maneiras, e Owen estava ansioso para aprender.

O halterofilista treinava lutas leves com Owen para melhorar os reflexos e a força do rapaz. O aprendiz esmurrava um saco de couro recheado de serragem que ficava pendurado no teto, derrotando um inimigo imaginário. Quando o jovem já estava exausto e os nós dos dedos doíam, Golsan o empurrava para o lado.

– É aceitável ganhar uma luta deixando o seu oponente exausto, mas acho muito mais prático fazer isso com um golpe só.

O halterofilista levou o pulso para trás e deu um soco tão forte quanto um bate-estacas a vapor – tão forte que as costuras se desfizeram e a serragem caiu para fora da bolsa de couro.

– O mais importante não são seus músculos ou sua força de fato. Talvez você só precise de *confiança*.

Ele empurrou o saco de pancadas para perto de Owen para que ele pudesse dar outro soco.

– Bem, eu sou grande o suficiente para não ter de demonstrar minhas proezas.

Ele beliscou o bíceps do jovem, que ainda era um tanto esquelético.

– Mas talvez *você* precisará contar mais com a autoconfiança.

Certa feita, tarde da noite após um dia lotado em outro vilarejo, César Magnusson caminhou até a trupe e disse com sua voz estrondosa:

– Um mensageiro dos Reguladores entregou um anúncio especial do escritório de notícias!

Por baixo de seu bigode extravagante, Magnusson revelou seus dentes perfeitamente brancos.

– Dentro de uma semana, em homenagem ao solstício de verão, requisita-se uma performance do Magnusson Carnival Extravaganza em Chronos Square!

Com perfeito domínio de público, o dono do circo fez uma pausa para ouvir a enxurrada de arfadas, aplausos e risos de contentamento.

– Nós seremos vistos pelos Anjos Autômato e até por nosso amoroso Relojoeiro desde sua grande torre!

O coração de Owen bateu forte: aquilo era mais do que jamais sonhara. O solstício de verão era um dos dias mais importantes do ano, quando o sol parava em sua trajetória e mudava de direção para seguir rumo ao inverno. Owen não apenas veria os Anjos outra vez, como também seria parte do show!

Com um floreio, Magnusson colocou a mão na jaqueta de seu paletó e tirou de lá um maço de tíquetes prismáticos, que distribuiu entre a trupe.

– Um passe especial para cada um de vocês.

Owen pegou o ingresso como se tivesse ganhado um prêmio e o guardou junto com a rosa já seca que Francesca lhe havia dado.

A caravana de reboques tremeliquentos e vagões motorizados atravessou o campo rumo ao próximo destino. Owen nem sequer havia perguntado o nome da cidade. Antes de subir no vaporeiro naquela noite surpreendente, nunca havia viajado para fora de Barrel Arbor, mas agora já tinha visitado tantos vilarejos idênticos que se confundia.

Este vilarejo era especializado na criação de porcos, e, quando eles chegaram, a placa de *Bem-Vindos a Ashkelon* parecia algo insincera. Uma estátua desgastada de um anjo de pedra estava na entrada da cidade, mas ela parecia estar olhando na direção errada. Embora o vilarejo tivesse a taverna, a torre do relógio e o pequeno escritório de notícias padrão, o cheiro não era nem um pouco habitual.

E Owen descobriu que aquelas pessoas que criavam, dominavam e abatiam porcos tinham uma personalidade diferente dos assistentes de gerência de pomares de maçã. Ele as achou mais rudes e incisivas. Poucas davam informações atenciosas, mas elas riam cada vez que ele cometia um erro – risadas que tinham mais de escárnio que de divertimento.

A Gaiola das Criaturas Imaginárias era uma espécie de caixa retangular robusta com paredes reforçadas de metal. Dela vinham pancadas e rugidos como se ali dentro houvesse algo grande, poderoso e inquieto, e várias lentes distorcidas de vidro colorido possibilitavam espiar a caixa através de buraquinhos. Depois de pagar um preço, o visitante podia olhar com as lentes mutantes para ver as criaturas míticas presas ali dentro. O aviso em destaque tinha por objetivo provocar, e não assustar. *Você Ousaria Olhar para Dentro de sua Imaginação?*

Durante a apresentação em Ashkelon, uma mulher de voz esganiçada deu a volta na atração com o rosto vermelho de raiva.

– Quero meu dinheiro de volta. Não tem nada aí dentro!

Enquanto ela fazia acusações ao bilheteiro, mais membros da multidão se juntaram em volta dele, enraivecidos em solidariedade à vizinha, e logo todos se voltaram contra a trupe. Avançando a passos largos com a cartola comprida na cabeça, César Magnusson parou para acalmar o tumulto.

– Nós somos um circo, senhora. Você deveria esperar o inesperado!

– Não tem nada dentro daquela caixa! Eu posso olhar para uma caixa vazia em casa sem ter de pagar por isso.

A moradora apoiou as mãos nas ancas largas, parecendo um touro prestes a atacar.

Magnusson se rendeu.

– Tenho certeza de que para você não há nada dentro da Gaiola de Criaturas Imaginárias, senhora. Por favor, aceite o reembolso.

Ele tirou uma moeda do bolso e depositou-a na mão da mulher. Ela fechou os dedos ao redor do dinheiro como uma dioneia capturando sua presa e foi embora.

Owen assistiu àquela negociação com um desconforto crescente, e as pessoas de Ashkelon se afastaram daquela atração. O chefe de picadeiro ficou observando-os, desapontado.

Como nunca tivera uma chance de olhar dentro da caixa antes, Owen reuniu coragem e subiu na Gaiola.

– O que tem aí dentro, senhor? É um truque?

– Não tem truque nenhum, Owenhardy. É um imaginarium padrão.

Ele cofiou o bigode.

– Dê uma olhada e veja por você mesmo.

Owen vacilou quando um rugido veio das sólidas paredes metálicas, mas o chefe de picadeiro o encorajou outra vez. Ele espiou por uma das lentes de vidro distorcido e viu a imagem turva e ondulada de um centauro musculoso, um corpo humano mesclado com o de um cavalo garanhão. Deu um passo atrás, maravilhado.

Magnusson sorriu.

– Experimente outra.

Owen caminhou ao redor da caixa até uma janela diferente, com lentes tingidas de verde. Dessa vez viu um corpo de réptil com grandes asas de morcego, uma cauda comprida e escamosa com estilhas em forma de flechas e uma cabeça fina que era ao mesmo tempo majestosa e aterradora.

– Um dragão! Mas dragões não são reais!

– Sua imaginação é real – disse o chefe de picadeiro.

Outras janelas revelaram a ele um basilisco, um grifo e um unicórnio.

– Como é possível que todos eles estejam dentro da mesma gaiola?

Magnusson alisou seu casaco preto.

– Eles não existem na gaiola, mas em sua imaginação. A Gaiola de Criaturas Imaginárias é um amplificador de imaginações. Você vê uma versão aumentada das maravilhas que estão em sua mente.

O chefe do picadeiro olhou para cima e fungou o nariz.

– Algumas pessoas, como aquela mulher, não tem nenhuma imaginação para amplificar. Ai, ai.

Owen entendeu, e ficou triste por isso.

Francesca havia subido à plataforma para começar sua apresentação para as pessoas de Ashkelon. Quando dois moços criadores de porcos, sem banho tomado, desafiaram um ao outro para subir no poste do trapézio, Owen interrompeu seu número de malabarismo e foi correndo impedi-los.

– Vocês não podem fazer isso!

Os dois homens riram de sua cara.

– Olha, ele acha que é o Relojoeiro e pode impor regras.

– O circo tem suas próprias regras.

Seu coração batia forte; ele nunca havia confrontado alguém assim antes. Lembrou do que Golsan dissera e se manteve firme sem recuar e repetiu:

– Vocês não podem subir ali.

Os dois criadores de porcos olharam lascivamente para Francesca, que estava se alongando apoiada no poste do trapézio. Ao ouvir o tom de voz de Owen e intuindo que havia uma discussão, ela olhou para baixo.

Um dos homens pôs as mãos nos degraus e começou a subir a escada, mas Owen correu até ele.

– *Não* faça isso!

– Não é você que vai impedi-lo – disse o segundo criador de porcos.

– Vou sim.

Mas, com os braços cheios de maçãs e um das esferas de bolha de sabão de Tomio, era difícil sustentar uma presença muito intimidadora.

O segundo criador de porcos emparelhou com Owen.

– Não vou aceitar isso vindo de um funcionário de circo.

Já que brigar com Owen era menos atemorizante do que subir no poste do trapézio, o outro jovem pulou no chão e também se aproximou dele.

Então, como um anjo descendo do céu, Francesca deslizou por uma corda solta e se interpôs entre eles. Seu tom de voz era desdenhoso:

– Estou ofendida. A minha performance não é suficiente para capturar seu interesse? Ou vocês preferem brincar entre si?

Os dois criadores de porcos olharam para Francesca de uma maneira que Owen não gostou. Um deles respondeu:

– Preferiríamos um corpo a corpo com você.

O homem riu com um som que Owen achou parecido com o das gaivotas nas docas do rio.

Francesca deu uma risada entusiasmada, sem se incomodar com o comentário, porém Owen ficou furioso. Por que Tomio não aparecia feito um herói galante e espantava aqueles homens repulsivos com sua espada? Mas Owen não queria de verdade que Tomio estivesse ali – queria defender Francesca ele mesmo.

O jovem deu um passo à frente.

– É indecoroso dizer isso na presença de uma dama.

Atirou neles a esfera de bolha de sabão, que explodiu nos pés dos dois criadores de porcos envolvendo-os em uma fumaça fétida com cheiro de gambá. O odor representava um avanço considerável em relação a merda de porco, e a tinta verde e as fumaças urticantes os deixou enfurecidos. Enquanto recuavam e sumiam em meio à multidão, Owen bombardeou a dupla com suas maçãs, embora Francesca estivesse gritando para que parasse. Quando suas mãos já estavam vazias, ele cerrou os punhos.

O rapaz olhou em outra direção e viu dois Reguladores de uniforme azul marchando em sua direção.

– Existe uma multa específica para quem atormenta outras pessoas.

Owen apontou e falou por impulso:

– Mas eram eles que estavam atormentando... eles começaram.

O capitão da Guarda Azul se virou, mas os dois criadores de porcos haviam desaparecido.

– Ashkelon é a cidade deles. Eles são cidadãos dessa zona. Vocês são convidados.

Francesca segurou o braço de Owen e falou com o capitão da Guarda.

– Pode nos dar a notificação. Nós vamos pagar.

Owen prendeu o fôlego. Seus batimentos estavam acelerados e seu rosto parecia quente. Não se arrependeu de suas ações porque elas provavam seu amor por Francesca; havia mostrado que viria na defesa dela, como um herói. Mas, para sua surpresa, a trapezista parecia desapontada em vez de maravilhada.

Magnusson pagou a multa sem reclamar. Tomio veio correndo para conferir se Francesca estava bem, e, quando ela confirmou a história mas riu a respeito daquilo, o espadachim demonstrou estar tranquilo. Golsan ficou orgulhoso de Owen e deu tapinha em seus ombros que eram fortes o suficiente para girá-lo feito um pião.

Mas por que Francesca estava evitando-o? Finalmente, depois do anoitecer, o jovem foi até a tenda dela ansioso para conversar. Ela o recebeu e pôs as mãos na saia que vestia enquanto atirava a cabeça pra trás. Seus cabelos negros e longos estavam soltos.

– Bem, o que você tem a dizer?

Owen continuava desnorteado e com um nó na língua.

– Desculpa por qualquer coisa, mas não entendo. Aqueles homens estavam sendo cruéis com você. Disseram coisas horríveis. Eu defendi sua honra!

Francesca arqueou as sobrancelhas e olhou para ele.

– Você acha que eu não teria sido capaz de me defender?

Owen ponderou a respeito disso. Lavinia nunca teria sido capaz de sair daquela sozinha.

– Mas... é que eu fiquei furioso. Tomio não estava lá – se ele te ama , deveria ter ido te resgatar.

O jovem recuperou o fôlego e lembrou que Golsan havia dito para ele exalar confiança.

– Eu amo você mais do que ele.

Seu coração palpitava enquanto falou essas últimas palavras.

Francesca riu.

– É óbvio que o Tomio me ama.

– Eu também! E pretendo provar isso. Vou conquistar seu coração e você vai me escolher.

Os olhos negros de Francesca se arregalaram, e agora seu sorriso era terno. Ela se aproximou para abraçá-lo, e Owen não entendeu o que estava acontecendo.

– Ai, seu tolinho! Tomio é meu irmão.

Owen achou que seus joelhos iriam ceder, mas Francesca estava segurando-o, e ele abraçou-a de volta. Ela beijou-o na boca, e foi ainda melhor do que no seu aniversário. E o beijo seguinte foi ainda melhor.

Ela deixou que Owen entrasse na tenda.

II

CAPÍTULO 13

All my illusions
Projected on her
The ideal, that I wanted to see
[Todas minhas ilusões
Projetaram nela
O ideal que eu queria ver]

O dia seguinte de viagem levou-os de volta aos arredores de Crown City, e a empolgação deles aumentou com a proximidade da performance para o Relojoeiro no solstício de verão. Antes que chegasse na zona loteada da cidade, onde solicitaria as autorizações, a trupe acampou em uma clareira próxima aos trilhos de uma via vapórea. Eles ainda tinham um último show antes de sua grande apresentação em Chronos Square.

Seus companheiros estavam trabalhando duro, lubrificando os componentes da roda gigante e dos brinquedos giratórios, preenchendo os dispositivos hidráulicos de todas as máquinas, esfregando os apetrechos de jogos e retocando a pintura da tenda da adivinhadora cigana. Cada equipamento precisava estar impecável e cada número irrepreensível para o show do solstício. O Relojoeiro não esperava nada menos do que isso. César Magnusson falava do Relojoeiro de tal maneira como se os dois tivessem algum tipo de afinidade pessoal.

Enquanto a trupe estava focando no grande show, Owen achava difícil se concentrar. Ele perambulava por aí carregando um caixote de cartazes recém-impressos para celebrar a apresentação em Chronos Square, mas não encontrou onde colá-los. Não percebeu que seu estado de espírito risonho era evidente para os outros até que Tomio e Louisa o detiveram.

A mulher barbada soou sincera e preocupada:

– Tenha cuidado para não encher a cabeça demais com isso.

Não entendeu do que ela estava falando.

– Ele não está pensando com a *cabeça*.

Tomio deu uma risada de deboche bem-humorada.

– Francesca é minha irmã e eu conheço ela bem. Tome cuidado, para seu próprio bem. Ela é uma de nós – independente, cheia de vida, apaixonada. Não espere que ela pense como uma garota de uma cidadezinha pacata.

Owen não conseguiu conter um sorriso. Ele não podia discordar da descrição de Tomio: *apaixonada*.

– Francesca...

Deixando escapar um suspiro de preocupação, Louisa balançou a cabeça.

– Duvido que possamos fazer algo para que ele nos ouça.

Tomio deu de ombros e os dois foram embora, deixando Owen vagando com seus cartazes. Prestou pouca atenção no que eles haviam dito, e em menos de uma hora já tinha apagado da memória a existência daquela conversa.

Owen topou com César Magnusson sentado em frente à tenda do escritório principal do circo, matutando diante de listas de cidades e assinalando destinos vindouros em um mapa de Albion. Ele se juntou ao chefe de picadeiro, curioso para ver o nome de lugares que jamais imaginara que veria.

– Foi uma temporada cheia – disse Magnusson, puxando assunto. – Temos de encaixar o maior número de vilarejos possíveis antes de subirmos a costa no inverno.

Owen estudou a rota marcada, a lista de cidades que Magnusson havia compilado – e seu coração deu um salto quando viu que Barrel Arbor seria um dos lugares seguintes. Depois de tanto tempo fora e de tudo o que havia vivenciado, voltaria para casa. Riu alto diante do pensamento de ver todos novamente e percebeu que tudo o que um homem poderia querer estava ao seu alcance. Magnusson não entendeu por que ele estava rindo, e Owen disse apenas:

– Sim, o Relojoeiro tem mesmo um plano perfeito.

Embora o circo estivesse montado nos arredores da cidade, uma plateia surpreendentemente grande apareceu para vê-los. A essa altura, todos os escritórios de notícias haviam transmitido o anúncio de que o Magnusson Carnival Extravaganza se apresentaria no solstício de verão, mas como a maior parte das pessoas não podia arrumar tíquetes para o show em Chronos Square, elas foram assistir àquela performance local como alternativa.

Owen se sentia mais contente do que jamais estivera, ainda enfeitiçado pela noite que passara com Francesca. Agora sabia que ela era de fato o seu grande amor. Eles tinham uma conexão, como se linhas de campo magnético ligassem os dois. Lavinia não chegava nem aos pés de Francesca! Ele havia se iludido muito em Barrel Arbor.

Durante a performance vespertina, caminhou em meio aos frequentadores do circo como se estivesse levitando. Embora estivesse deixando suas maçãs caírem mais do que de costume, ria para si mesmo, e seu sorriso apaixonado tinha um brilho tão intenso e charmoso que ninguém se importava.

Com o canto do olho vislumbrou alguém familiar: o desconhecido sem nome que o havia puxado a bordo do vaporeiro. Antes que Owen pudesse se virar, o homem se mesclou com a multidão tão rápido que Owen pensou que devia tê-lo imaginado. Mas, meia hora mais tarde, ele encontrou Tomio, que estava visivelmente incomodado.

– D'Angelo Misterioso estava aqui – aquele sobre quem eu te falei.

– Ah, eu sei de quem você está falando! Talvez ele tenha vindo assistir ao show.

– Pode ser, ou talvez esteja tramando algo de ruim.

A expressão de Tomio era séria.

– Fica atento. Se o vires, vem me avisar.

No entanto, o resto do show transcorreu sem maiores incidentes, e Owen reparou em poucas coisas – além dos olhares ocasionais de

Francesca. Ao vê-la apresentando seu número no trapézio, sentiu como se testemunhasse um milagre. Não era de surpreender que o Relojoeiro abraçasse a perfeição em todas as coisas – mas será que mesmo o sábio e velho homem havia visto uma perfeição à altura da de Francesca?

Owen já pensava adiante do grande show de Chronos Square. Como a rota do circo o levaria de volta a Barrel Arbor, por obra do inexorável pêndulo do destino, tinha muitas coisas para planejar. Ele tinha a carta impressa de congratulação que o Relojoeiro havia lhe enviado em preparação para o seu aniversário, prometendo a ele felicidade. Uma vida perfeitamente planejada. Agora, o prospecto inesperado de voltar para casa era um sinal de que tudo tinha mesmo um motivo.

Esperava-se que um adulto como Owen noivasse com seu verdadeiro amor; nunca questionara isso, mas havia sido calmo e conformado demais, esperando que a vida acontecesse para ele. Quase tinha cometido um erro terrível com Lavinia porque ela estava lá em Barrel Arbor e era a escolha óbvia. Por sorte, a jornada cheia de curvas da vida havia conspirado para leva-lo até Francesca – e isso era exatamente o que ele precisava.

A jovem era atraente, independente e *viva* de tal maneira que Owen também se sentia vivo. Ela faria sinais com o dedo e o chamaria pela corda bamba de seu próprio futuro, e ele a encontraria no meio do caminho... não sobre um precipício, mas em pleno ar. Como os Anjos. Ele não conseguia deixar de sorrir ao pensar na comparação.

Atravessaria a corda bamba por ela.

Tarde naquela noite, depois que os shows haviam acabado e a multidão tinha voltado para casa, Owen reuniu sua coragem e respirou fundo. Sabia o que precisava fazer. Pegou a rosa já seca que havia guardado por meses, e a flor ainda tinha um cheiro fraco e bonito que, para ele, estava ligado a Francesca de maneira inextrincável.

Ele juntou sua determinação, lembrando do que Golsan havia dito sobre a confiança ser a maior arma.

Caminhou até a tenda de Francesca, dando cada passo de forma precária e cuidadosa, como se houvesse uma queda terrível em ambos os lados. Concentrou-se no que havia pela frente e limpou a mente... e então chamou o nome dela.

A trapezista abriu a porta de pano da tenda e saudou ele com um sorriso cheio de insinuações e significados, o suficiente para fazer Owen pensar em suas próprias poesias. Ela o provocou:

– Hmm... O que posso fazer por você, jovem? Acho que não estendi seu convite em caráter permanente.

A garganta de Owen ficou seca, mas ergueu o queixo, como Tomio teria feito.

– Você que me ensinou a usar meus próprios ingressos quando eu não recebesse um.

Ela deu um risinho

– Pouco convencido!

Ela deixou a entrada da tenda aberta. Em vez de entrar, Owen ficou de joelhos e ergueu a rosa seca.

– Você me deu isso na primeira vez em que nos vimos. Eu guardei.

A surpresa percorreu os olhos da equilibrista, e por um instante ela ficou admirada e sem jeito. Ele continuou, em um fluxo de palavras que havia praticado muitas vezes.

– Estou apaixonado por você desde o segundo em que a vi pela primeira vez, e espero que você também esteja apaixonada por mim.

Ele engoliu forte e prosseguiu:

– Depois que saí de Barrel Arbor, vi Crown City e me juntei à trupe, tudo parece um sonho incrível e estonteante. E agora a rota da turnê vai nos levar de volta para Barrel Arbor. De volta para *casa*. Eu e você somos como duas engrenagens que se juntam com um encaixe perfeito. Eu... eu me juntei à sua vida, agora você gostaria de se juntar à minha?

Ele estendeu a rosa.

– Quando chegarmos em Barrel Arbor, você quer ficar comigo? Eu tenho uma casa de campo lá. Nós podemos nos casar, ter filhos, cuidar do pomar de maçãs.

Ele deu um suspiro de contentamento.

– Como as coisas devem ser.

Owen esperava uma risada gostosa e então um abraço; ela deveria apertá-lo forte e dar um grande beijo nele. Talvez até algumas lágrimas viessem aos seus olhos quando ela aceitasse. Ele tinha tanto a oferecer, e sabia que os dois deveriam ficar juntos.

Em vez disso ela recuou, incrédula.

– Ai, Owen, você é muito querido, mas eu nunca me deixaria prender dessa maneira!

Sua risada foi rápida e alta, e ela tentou desviar da pergunta. Ela abriu ainda mais a entrada da tenda.

– Agora chega dessas besteiras.

As palavras foram de rejeição, e ele as escutou como uma traição dolorosa. Francesca achou que ele estava brincando! Ele tinha a carta do Relojoeiro – tudo deveria acontecer de acordo com o plano.

– Mas não era assim que...

Ela riu de novo.

– Poxa, Owenhardy, você deveria me conhecer melhor do que isso.

Suas palavras cortavam como a espada de Tomio, direto em seu coração. Ela titubeou, como se não soubesse o que dizer.

– Como você poderia imaginar...

Ele largou a rosa seca no chão e se virou, cego pelas lágrimas que jorravam de seus olhos. Tropeçou pela noite, correndo o mais rápido e para o mais longe que podia.

Achava que não aguentaria ouvir a voz de Francesca outra vez, mas se machucou ainda mais por ela não tê-lo chamado de volta.

CAPÍTULO 14

What did I see
Fool that I was?
[O que foi que vi
Tolo como era?]

Desiludido e com o coração ferido, Owen deixou para trás as luzes do acampamento. Não podia ver para onde estava indo, e tampouco se importava. *Eu nunca me deixaria prender dessa maneira!* Casar com o verdadeiro amor? Nunca havia pensado nisso como uma prisão! Ou uma besteira. Mas era assim que Francesca via as coisas. Ela não era a pessoa que ele acreditara. Como podia ter se iludido tanto?

Agora se arrependia de seu impulso. Não devia ter pedido a mão de Francesca – isso tinha estragado tudo. Devia ter mantido seus sentimentos em segredo e esperado. Agora era tarde demais para desfazer tudo. Ele passou depressa pela última fileira de tendas, praticamente correndo. Será que o resto da trupe também o considerava uma criança ingênua? Owen havia se sentido tão à vontade com Tomio, Louisa, Golsan, César Magnusson e os palhaços – todo mundo. Ele os via como uma família que o amava, dava apoio e compartilhava as coisas.

Lembrou-se dos beijos de Francesca, do cheiro de seu cabelo, da graça de seus movimentos, de sua risada, da luz em seus olhos. Mas agora sabia o que Francesca pensava dele e de suas ideias, que eram "besteiras". Uma descoberta um tanto amarga.

Sua garganta ficou seca enquanto lembrava do imaginarium, a Gaiola de Criaturas Místicas. Será que ele vira Francesca através das lentes distorcidas do amor ilusório, vendo apenas o que queria ver? Ela havia sido a mulher que ele imaginava o tempo todo, ou apenas havia projetado nela as suas requintadas ilusões?

Quando chegou aos trilhos da via vapórea, começou a segui-la em direção ao brilho distante de Crown City. Agora que a própria vida havia sido tão desestabilizada, ele encontrava certo conforto em qualquer caminho reto e perfeito. Caminhou pelo cascalho das laterais, deixando o brilho gelado dos trilhos injetados com fogo frio o conduzir adiante. Com o acampamento do circo já muito atrás de si, olhou por cima do ombro, parou por um grande momento e então voltou a caminhar.

Quando Lavinia havia quebrado a combinação de encontrá-lo na colina do pomar, ele ficou desapontado, mas não havia sido uma perda tão devastadora como esta. Lavinia era bonita e agradável (ou ao menos era assim que se lembrava; o rosto dela havia desvanecido em sua memória como um fantasma). Lavinia não correspondia à sua imaginação e às suas conversas. Ele via sinais de Francesca por todos os lados, no cheiro da grama umedecida à noite, em um sussurro do vento que soava como a voz dela próximo ao ouvido.

Ele era um homem jovem e ingênuo, pouco iniciado na escola do mundo, mal equipado para o que tinha encontrado depois de deixar a rede de proteção da pequena cidade onde vivia. Aquilo deveria ter sido uma grande aventura, mas no momento não era assim que parecia ser.

A trupe vivia de maneira diferente, ria de maneira diferente e jogava de acordo com as próprias regras, e Owen havia dançado às cegas sobre as cascas de ovos dos equívocos. Ele tinha achado que aquele era o seu lugar, e que seu lugar era ao lado dela.

Continuou caminhando pela noite. A luz da lua havia varrido as estrelas, no entanto não olhava mais para as constelações e não imaginava mais seus próprios padrões de estrelas. Olhava apenas para o chão em frente aos seus pés.

Por que ninguém o havia alertado? Certamente o seu amor por Francesca era evidente para toda a trupe. Lembrou-se dos palhaços e da pantomima que fizeram em sua festa de aniversário, quando a Francesca de mentira havia caminhado despreocupada sobre ele. Pisando em seu coração.

Ai, ai, mesmo se alguém *tivesse* chamado a atenção para sua tolice e para seus sonhos desligados da realidade, não teria ouvido. Sim, Tomio e Louisa o haviam alertado, agora se lembrava – tarde demais –, e as palavras dos dois haviam entrado por uma orelha e saído por outra. Talvez o otimismo ingênuo fosse o traço definidor de sua personalidade, e ele havia continuado em seu caminho, eufórico e esperançoso, sobre o abismo...

Nós temos o que merecemos: o Relojoeiro tinha dito isso, que era ao mesmo tempo uma promessa e uma ameaça. Owen quebrou as regras, seguiu seu senso de aventuras e saiu do plano. E agora estava arruinado por causa disso.

Owen não tinha caminhado muito pela via vapórea quando encontrou um homem nas sombras. O homem estava ao lado dos trilhos, como se esperasse por ele. Embora alarmado, Owen estava envolto demais em suas próprias preocupações para se assustar.

– Quem é você? Por que está aqui a essa hora da noite?

– Eu poderia fazer a mesma pergunta – questionou o homem.

Owen reconheceu seu rosto comprido, as sobrancelhas espessas, a barba e o bigode compridos e as roupas garbosas de homem de negócios, tão inadequadas para alguém sentado no chão.

– Você é o homem do vaporeiro! – o jovem falou num ímpeto.

– E você é o garoto do vaporeiro. Mas um pouco mais velho, não é mesmo? Uma longa distância do seu pequeno vilarejo de pomares de maçãs?

– Uma grande distância daquilo tudo – concordou Owen. – Eu nunca deveria ter saído.

– Não, comentar isso é uma besteira, meu bom amigo.

A voz do desconhecido pingava acidez. Owen se encolheu diante da palavra *besteira*, mas o desconhecido não parou.

– Desde que você deixou seu lar monótono, viu lugares incríveis, não é mesmo? Você fez coisas empolgantes, vivenciou a *vida* em vez de uma mera existência insossa.

– Como você pode saber? – perguntou Owen, envergonhado. – Meu coração está partido. Fui desprezado por meu verdadeiro amor. E, antes disso, eu abandonei meu pai e minha casa. Perdi tudo devido a uma série de más decisões.

A risada do homem pareceu zombeteira.

– Você sofreu uma lavagem cerebral imposta pela Estabilidade, garoto. Pense no que você tem agora e não tinha antes. O Relojoeiro nos dá uma rotina inabalável e nos diz que tudo tem seu motivo. Ele apresenta os lindos Anjos do Tempo, mas a beleza deles mascara a máquina fria que está por trás.

– Não acredito nisso!

Owen tropeçou em uma pedra na lateral dos trilhos enquanto seguiam adiante. O desconhecido não estendeu a mão, e nem sequer tentou ajudá-lo a se firmar. Em vez disso, deixou que Owen recuperasse o equilíbrio ou caísse.

– As pessoas não entendem a liberdade – o homem continuou enquanto Owen o alcançava. – Elas usam a Estabilidade como uma bengala em vez de caminharem por conta própria – ou correrem.

O homem abaixou a voz.

– *Ou voarem!* Quando você está com os olhos atados por tanto tempo, desaprende a ver. Eu vi as apresentações do circo, eu vi você.

Owen percebeu uma tatuagem chamativa nas costas da mão pálida, a que não tinha cicatrizes – um símbolo como uma caixa aberta contendo um padrão triangular de pontos.

– O que significa essa marca?

O desconhecido olhou para sua mão e fechou o punho para fazer a tatuagem dançar.

– Alquimistas chamam isso de precipitação. É o sólido de uma solução. Sempre me lembrou do sangue de uma pedra. Ou, mais propriamente, de uma pedra feita de sangue– *meu* sangue.

O homem tocou no colarinho, ajustando um alfinete sem ornamentos com um diamante escuro.

– Tomio me alertou a respeito disso – Owen contou, com um olhar de dúvida em direção às luzes do acampamento. – Seu nome de palco era D'Angelo Misterioso, não era? Ele disse que há algo faltando dentro de você.

O desconhecido de aparência suspeita dirigiu a ele um sorriso perigoso.

– Tem algo faltando na sociedade do Relojoeiro. A ordem extrema vai matar todos nós.

– A liberdade extrema parece igualmente perigosa.

Owen lembrou das palavras que o padeiro havia dito na Taverna Tick Tack.

– Você é um extremista da liberdade! Eu gosto de ter certeza que o sol nascerá no dia seguinte – exclamou o garoto.

– Você acha que o Relojoeiro controla o sol? Ele não é tão poderoso assim – zombou o homem. – O sol nasce e o sol se põe, e existe o tempo entre as duas coisas. Pense na apresentação do solstício de verão em Chronos Square, tantas pessoas... até o próprio Relojoeiro em sua torre.

Apontou o dedo para Owen.

– E você sabe o que há embaixo de Chronos Square? As conexões de fogo frio, o coração dos esquemas do Relojoeiro, o poder que move a cidade, as máquinas, as linhas vapores e a indústria! Se fosse possível interromper uma coisa dessas...

Owen estava horrorizado.

– Isso apagaria Crown City e mergulharia a civilização de volta no caos. Seria como... *Antes da Estabilidade.*

– Bem, sim, jovem. Sim, seria como... reprogramar um relógio. E nós começaríamos do zero.

Owen ouviu um som suave e sibilante a distância, e os trilhos de metal começaram a luzir com um brilho azul tremulante. Longe dali, ele conseguia ver a fila de molas e os balões inflados dos zepelins, e podia ouvir o estrondo distante dos pistões conforme os vaporeiros desciam do céu e se alinhavam aos trilhos. O trem seguia em direção a Crown City.

– Se formos livres para fazer o que quisermos, só seremos responsáveis por nós mesmos – disse o desconhecido. – Essa é a única maneira de compreendermos as alegrias e obrigações da verdadeira liberdade. Cada pessoa deveria obter êxito por quem *ela é*, ou fracassar devido ao que *lhe falta*, e não ser conduzida toda a vida pelos afagos de um Relojoeiro cruel.

Owen já vivenciara naquela noite terrível o colapso de seus sonhos. Lembrou do conselho de Golsan para que defendesse suas posições.

– Algumas pessoas querem ordem e previsibilidade, uma vida em que possam confiar.

A caravana de vaporeiros estava se aproximando, e Owen teve de continuar sua fala aos gritos:

– Senão elas poderiam se tornar tolas apaixonadas e se machucar!

– Que estranho – observou o homem. – Na última vez em que nos falamos você queria abrir mão de toda a previsibilidade.

Owen se afastou dos trilhos conforme o vaporeiro se aproximava. Ele podia ouvir as batidas do sino de passagem.

– Talvez eu tenha mudado de ideia. Talvez no fim das contas eu queira uma vida normal. Tenho fé no Relojoeiro!

O homem disse:

– Eu não tenho fé na fé. Eu tenho fé em *mim* e no que posso realizar.

O primeiro carro do vaporeiro passou a mil por eles, com as rodas trovejando e os balões aéreos chacoalhando. Faíscas saltaram das rodas de aço enquanto a gôndola de passageiros e os vagões de carga reduziam a velocidade ao se aproximarem da cidade.

– Sem um plano cairíamos em uma anarquia! – bradou Owen.

– Sim... anarquia! E tudo tem o seu motivo.

De repente, Owen percebeu com quem estava falando. Deveria ter percebido desde o começo.

O Anarquista se aproximou do vaporeiro que estremecia sobre os trilhos. Quase sem olhar para trás, como soubesse exatamente o que estava se aproximando e onde pôr a mão, ele agarrou a lateral de um vagão de carga e saltou para cima.

Owen olhou para o brilho pálido no rosto do desconhecido enquanto ele sorria e se embrenhava para dentro do trem que se dirigia a Crown City.

INTERLÚDIO

O Relojoeiro

The Watchmaker has time up his sleeve
[O Relojoeiro tem o tempo embaixo da manga]

No escritório bem iluminado na torre do relógio, o Relojoeiro inspecionava os pequenos componentes dispostos sobre a mesa. Entendia das minúcias e da precisão necessárias para manter a máquina perfeita, funcionando.

Um trabalho mal feito é sinônimo de caos, e ele montava os componentes de seus equipamentos – de seu mundo – como se a vida dependesse de sua atenção e cuidado. E às vezes dependia mesmo. A Estabilidade dependia dele. Albion inteiro dependia dele.

O Relojoeiro tinha orgulho das próprias realizações e recompensava os monges alquimistas. Seus Reguladores mantinham a ordem em todos os aspectos da vida cotidiana. Tudo funcionava exatamente como deveria, de acordo com o plano. Via que aquilo era bom, mas um Relojoeiro verdadeiramente zeloso não podia se tornar complacente.

Uma ampla tira de couro envolvia seus cabelos brancos e finos, sustentando um dispositivo complexo de lentes ópticas sobre a sobrancelha. As lentes eram discos de cristal polidos com aros, alguns incolores, outros rubi, safira ou âmbar. Eles brilhavam ao refletir os globos de fogo frio que planavam sobre a mesa de trabalho. Pares de pequenos cilindros de cobre sustinham lentes compostas para uma maior ampliação.

O Relojoeiro baixou um par de instrumentos ópticos com a mão direita. Ao mesmo tempo e com movimentos igualmente firmes e precisos, escolheu com a mão esquerda uma ferramenta em miniatura que estava na mesa.

Seus dedos se moveram de modo impecável. A concentração ao guiar a ferramenta até o coração do complicado mecanismo era total. A engenhoca era uma armação com o tamanho de um punho e o formato de um ovo. Uma camada de ouro trabalhado rodeava um complexo conjunto de pequenas engrenagens e um sistema de rotação feito de joias: diamantes de precisão e opalas carmim lapidados das minas distantes de Atlantis. Uma bolha de fogo frio brilhava no coração do mecanismo. "Rodas dentro de rodas", resmungou. Era exatamente a maneira como percebia o universo autômato – e o mundo pessoal que havia criado em seu interior.

Tique-taque. Tique-taque.

Olhando para o lado contrário ao escritório na torre, os quatro Anjos do Tempo repousavam em suas alcovas, cheios de beleza e majestade. Ele os adorava – eram o mais próximo que ele já havia chegado da perfeição em suas invenções. Luz. Mar. Céu. Terra. Havia um anjo representando cada um desses elementos.

E apenas ele controlava o quinto elemento. *Vida.*

Passados mais de duzentos anos desde que descobrira como criar ouro, seu interesse pelo metal precioso havia se desvanecido. Controlava seu fornecimento, e portanto seu valor, mas um metal amarelado que se tornara banal já não era "precioso" para o Relojoeiro. Até o fogo frio – uma simples mistura de ácidos, bases e catalisadores que podia evocar energia a partir da sílica, a mais básica das substâncias – tinha perdido o brilho.

Os sonhos do Relojoeiro eram maiores do que isso. Utilizando alguns elementos mais raros, como a pedra lunar, a pedra solar, a pedra do sangue e a pedra dos sonhos, continuou sua busca pela presença essencial da existência: a força alquímica que estava no âmago de tudo e de todos. A força propulsora, o quinto elemento – a *quintessência.*

O Relojoeiro ergueu a mão direita com um movimento suave para pegar outro par de lentes, dessa vez vermelhas, para ver melhor o espectro. Ao mesmo tempo, estendeu a mão esquerda para selecionar uma lima minúscula no conjunto de pequenas ferramentas. Ele se aproximou do mecanismo e limou com suavidade e ternura as extremidades de pequenas engrenagens do escapamento. Ele as colocou em movimento, avaliou o ritmo perfeito delas e soltou o ar vagarosamente, em um gesto que lembrava uma oração.

O Relojoeiro via suas engenhocas como reflexos da vida – de como a vida deveria ser –, em que a ação e a reação tinham um equilíbrio preciso, confiável e passível de controle. Não eram como os humanos desregrados que ele estava sempre tentando contentar, embora suas simples necessidades fossem facilmente compreendidas e satisfeitas. Lembrou-se de um antigo provérbio de governantes: "Dê a eles pão e circo, e nunca haverá revolta". O fogo frio gerava toda a energia de que precisavam. Os padrões climáticos alquimicamente controlados mantinham as fazendas produtivas e as pessoas bem alimentadas. Circos itinerantes como o Magnusson Carnival Extravagansa as mantinham entretidas. Tudo tinha seu motivo.

Ainda assim, alguns renegados e embusteiros insistiam em conturbar a Estabilidade, mas logo lidaria com eles. Por ora, precisava zelar por seus lindos Anjos. Visto através das poderosas lentes de aumento, o intricado mecanismo era um colírio para os olhos do Relojoeiro e um deleite para sua mente. Engenho espiritual, dotado de uma força vital que ele mesmo havia incutido e da qual era a um só tempo mestre e servo. Ela não existiria sem ele – e ele não existiria sem ela.

Na juventude, é comum ir atrás de riquezas. Na idade adulta, um homem pode desejar o poder. Mas agora, passados mais de dois séculos, o Relojoeiro considerava a vida a coisa mais preciosa. O tempo era a coisa mais preciosa.

Muito tempo atrás, o Relojoeiro havia descoberto uma forma primitiva de quintessência, que utilizou para manter a própria filha viva quando uma doença cruel ameaçou levá-la deste mundo. Ele a alimentou com energia e força, mantendo a mente dela viva quando até o corpo já havia cedido. Naquela época, a quintessência era apenas um destilado puro, poderoso e que ainda precisava ser refinado. E de fato ela ainda vivia, de certa maneira, mas havia sido apenas um experimento precoce. Os resultados não foram positivos, e ele a perdeu de qualquer maneira.

Havia sido muitos anos atrás. Quanto dela ainda restava? A filha nunca o perdoaria... mas seu negócio não era dar ou receber perdão. Ainda assim, ele desejava poder fazer as coisas de novo.

O Relojoeiro a havia vislumbrado ao longo dos anos enquanto caminhava com seus disfarces. Havia convidado o circo para atuar no solstício de verão principalmente porque queria vê-la outra vez. A filha nunca o perdoou e não falaria com ele (ele estava certo disso), mas ao menos ela estaria em Chronos Square. Ao menos ainda estava viva. Ela não ficava contente com isso? O sucesso do procedimento experimental era um tributo às habilidades dele.

Mas o Relojoeiro havia melhorado ao longo dos anos.

Em frente à mesa de trabalho, ele voltou sua atenção para a mais delicada das complicações nos movimentos, o *tourbillon*, o "furacão". A gaiola rotatória do *tourbillon* interagia com os efeitos da gravidade no escapamento e na roda de balanço, mantendo as intersecções das engrenagens, as molas e as rodas precisas em qualquer ângulo, temperatura e altitude. Rodas dentro de rodas. Assim como o *tourbillon* controlava o mecanismo, ele próprio podia controlar o mais caótico dentre os poderes da natureza. Era capaz de cultivar um furacão.

Pegou um implemento e pressionou uma alavanca com o dedão, arrancando faíscas de uma pederneira e do aço. Ele tocou na armação de ouro em formato de ovo, e um fio de eletricidade azul percorreu arcos minúsculos incrustados no mecanismo. Finalmente, cutucou o tampo traseiro do aparelho autônomo energizado, e então passou a trabalhar na minúscula bomba hidráulica que seria controlada pela engenhoca.

O Relojoeiro se mantivera vivo porque fizera todos os cálculos e negociações necessários para tanto. Talvez os reles humanos precisassem viver e morrer em intervalos de tempo definidos, mas não o Relojoeiro. Albion simplesmente não poderia funcionar sem ele e a Estabilidade ruiria se fosse conduzida por pessoas imperfeitas. Portanto, tinha a obrigação de se manter vivo.

Ele pegou o aparelho pulsante e caminhou até o Anjo Autômato mais próximo. A estátua era de um branco puro, as roupas eram lustrosas e a pele se transformava para que parecesse construída em pedra. O Relojoeiro abriu a portinhola que ficava entre as belas asas em suas costas, onde seu mecanismo de ativação estava inerte. Ela era um Titã, um gigante entre os humanos, repleta de energia e elegância graças aos experimentos do Relojoeiro.

Aquelas quatro beldades autômatas haviam sido voluntárias muito tempo atrás, seguidoras encantadas que acreditavam em cada detalhe do seu plano. Por um tempo os Anjos tinham sido parcialmente humanos, mas agora eram muito mais do que isso. Enquanto conectava o coração autômato à cavidade no peito, liberava a quintessência e punha as rodas em movimento, o Relojoeiro sussurrou "Animar!". Em meio a faíscas, a fonte de energia incutiu vida no Anjo.

Com a vibração mais suave que se possa imaginar, as asas se desdobraram e então se fecharam novamente, como se estivessem se alongando. O Anjo virou a cabeça e piscou os olhos belos e vítreos. Fitando-o com amor, em um olhar muito poderoso e etéreo, o Anjo Autômato quase hipnotizou a *ele*. O Relojoeiro sentiu uma emoção percorrendo o corpo, os próprios sistemas.

Por um instante tão breve que poderia até ter sido uma ilusão – *precisava* ter sido uma ilusão –, a expressão normalmente serena do homem mudou para uma centelha de profundo ódio e desespero. Os braços do Relojoeiro se agitaram e hesitaram em uma reação inesperada. Uma irregularidade ocorrera em seu próprio sistema de engrenagens. Ele endireitou o braço utilizando a outra mão, e então dobrou seu pulso e sentiu as engrenagens voltarem a funcionar devidamente. Desenrolou a manga para cobrir seus aprimoramentos, e varreu meticulosamente os grãos imaginários de poeira. Logo teria de substituir seu próprio animador quintessencial.

Sorrindo outra vez com adoração e amor perfeitos, o Anjo Autômato olhou para a frente e voltou à inércia.

As abelhas dele zumbiam ao redor das colmeias, um ruído branco que o acalmava. Nos grandes jardins fechados do pátio da Catedral dos Guardiões do Tempo, o Relojoeiro mantinha as colmeias, um agrupamento de estruturas cônicas com dobradiças traseiras para a remoção dos favos de mel. As estruturas eram feitas com um tipo delicado e puro de cera, preenchidas até em cima com o ouro manufaturado pelos perfeitos insetos de estimação. Embora admirasse o comportamento uniforme e a precisão natural das abelhas, elas operavam dentro da própria Estabilidade, alheias aos pensamentos pessoais dele. Quando visto da ótica multifacetada das abelhas, até o mundo do Relojoeiro deveria parecer um lugar desordenado e nada cooperativo.

Mas ele estava fazendo o melhor que podia.

O Relojoeiro não precisava de nenhuma proteção para se aproximar do movimento em uníssono das colmeias, apenas da confiança e dos modos gentis dos insetos. Afinal, pouco do que restava dele ainda era humano; por que as abelhas se incomodariam em picá-lo? Depois de abrir a porta, agachou-se para assistir às pequenas criaturas que perseguiam seus destinos. Maravilhoso. Ainda assim, jamais havia conseguido determinar por que suas colmeias produziam uma quantia consideravelmente menor de mel do que a maioria das outras. Ele tinha estudado os melhores livros científicos e dedicado muito tempo a se tornar o melhor apicultor possível, mas as abelhas demonstravam ter certa falta de iniciativa. Mas devido à menor quantia de mel, o Relojoeiro declarara-o uma substância rara e passou a consumi-lo apenas em ocasiões muito especiais.

Ele se aproximou mais, e o zumbido vibrante aumentou de volume quando as abelhas ficaram mais agitadas, embora ainda não estivessem agressivas. Viu as câmaras hexagonais interligadas como engrenagens, e ficou admirado pelo que representavam para ele. Partindo de um caos aparente, elas criavam não apenas a ordem, mas também a *beleza*. As abelhas entendiam a perfeição da geometria. Elas criavam algo útil, que por acaso também era belo. Se ao menos as pessoas pudessem aprender as lições dos simples insetos. Sim, as abelhas eram mesmo o símbolo perfeito para ele.

O Relojoeiro lembrou dos cronômetros intricados que havia construído mais de um século antes, no início da carreira e de sua existência: relógios de tamanha técnica e precisão que superavam em muito a função original, não apenas informando o horário, como também despertando admiração por serem perfeitos. Sempre considerara aquele um objetivo louvável em si, pouco importando se os outros eram capazes de entender todas as conexões e simbologias ali contidas.

Ele deixou de estudar as colmeias quando seu fiel comandante da Guarda Preta adentrou o jardim do quintal. Vendo as abelhas rodopiando pelo ar estáticas, o comandante parou a uma distância segura e ergueu a voz:

– Senhor Relojoeiro, chegou um novo relatório de nossos batedores no Mar do Oeste. Nossos navios militares com armas de longo alcance completaram outra seção do mapeamento solicitado.

– E eles encontraram os Naufragadores?

O ronco das abelhas obscureceu suas palavras.

– Não, senhor, mas continuarão as buscas.

O homem agitou a mão em frente ao rosto, embora devesse saber que movimentos demais poderiam intimidar as abelhas.

O Relojoeiro assentiu.

– Até mesmo um banco de dados em branco fornece informações importantes. Sabemos onde eles *não* estão, então isso reduz a área do mar onde eles podem *estar*.

O Relojoeiro estava ansioso para encontrar os piratas que continuavam atacando os vapores de carga, causando perdas de fortunas em recursos essenciais vindos de Atlantis: as joias que ele precisava para seus relógios mais precisos, as pedras lunares, as pedras do sangue e as pedras dos sonhos necessárias para as pesquisas quintessenciais. Os Naufragadores deveriam ter um covil em algum lugar em meio àquelas águas. Os dirigíveis do Relojoeiro enfrentavam limitações devido a distância entre os postos de abastecimento de fogo frio. Mas os novos que estavam sendo construídos...

Impaciente, ficou tentado a pedir que a frota de batedores ampliasse a varredura e abrisse a rede, mas não era um homem de improvisos.

– A busca deve ser feita da maneira correta, seguindo o padrão. E quando os Naufragadores forem encontrados, não importa quanto tempo leve, devemos atacá-los com uma força impossível de ser detida.

Conforme sua raiva crescia, sentiu o metrônomo de seu pulso ganhar velocidade; a energia se acumulava em suas veias. Quando o ataque acontecesse, se juntaria à missão de assalto. Os Naufragadores e o monstruoso Anarquista eram uma afronta pessoal.

Abelhas voaram ao redor dele sem serem percebidas.

O grafite provocativo havia sido removido, os trilhos das vias vapóreas tinham sido reparados. O caos recente que o Anarquista causara com a artimanha de reprogramar diversos relógios havia sido mais dramático, porque abalou a fé dos cidadãos no tempo. No entanto, o Relojoeiro tranquilizou a todos. No fim, ele seria vitorioso. Ele era um homem inteligente, não um animal selvagem. A civilização deve triunfar sobre a barbárie. A ordem precisa obter êxito diante do caos.

– Obrigado, Comandante – agradeceu, com os insetos voando ao seu redor. – Continue a busca com a devida diligência.

O Regulador de uniforme negro deu meia-volta e partiu do jardim, contente por se afastar das abelhas.

O Relojoeiro entrou nos bem iluminados salões de análise mais do que curioso. Suspeitava que o destino do mundo poderia estar sob ameaça devido a interações entre pessoas aparentemente triviais.

Já havia muitos dias que ele pusera suas calculadoras do destino para trabalhar – aparelhos energizados e lacrados que examinavam e calculavam linhas do tempo, como relógios cósmicos que podiam ser ajustados à frente no tempo para captar vislumbres do futuro. Se alinhadas devidamente com a agulha do compasso ajustada, as calculadoras do destino eram bolas de cristal alquímicas, capazes de prever com grande precisão o que uma determinada pessoa faria.

O Relojoeiro seguia a cópia heliográfica da vida de uma pessoa, um complexo diagrama em forma de árvore representando tomadas de decisões, que tinha o comprimento do salão e ainda dobrava num dos cantos. Ele seguia as ramificações de cada ponto: cada intersecção marcava uma escolha que levava a outras escolhas, em uma cascata que se ampliava. Os caminhos vacilantes mapeavam possibilidades, decisões tomadas e não tomadas, como reações químicas do destino. O Relojoeiro estivera com os olhos voltados para um rapaz. No início, o padrão do jovem havia sido perfeitamente regular, como o de qualquer pessoa. Até que, alguns meses antes, suas decisões se estilhaçaram em direções surpreendentes, como os ângulos cristalinos de um floco de neve.

Por causa de suas calculadoras do destino, o Relojoeiro sabia que aquele era o ponto em que o Anarquista havia decidido recrutar o rapaz. Owen Hardy, de Barrel Arbor. Um zé ninguém, um camponês comum, um grão de areia humano em uma grande praia. O jovem não merecera atenções especiais de qualquer tipo até então, mas se tornou relevante porque o Anarquista havia reparado nele.

E assim o Relojoeiro também precisou reparar no garoto, para que pudesse empurrá-lo na direção oposta com uma grandiosidade sutil. Não apenas roubaria de volta a lealdade e o contentamento de Owen Hardy como também obteria uma vitória simbólica devastadora em cima de seu rival. Com suas calculadoras do destino, o Relojoeiro podia planejar cada pequeno acontecimento em detalhes, para a frente e para trás, decisões e consequências, primeira ordem, segunda ordem, terceira ordem.

O Anarquista não tinha ferramentas tão poderosas – tinha apenas a *imprevisibilidade*. E o Relojoeiro fizera juras de que isso não seria o suficiente. Owen Hardy, o garoto escolhido por impulso, poderia ser uma chave para a Estabilidade contínua, bem como para um terrível reinado de caos e desordem. As decisões do jovem poderiam torná-lo importante de diferentes maneiras, a depender de suas escolhas. Owen Hardy era um grãozinho de areia tão minúsculo que nenhum dos Reguladores, analistas ou especialistas em cálculos do Relojoeiro entendia como poderia ser tão importante.

Até mesmo uma pedrinha era capaz de interromper as engrenagens mais delicadas.

O Relojoeiro caminhou pelo salão, prestando muita atenção no rio geométrico de pontinhos. Ele seguiu a jornada de Owen Hardy, traçando o caminho com os olhos até chegar ao final temporário, o ponto decisivo encarado pelo garoto neste momento: voltar para casa e para a vida tranquila e estável em Barrel Arbor ou entrar sorrateiramente em Crown City e reencontrar a trupe.

O Relojoeiro tocou no vértice de uma parede, os caminhos possíveis para Owen, mas sabia exatamente a direção que o jovem escolheria. Com as pontas do dedo, apagou a alternativa que partia daquele ponto e deu um passo atrás para avaliar o futuro do garoto.

Era claro que Owen decidiria ver a trupe outra vez.

CAPÍTULO 15

Deadly confrontation
Such a dangerous device
[Confrontos mortais
Um dispositivo tão perigoso]

Owen caminhou a noite toda, seguindo os trilhos e olhando mais para os próprios pés do que para o brilho de Crown City à sua frente. O encontro com o Anarquista deixou-o perturbado, como um galho batendo contra a colmeia de seus pensamentos, e agora não conseguia se acalmar. Owen não gostava daquilo, não gostava nem um pouco.

Estava perdido em uma zona interiorana, perdido em meio às suas ideias e experiências... Francesca, o futuro feliz que imaginara, Barrel Arbor, a trupe, o Anarquista e seus planos, o Relojoeiro. Ainda ontem, o Relojoeiro era o centro de um maravilhoso universo de felicidade, e agora...

Como poderia ser que tudo tivesse seu motivo? E quem decidia isso? Ele pensou no grande Planetário mecânico. Toda a sua vida – assim como os planetas, estrelas, o sol e a lua – havia sido posta em uma órbita regular. Mas agora, devido à decisão impulsiva de subir no vaporeiro e abandonar sua casa, todos aqueles corpos celestiais tinham se desacoplado de suas órbitas e partido em direções aleatórias, causando o fim de seu universo pessoal.

Ao amanhecer, outro vaporeiro passou estrondosamente, no entanto ele já havia chegado ao limiar de Crown City. O rapaz não pertencia mais à trupe. A imagem de Francesca pairava à sua frente, impressa em sua memória. Ele a via com os olhos da mente e do coração, mas não sabia o que os outros viam quando olhavam para ela. Ela sorrira para ele, de pé sobre a corda bamba, convidando-o a pisar em um terreno instável, *seduzindo-o*. Mas a corda se revelara muito mais alta do que parecia, além de ser desprovida de uma rede de proteção. E ele caíra...

Àquela altura, o Magnusson Carnival Extravaganza já teria desmontado acampamento e carregado os vagões e motores a vapor. Dentro de algumas horas, rodariam para Chronos Square. Owen conhecia a rotina muito bem. Ele deveria estar ajudando-os, e se perguntou se a trupe sequer havia percebido sua ausência.

Depois de ficar sabendo da apresentação no solstício de verão, Owen havia imaginado que aquilo seria (mais uma vez) um dos dias mais incríveis de sua vida. Mas ele não fazia parte do show. Não naquele dia... e talvez nunca mais.

No entanto, tinha seu ingresso, então poderia entrar e se juntar ao público. E ele queria assistir ao espetáculo.

Durante anos, enquanto crescia, Owen havia olhado os livros da mãe, estudado os cronótipos da cidade e sonhado com os Anjos. O garoto havia sido atraído pela misericórdia benevolente dos Anjos e abençoado com as maravilhas deles. Mais do que qualquer outra coisa, os Anjos do Tempo o haviam instigado a subir no vaporeiro e viajar em meio à noite com destino à cidade dos seus sonhos.

Ele havia visto os Anjos uma vez, ao lado de Francesca. Porém, aquelas memórias haviam sido maculadas pela maneira como ela o desdenhara. Naquela noite, com a performance da trupe, ele poderia ir à praça, perder-se em meio à multidão e assistir aos belos Anjos outra vez – mais uma experiência para catalogar na memória e no coração. Francesca havia mudado tudo na vida dele, a princípio para melhor, e posteriormente para pior. Owen nunca havia conhecido alguém como ela, nunca tivera um surto de sentimentos verdadeiros. A trapezista era sua *amante*... e ainda assim tinha dado risada quando ele sugeriu que os dois se casassem, havia mostrado como ele era tolo. *Eu nunca me deixaria prender dessa maneira!*

O garoto se perguntou o que ela teria dito à trupe quanto aos motivos para ele ter partido, se ela havia inventado uma história para explicar por que ele havia abandonado o grupo. Ou talvez a jovem simplesmente tivesse contado a todos como ele havia sido tolo. Todos ririam da ingenuidade do rapaz até suas barrigas doerem. Ou talvez nada disso tivesse acontecido.

Eles eram seus amigos e Owen queria vê-los outra vez, nem que fosse apenas para se despedir. Já sentia saudades deles. A trupe era mais do que Francesca: também havia Louisa, Golsan, Tomio, César Magnusson, os palhaços, os pregoeiros... mais do que meros colegas de trabalho, eram seus amigos. Eles eram parte de sua família.

Se ele tivesse coragem o suficiente, talvez pudesse fazer parte daquela família outra vez. Chegara à conclusão que *não saber* era pior que *se machucar*. Talvez Francesca pudesse se explicar... ou talvez fosse ele quem precisasse dar explicações. Talvez ele tivesse entendido mal, reagido de maneira desproporcional, ou simplesmente esperado coisas demais. Talvez ele pudesse ganhar uma nova chance, ou talvez simplesmente devesse aceitar os golpes da vida. Ele ainda sentia que o seu lugar era junto à trupe. E nunca conseguiria esquecer Francesca, não importava o que acontecesse...

No horário marcado na noite seguinte, Owen manteve a cabeça baixa com o chapéu enfiado na cabeça. Ao seguir para Chronos Square, não olhou para todos os objetos brilhantes feito um tolo. Em meio à multidão crescente, sentia-se como uma folha sendo levada pelas águas de um rio. Os guardas da Guarda Vermelha não demonstraram qualquer interesse especial quando ele entregou os ingressos, e entrou na praça. A trupe recém havia iniciado a apresentação, e Owen se deslocou em meio à plateia sorridente e de olhos atentos. Mas ele pisava em ovos, com medo de ver como a trupe reagiria à sua presença, mas também com medo de não se aproximar.

Ao redor da grande praça, sob o brilho deslumbrante dos globos de fogo frio, faixas do solstício tinham sido penduradas em frente à fachada de prédios do governo. Havia um particularmente colorido em frente à Catedral dos Guardiões do Tempo. Havia cordas presas em cada faixa, estranhas pontas soltas que deveriam ter sido atadas em algum lugar. Ele olhou para a torre do relógio, de onde os Anjos surgiriam. Em algum ponto ali em cima, escondido dos olhares, o próprio Relojoeiro estaria observando o espetáculo...

Enquanto perambulava, invisível em meio à multidão, Owen passou pela tenda vermelho-encarnado da adivinhadora cigana autômata. Embora nenhum cliente tivesse ativado o mecanismo do corpo da cigana, a cabeça orgânica dela estava virada para a grande torre. A anciã olhava ardentemente, com os olhos encrustados em seu foco, como se soubesse de alguma maneira que o Relojoeiro estava lá. Owen sentiu que havia uma conexão velada entre a cigana e o Relojoeiro.

O rapaz se perguntou o quão velha ela era, e se a alquimia especializada do Relojoeiro tinha qualquer relação com a ciência arcana que a mantinha viva. O olhar da adivinhadora não desviou das janelas fechadas da torre, mas indícios de uma lágrima surgiram nos olhos dela.

Owen escapuliu antes que a adivinhadora percebesse sua presença. O atirador de facas afiava suas lâminas com uma roda de amolar movida a reações alquímicas, que faziam com que faíscas azuis saltassem das extremidades da lâmina. Tudo isso fazia parte da apresentação. Ao terminar, o atirador de facas se levantou e pediu um voluntário que estivesse disposto a ser algemado na Roda do Destino.

– Prometo que minhas adagas atingirão apenas a roda, e nenhuma parte do corpo!

O atirador de facas olhou ao redor e, provocante, garantiu mais uma vez, dizendo:

– Geralmente eu não erro.

Mas era tudo uma encenação. Como ninguém se ofereceu, atirou suas facas em uma rápida sucessão, e todas elas cravaram no centro da roda, exatamente no alvo.

Tomio andava por ali arremessando seus pós coloridos no ar e fazendo investidas com a espada na mão, enquanto gritava “Presto!” em sincronia com cada explosão. Owen quase trombou com a mulher barbada, mas desviou a tempo. Ele sentiu uma ânsia de correr em direção a Louisa para dizer em meio a risadas que havia voltado. Mas não queria responder as perguntas dela ou, pior ainda, ouvir seus consolos – se é que ela teria algum para dar.

Como ele sentia saudades daquelas pessoas, mesmo tendo passado apenas um dia fora! Owen reforçou a determinação para vê-los outra vez e conversar com eles novamente, mas não podia interromper a apresentação. Ele teria de esperar até que o show terminasse, depois que o festival do solstício fosse encerrado e o Relojoeiro estivesse satisfeito com a apresentação. O rapaz se juntaria a eles para ajudar no trabalho de desmonte, na esperança de que o aceitassem de volta – se é que tinham percebido que ele havia partido!

Conforme a multidão crescia, a apresentação continuava ganhando mais cores e intensidade. Esferas azuis que levitavam no ar iluminavam as tendas de jogos com brilho, a roda gigante autônoma e os outros brinquedos. Golsan flexionou seus músculos e impressionou o público ao erguer uma quantia incrível de peso em seus halteres. Na plateia, Owen era provavelmente o único que sabia das duas cargas que Golsan sempre mantinha trancadas com um cadeado para que nunca se sentisse tentado a usá-las.

As pessoas ganhavam prêmios nas tendas de jogos ou perdiam às gargalhadas. Sempre com a aba do chapéu voltada para baixo, Owen circulou por lá sentindo o coração aquecido e pesado a um só tempo.

Ainda que Francesca não o amasse, talvez fosse possível que ele se sentisse em casa o suficiente para ter vontade de permanecer com a trupe. A alternativa, supunha ele, era voltar a Barrel Arbor e trabalhar como assistente de gerência do pomar, casar com Lavinia e passar o resto da vida lembrando dos *bons* tempos...

Owen sorriu ao ver os três palhaços rodopiando, dançando, chacoalhando e tropicando em meio à plateia. Leke carregava uma bengala acompanhado de Deke, que vestia as mesmas roupas rústicas e caminhava com os braços e pernas rígidos como se fosse um autômato. Enquanto isso, vestido com um traje malhado e colorido adornado com penas, Peke galhofava e dava cambalhotas ao lado deles.

De repente, Owen percebeu que eles representavam o eficiente Relojoeiro, um cidadão que se movia feito um autômato e o bárbaro Anarquista – embora as pessoas comuns não percebessem o simbolismo.

Em sua interpretação do Anarquista, Peke tirava penas e lenços coloridos de bolsos escondidos em seu traje, atirando-os em todas as direções como se fossem explosões. Peke utilizou uma das penas para fazer cócegas no rosto de uma menininha. Ela riu, e os três palhaços seguiram adiante.

Membros da Guarda Azul vagavam em meio à multidão. Os homens uniformizados paravam a intervalos de tempos específicos e anunciavam para a multidão barulhenta:

– Cidadãos, mantenham-se vigilantes! O Anarquista foi avistado. Ele está vestindo uma capa marrom com capuz para esconder o rosto. Acreditamos que sua intenção seja interromper esta grande celebração organizada por nosso amado Relojoeiro.

A notícia provocou uma onda de ansiedade. Ninguém sabia a aparência do Anarquista, exceto Owen. Ele sentiu um arrepio. Baseado na conversa que tivera com o homem na noite anterior, era possível que estivesse mesmo planejando alguma travessura durante a apresentação. Owen olhou em meio ao mar de rostos procurando D'Angelo Misterioso.

Se Owen informasse os Reguladores, contudo, precisaria se identificar, e a patrulha saberia que aquele não era o seu lugar e que não tinha um motivo para estar fora de Barrel Arbor. Na última vez em que a Guarda Azul o encontrara, o rapaz havia sido acompanhado para fora da cidade. Ele sentiu o estômago embrulhado, como se um atirador de facas o tivesse apunhalado com uma de suas facas e depois girado a lâmina.

Owen ficou de olhos bem abertos, mas não viu nada de suspeito.

Caminhou até o local onde os trailers e equipamentos do circo estavam instalados. Como a trupe estava se apresentando, sabia que o lugar estaria seguro e isolado do resto. Os trailers eram tão familiares – as lonas enceradas, as tábuas, os pavilhões temporários – que sentiu uma pontada no coração.

No centro de Chronos Square, César Magnusson pediu a atenção da plateia, e o burburinho de excitação silenciou-se enquanto todos os olhos se voltavam para o trapézio e a corda bamba. Os globos flutuantes de fogo frio se aproximaram da corda bamba, cumprindo o papel de holofotes.

Owen prendeu a respiração quando Francesca subiu pelo poste até a primeira plataforma, como ele já a havia visto fazer diversas vezes. O garoto a observava através de lágrimas doloridas, e ela parecia tremeluzente. A voz dela estava muito clara em sua memória. *Eu nunca me deixaria prender dessa maneira!*

Owen quase desviou o olhar, mas conseguiu reunir forças. Queria estar ali. Francesca estava linda com uma malha de ginástica branca e uma saia curta – ele jamais diria o contrário. O cabelo preto cobria o pacote com as asas angelicais escondido nos ombros. Ela estava confiante, e sua postura era totalmente profissional.

Depois de ter exposto seus sentimentos para ela de maneira estúpida, Owen havia corrido precipitadamente em meio à noite. Seus sonhos haviam sido destroçados. Mas Francesca não parecia nada incomodada. Lá estava ela, pronta para executar movimentos acrobáticos de grande dificuldade, sem qualquer traço de preocupação. Será que ela sequer pensava nele? Será que ela sentia ao menos uma pequena fração da dor que ele levava no peito?

Talvez ela já o tivesse esquecido. Talvez ela nunca tivesse pensado muito nele...

Embora estivesse respirando fundo, o jovem se forçou a assistir aos passos dela sobre a corda. Era lindíssima, uma Deusa com asas nos calcanhares. Francesca ergueu as mãos como se fosse voar. Então os Anjos do Tempo a ofuscaram. O brilho sob o pavimento de Chronos Square aumentou em intensidade, e uma fumaça tímida de cheiro doce se ergueu do chão. Uma espécie de força sinérgica surgiu em meio à plateia, onde todos tinham coração e mente inteiramente voltados na mesma direção.

Francesca parou onde estava, suspensa em pleno ar. Sob o sol escuro, as portas da torre do relógio se abriram com o som de um escapamento em contato com os dentes de uma engrenagem. Grandes rodas giraram na torre, e as quatro belas figuras femininas surgiram. Elas olhavam para baixo, assistindo à apresentação como se fossem a parte da plateia mais encantada pelo desempenho de Francesca. As pessoas prenderam o fôlego admiradas.

Com o olhar fixado nos Anjos, Owen caminhou até as primeiras filas da plateia. As quatro figuras avançaram e abriram as asas, como se quisessem diminuir as pequenas asas da fantasia que Francesca revelaria no final de sua performance.

Enquanto se equilibrava sobre a corda, Francesca fez uma reverência profunda e respeitosa para os Anjos e continuou deslizando sobre a corda, seguindo em frente com passos cuidadosos até concluir sua travessia na plataforma do lado oposto, onde se posicionou no trapézio pronta para começar seu número.

Enquanto todos os olhares estavam voltados para cima, Owen vislumbrou algo com o canto do olho – movimentos furtivos perto do vagão de Tomio. Owen já estava muito atento por estar onde não devia, mas ao ver aquilo ficou ainda mais intrigado. Ele reparou em pequenos barris de madeira empilhados embaixo e nas laterais do trailer de Tomio. Fora do lugar. Owen sabia como Tomio zelava pela biblioteca alquímica que tinha em seu vagão. Materiais nunca eram empilhados do lado de fora. Jamais. O mais preocupante era que os barris estavam ligados a um aparelho mecânico por meio de fios. Do lado oposto, uma figura sombria estava inclinada, concentrada em conectar ali um estranho aparelho.

O homem se virou e olhou direto para ele. Uma capa marrom com capuz estava jogada no chão próxima aos barris e aos fios. O homem havia coberto a parte inferior de seu rosto com uma espécie de mecanismo filtrante, com plugues no nariz e tubos de cobre que se estendiam até a máscara para respirar. Owen se perguntou se aquilo era para protegê-lo da fumaça sugestiva e estonteante que preenchia o ar. Owen só conseguia ver os olhos do homem – carvão negro e obsidianas da cor do fogo –, um rosto de maldade em estado puro que gelou os seus ossos.

– Eu sei quem é você! – disse Owen.

Em sua mão tatuada, o Anarquista segurava uma complexa geringonça, um conjunto de relógios de bolso entrelaçados, interconectados feito gêmeos siameses, e ponteiros de relógios ligados a chaves de corda e engrenagens girando.

Ao ver os barris, os fios e o detonador, Owen correu para a frente.

– Pare!

Ele sabia que o Anarquista estava fazendo algo muito mais perigoso do que pichar grafites subversivos ou desregular os relógios de Crown City. Sem dúvidas aqueles barris estavam cheios de explosivos para criar uma bomba que mataria inúmeras pessoas reunidas na praça para o solstício de verão – incluindo Tomio, Francesca e todos os outros! E também poderia causar uma reação em cadeia na rede de distribuição de fogo frio que fervia lentamente abaixo de Chronos Square.

O Anarquista havia descrito um cenário como esse logo antes de saltar no vaporeiro em movimento na noite anterior, mas Owen não conseguia acreditar que mesmo um homem louco fosse capaz de provocar um desastre daqueles. O Anarquista deu um passo para trás e ajustou o detonador.

Owen sabia que precisava salvar todo mundo – a multidão inteira. Não importava o que fosse preciso, ele não podia deixar que se machucassem! O Anarquista acionou o equipamento na mão com o som de um giz arranhando um quadro negro, acompanhado de um cheiro de aço e fricção. Uma faísca percorreu os postes e girou os ponteiros dos relógios, que se alinharam. Lá em cima, os Anjos do Tempo olharam a distância para a plateia abaixo deles, cativando todos os espectadores enquanto Francesca dava início à sua apresentação. Eles não estavam prestando qualquer atenção ao problema.

Owen berrou, alarmado.

– Ajudem! O Anarquista! Ele está aqui.

Nem assim o Anarquista entrou em pânico; em vez disso, sorriu. Ele arremessou o perigoso aparelho na direção de Owen que, com os reflexos que havia desenvolvido como malabarista, agarrou-o instintivamente. Um segundo equipamento estava conectado aos barris rodeados de fios, um apetrecho auxiliar onde outros arcos de eletricidade surgiam. Enquanto Owen estava ao lado dos barris cheios de fios, esforçando-se para desarmar o detonador e salvar todos, o Anarquista escapou.

– Alguém me ajuda!

Enquanto manuseava desajeitadamente o aparelho, Owen viu as rodas do relógio girarem e o segundo ponteiro em um movimento de rotação. Todos os ponteiros estavam convergindo. Não havia muito tempo! Ele virou a roda para dar corda e tentou alavancar o tampo de cristal – qualquer coisa que ajudasse a deter os ponteiros. A corrente elétrica contínua que passava pelos postes queimou os dedos de Owen enquanto ele tentava abafá-la.

Com apenas alguns segundos restando, quebrou o tampo de cristal contra a roda de ferro do vagão de Tomio. O relógio rachou e a parte traseira do detonador se desacoplou, espalhando molas e engrenagens pelo chão. As faíscas se apagaram.

A multidão havia se virado em direção a ele em resposta aos seus gritos, e os Reguladores marcharam até lá a uma velocidade redobrada. Ofegante, torcendo para que tivesse impedido a explosão, Owen ficou parado do lado da capa marrom que estava jogada no chão. Aliviado, juntou o detonador quebrado.

– Não há por que se preocupar – ele disse, resfolegante.

– O Anarquista! – gritou alguém na multidão.

Os Reguladores avançaram em direção a Owen feito um aríete de guerra, e mais alguém se juntou aos gritos.

Owen olhou para o detonador em sua mão.

– Segurem o Anarquista – alguém gritou.

O jovem percebeu que estavam falando *dele*.

CAPÍTULO 16

How I prayed just to get away
To carry me anywhere
[Como rezei apenas para partir
Para ser levado a qualquer lugar]

Ele ficou paralisado, em choque por um instante, exatamente o tempo suficiente para que uma engrenagem de relógio avançasse um dente, soltando um escapamento e conectando-se ao seguinte em sua volta ao redor do círculo. Owen ergueu o detonador que acabara de quebrar.

– Não, foi outra pessoa! Eu salvei todo mundo!

Mas o Anarquista já havia dado no pé muito tempo antes.

Empunhando cassetetes pretos e longos, os Reguladores avançaram em sua direção; Owen nunca havia reparado que eles levavam cassetetes. A multidão se fechou ao redor do jovem, e havia um brilho nos olhos das pessoas que havia sido energizado pela adoração aos Anjos do Tempo e ao frenesi colorido do circo, bem como pelas fumaças intoxicantes que havia no ar.

Tudo aconteceu em um piscar de olhos, mas Owen sentiu medo o suficiente para uma vida inteira. Por um breve instante, achou que Tomio surgiria com sua espada afiada para salvá-lo. Ou será que Tomio, o irmão de Francesca, seria um daqueles que mais tinham vontade de cortar seus braços e pernas fora?

Enquanto a massa seguia em sua direção como um bando de predadores, ele achou melhor parar com as explicações e soltou o detonador. Saiu correndo. Os Reguladores gritaram atrás dele. Assovios estridentes espocaram pela praça.

Por cima do urro de raiva crescente, Owen conseguia escutar as risadas do Anarquista.

Na confusão, Owen tirou vantagem dos espaços de sombras em meio à noite. Ao redor da praça, Reguladores uniformizados ficaram em estado de alerta, protegendo todas as saídas, com os ombros encostados nos de seus companheiros para evitar que o fugitivo escapasse. Grupos determinados da Guarda Azul abriam caminho em meio à plateia às cotoveladas, enquanto a multidão perseguia o jovem por conta própria, querendo que fosse punido.

E os Anjos do Tempo olharam tudo lá de cima, desprovidos de sua aparência benevolente. Agora elas eram deusas da vingança.

Ao sentir as pessoas se aproximando, Owen soube que não poderia sair para as ruas abertas. Ele estava encurralado, acuado contra os altos prédios ministeriais. Acima dele, pendurado na fachada de pedra da Catedral dos Guardiões do Tempo, via-se a faixa de tecido brilhante que celebrava o solstício – e a corda solta.

Graças às vezes em que praticou com a trupe, conseguiu se agarrar na corda e subir. Após alguns segundos, ele já havia escalado metade do prédio. Olhou para baixo e viu os rostos furiosos da multidão que gritava amaldiçoando-o com os punhos erguidos. Eles começaram a atirar pedras, frutas e tudo o que eram capazes de encontrar. Owen subia enquanto pedras colidiam com os blocos de rocha ao lado de sua cabeça, e continuou puxando o corpo para cima até encostar na faixa, que lhe ofereceu um pouco de proteção. De lá, pisou em um parapeito de pedra. Ele encaixou os dedos no espaço entre os blocos e continuou andando. Owen nunca dominara completamente o medo de altura, mas agora o medo que sentia da multidão era muito maior. O rapaz avançou devagar com os dedos do pé no interior dos espaços entre os blocos, segurando a faixa de pano para manter o equilíbrio, até que alcançou outro parapeito. As quinas sólidas na lateral do prédio permitiram que ele subisse ainda mais, subindo até o telhado do prédio feito um acrobata. Seu coração batia furiosamente e pulsava em suas têmporas, e ele sentiu um choque de adrenalina.

Do topo da Catedral dos Guardiões do Tempo, olhou para baixo e viu a multidão de Chronos Square, que o detestava tanto e tão repentinamente. De lá, conseguia ver as luzes brilhosas do circo, as tendas, os jogos e os brinquedos, bem como a corda bamba e o trapézio – e a pequena imagem de Francesca olhando para ele. Owen olhou para ela naquela distância, certo de que conseguia enxergar o seu rosto, e imaginando que os olhos de ambos estavam se encontrando. O garoto viu a boca de Francesca, mas não escutou nenhuma palavra, se é que ela disse mesmo alguma coisa.

Owen se virou de costas e fugiu pelo telhado feito um ladrão na calada da noite, escorregando por telhas de estanho até uma calha, e avançou com cuidado até chegar ao canto mais afastado do prédio – um ponto sem saída. A catedral estava ligada a outro telhado por uma série de cabos de transmissão de notícias: cordames pretos e grossos que pareciam ainda mais perigosos que a corda bamba que Francesca percorria. A rua sombria abaixo parecia um cânion sem fundo.

Sinos tocaram na torre do Relojoeiro como gongos dissonantes, convocando a cidade a pegar em armas. Ele podia imaginar os próprios Anjos apontando mãos acusatórias em sua direção. Owen nunca ouvira um clamor parecido com aquele antes. Reguladores uniformizados encheram as ruas e bulevares: a Guarda Vermelha, a Guarda Azul e até a Guarda Preta de elite. Todos à sua caça.

Owen olhou para os cabos de notícias e soube que precisaria caminhar sobre eles. Se conseguisse chegar ao outro prédio, poderia adentrar a parte interna e encontrar um caminho pelas escadas para depois sumir pelas ruas. Era a única maneira de escapar de Chronos Square.

O cabo de notícias parecia ter a espessura da lâmina de uma faca. Owen havia visto Francesca fazer aquilo muitas vezes sem sequer perder o fôlego. Ele mesmo havia feito aquilo, mas na maioria das vezes havia fracassado, e dessa vez não havia uma rede de proteção nem ninguém para orientá-lo – apenas as pedras do pavimento lá embaixo esperando por uma queda. Francesca tinha feito gestos para ele, convidando-o a caminhar pela corda até o ponto onde ela estava, entre provocações e encorajamentos, até que fizesse exatamente o que ela queria.

Ele posicionou o pé direito no cabo flexível, torcendo para que seu peso não fizesse com que a corda desarraigasse de suas presilhas. Escutou atrás de si os gritos acompanhados de passos de botas ressoantes. Um grupo de guardas devia ter entrado no prédio ministerial e estava subindo até o telhado. Se ele não fosse naquele instante, seria encurralado.

Owen posicionou o pé esquerdo à frente do direito e abriu os braços para obter equilíbrio – como um anjo que abre as asas para voar. Recusou a olhar para baixo, recusou-se a pensar. Aquilo era apenas uma *caminhada*, um passo após o outro. Imaginou Francesca sorrindo para ele, estimulando-o a seguir em frente. *Eu nunca me deixaria prender dessa maneira!* Ele vacilou sobre a corda, mas afastou os pensamentos que o distraíam, piscou os olhos incendiados e focou no caminho à frente, focou em *nada*.

Ele havia visto Francesca passeando pela corda inúmeras vezes com a mesma facilidade que andava em uma calçada. O rapaz disse a si mesmo que era capaz de fazer aquilo. Ele balançou, ergueu com cuidado o pé direito e colocou-o à frente do esquerdo. Mais um passo e já estava na metade do caminho, embora o espaço entre os prédios ainda parecesse um abismo intransponível. Flocos pretos turvavam sua visão, e sua concentração estava tão canalizada quanto o tubo de aumento de um cientista.

Ele estava caminhando no ar. Ele estava totalmente aterrorizado.

Owen desabou no chão ao chegar do outro lado, surpreso por ter cruzado toda aquela distância. Encolheu-se sobre as telhas sólidas de estanho com a respiração acelerada.

Uma porta se abriu violentamente no telhado escuro da catedral atrás dele, e os Reguladores saíram em marcha procurando por ele. Gritaram ao vê-lo no prédio ao lado. Owen se ergueu e continuou a grande fuga, embora estivesse um pouco zonzo e suas pernas parecessem fracas.

Os sinos da torre do relógio continuavam tocando seu alarme. Por toda a cidade, relatórios de notícias pedindo que o rapaz fosse capturado e preso.

Alguém já devia estar preparando um retrato falado de Owen a partir de testemunhas oculares.

Provavelmente os Reguladores intimariam a trupe para que respondessem perguntas sobre ele. Será que algum de seus amigos (ou ex-amigos?) acreditava que ele fosse o Anarquista? Tomio havia conhecido o verdadeiro D'Angelo Misterioso, mas mesmo se a trupe insistisse na inocência de Owen, será que alguém levaria em conta a opinião de reles *funcionários de circo*? Owen engoliu em seco, perguntando-se o que Francesca diria a respeito dele.

– Era um garoto tolinho, mas nunca imaginei que fosse *perigoso*!

Com dois chutes precisos, o garoto arrombou a porta do telhado, desceu pelas escadas e saiu para a rua em disparada. Ele correu em uma direção aleatória, descendo por uma rua, dobrando na esquina e se afastando da praça. Embrenhou-se por um beco que dava em uma estrada ampla. Ele queria voltar para casa, mas sabia que não podia – Owen nem sequer lembrava o que era uma casa. Ele não podia voltar para a trupe nem seguir para Barrel Arbor. Nunca mais teria uma rotina tranquila colhendo maçãs em um pomar tranquilo. Nunca mais teria a simples casa de campo, não passaria as noites na Taverna Tick Tack, não teria mais a amena e pouco desafiadora Lavinia ao seu lado.

Ele havia ansiado por uma aventura. Às vezes os Anjos nos punem *atendendo às nossas preces*.

Ele tinha de sair dali e ir para qualquer lugar. Seus pés o levaram correndo até o rio e as docas. Alarmes soaram em outras torres de relógio pela cidade, mas a essa hora da noite aquelas pessoas tão satisfeitas com seus cronogramas inabaláveis demorariam um tempo para entender o motivo daquela confusão.

Owen correu até as docas na foz do rio Winding Pinion. Diversas embarcações de carga estavam amarradas nos píeres, e a azáfama de estivadores carregando os navios sob a luz clara do fogo frio o lembrou do dia alegre que havia passado com eles. Porém, o mais importante foi que viu um vapor de carga pronto para partir em direção à noite. As chaminés cilíndricas expeliam vapor branco, parcialmente iluminadas pelo brilho que vinha das docas. As caldeiras do navio tinham sido bombeadas a um nível elevado de pressão, e a buzina do navio de carga emitiu um ruído ainda mais forte que aquele dos gongos na torre do Relojoeiro.

Estivadores removiam dos espeques na doca cabos com a grossura das pernas de Owen, prontos para encerrar o trabalho. Ele olhou por um instante o belo desenho do navio, com um casco projetado para deslizar feito uma ponta de lança pelo Mar do Oeste, levando todos a bordo para terras exóticas. Ele começou a correr.

Uma única prancha de embarque ainda não tinha sido removida, e o garoto disparou na direção dela com suas últimas reservas de energia. Seus pulmões queimavam e seu coração martelava.

– Esperem! Eu preciso subir a bordo!

Ninguém conseguia vê-lo na escuridão das docas, que contrastavam com as luzes espalhafatosas do fogo frio.

– Esperem!

Ele sonhava em viajar em um vapor de carga até Atlantis e pisar os pés nas terras distantes mencionadas no livro de sua mãe. Poseidon, Atlantis, as Sete Cidades de Ouro e lugares que nem sequer tinham nomes. Owen não sabia o destino daquela embarcação, mas sabia que não podia ficar em Crown City. Sinos de alarme continuavam tocando nas torres de relógio.

Que lugar seria melhor para ele? Decidiu: *qualquer um que não seja aqui*.

Os estivadores olharam surpresos para Owen enquanto ele corria exaurido pela prancha de embarque, segurando o chapéu na cabeça. Um homem robusto parou o trabalho com um nó gigantesco ao lado da prancha, e Owen o reconheceu: era o homem que lhe apresentara o abacaxi. As sobrancelhas do homem robusto arquearam, e então voltaram ao normal.

– Ah, eu conheço você!

Ele gritou para o vapor com uma voz tonitruante.

– Só um minuto, tem mais um subindo a bordo.

A tripulação do vapor se reuniu na amurada para ver o motivo do tumulto. Owen correu pela prancha antes que tivesse tempo de pensar – *confiança*, como teria sugerido Golsan. A tripulação não sabia quem ele era, e ele ainda não tinha uma história. Bem, não por enquanto.

Depois de tudo ter acontecido, o rapaz pensou que merecia uma sorte melhor. Ele pensou no suposto plano do Relojoeiro e decidiu que já não acreditava que tudo tinha o seu motivo. Mas sabia que *eles* acreditavam. E essa seria a sua história...

Quando ele chegou no convés e as máquinas do vapor já estavam aquecidas para funcionar com máxima potência, os trabalhadores recolheram a prancha de embarque e removeram as últimas cordas. A embarcação navegou por um canal e sumiu em meio à escuridão da noite.

Arfando muito, Owen se apresentou ao capitão, que estava intrigado. Como era incapaz de contar uma mentira de maneira convincente, escolheu suas palavras com cuidado:

– Eu vim de Chronos Square e dos Anjos do Tempo.

Ele encheu os pulmões e engoliu em seco.

– Esse é o lugar onde eu deveria estar.

O capitão assentiu de maneira brusca e conformada. Aquilo foi tudo o que Owen precisou dizer.

INTERLÚDIO

O Anarquista

The things I've always been denied
An early promise that somehow died
[As coisas que sempre me foram negadas
Uma promessa precoce de alguma forma enterrada]

Vestido com um terno de bom corte e carregando uma valise de couro, o Anarquista percorreu o caminho até a Universidade Alquímica. Ele tinha uma boa quantidade de vinganças em mente, pois era um homem ambicioso. Tantas pessoas haviam se oposto a ele que lembrar de toda a lista já era um desafio em si.

Acima de tudo, queria punir o grande, embora equivocado, Relojoeiro – isso não precisava nem dizer. Ele também nunca havia perdoado a trupe, principalmente Tomio. Se ao menos a imaginação deles fosse menor do que o medo, o Anarquista poderia ter transformado a apresentação do grupo em algo espetacular: reações alquímicas de tirar o fôlego que poderiam ignizar uma labareda equivalente a mil fogueiras ao converter pós básicos, sais raros e uma reação em cadeia de catalisadores! Com a ignição transformadora dos pós, ele poderia ter criado uma chuva de diamantes recém-formados sobre o público, precipitando gemas que nem mesmo o Relojoeiro era capaz de criar! Transmutar metais baratos em ouro era brincadeira de criança perto daquilo. Sim, a reação era tão perigosa quanto espetacular, mas o que seria da vida sem algum risco? Tomio o havia dissuadido à força como um daqueles professores-filósofos que pensam pequeno, insistindo na ideia de que ele estava sendo muito imprudente e audacioso – que estava se exibindo. Ninguém o compreendia. Não precisava se exibir para as multidões, pois sua grandeza era inerente. Até mesmo o Relojoeiro havia detectado seu talento na época da Universidade Alquímica. E quando o estudante se tornou talentoso demais, o Relojoeiro deu um jeito de destruí-lo.

Mas havia sobrevivido depois de ser expulso. E crescido. E mudado. O Anarquista olhou para o símbolo alquímico em sua mão. Ele era uma precipitação, um novo ser criado a partir de uma série de reações. Flexionou a outra mão, a que tinha uma cicatriz, e sentiu uma pontada de dor que percorreu o caminho até o seu osso. Um incêndio daqueles era capaz de mudar uma pessoa e uma civilização.

O Anarquista buscava a criação de uma nova ordem mundial, uma Instabilidade que se opusesse à Estabilidade repressiva do Relojoeiro. Ele fazia isso pelo bem da espécie humana, não por questão de vingança... embora também precisasse saciar o sentimento de vingança.

Ele já tinha deixado sua marca ao desorganizar os relógios da cidade, transformando a marcha sedada do tempo em uma caminhada ébria. Aquilo tinha tirado as pessoas de seu longo sono, embora ainda não tivessem acordado por inteiro. Podia contabilizar aquela artimanha como uma pequena vitória, mas não era o suficiente para dar fim à guerra. No maior espetáculo de todos, ele tentara destruir as conexões de fogo frio sob Chronos Square, levando junto a torre do Relojoeiro e os Anjos do Tempo – um revés que devastaria a civilização de Albion.

Enquanto descia a rua com os olhos fixos à sua frente, respirou fundo. O caos resultante teria sido uma recompensa em si, uma pitada de água fria ou uma dose revigorante de uísque! O tumulto fortaleceria corações e mentes dos humanos, curando-os dos efeitos mortíferos da apatia, atrofia, estabilidade e estagnação. Sua vingança simples e eficiente teria machucado todos os que o haviam machucado: o Relojoeiro, a trupe e a população de cordeiros.

THE
WATCHMAKER
Est. MMCXII

Cada peça em seu lugar, cada ação levando a uma reação. Como um mecanismo autômato. Só ele via a ironia daquilo.

No entanto, até mesmo um plano simples tinha seus riscos. Quando o ingênuo Owen Hardy (seu protegido secreto) havia descoberto a trama – não totalmente por acidente –, o Anarquista havia ficado contente por lançar mão de seu plano secundário. Um homem como ele precisava abraçar os acontecimentos aleatórios.

Ele estava sozinho – sempre sozinho. Sim, com tanto trabalho a fazer, ansiava por um aprendiz. Precisava de uma pessoa, qualquer pessoa, para ajudá-lo com sua luta. Ele não podia ser a única pessoa em todo o Albion com a acuidade para reconhecer os pontos fracos da Estabilidade. E se ele podia fazer até homens pequenos, insignificantes e *normais* verem o que fazia falta no mundo, a batalha já estava parcialmente vencida.

Ao atirar o detonador para o jovem bode expiatório, havia posto as rodas em movimento, dando a Owen outro empurrão preciso em direção ao seu destino, uma reação alquímica que poderia levar à precipitação de outro Anarquista, alguém contra quem o mundo havia se voltado injustamente. Os Reguladores e a multidão o haviam perseguido, sedentos de sangue. Owen Hardy tinha o potencial para ser um importante catalisador, mas precisava ser despertado. Otimismo era um veneno tão traiçoeiro que deixava a pessoa contente demais para saber que havia sido envenenada. Agora o jovem estava desperto, embora ainda não estivesse pronto. Ainda não... mas o Anarquista tinha fé na entropia.

No fim das contas, as experiências moldariam o jovem para que se tornasse um aliado. Isso havia ocorrido três dias antes. Owen Hardy havia partido, atravessando o mar e saindo do alcance do Anarquista (por enquanto), mas regressaria. Ou o Anarquista encontraria outro candidato.

E havia sempre os Naufragadores.

A demonstração de hoje poderia acordar mais alguns em meio às ovelhas...

Agora, enquanto chegava ao agrupamento de edifícios da Universidade Alquímica, o Anarquista encontrou um beco silencioso, abriu a valise e tirou dali o disfarce. Para que pudesse passar pelos portões da faculdade, precisaria se tornar uma pessoa totalmente diferente.

Ele tirou as roupas de negócios e vestiu um tradicional robe branco enfeitado com símbolos alquímicos. Pôs um chapéu cônico na cabeça, atou o robe com uma faixa verde que denotava seu grau hierárquico, o de um oficial alquimista de nível da sede do Relojoeiro, uma pessoa com autoridade suficiente para ir aonde desejasse, mas não impressionante o suficiente para atrair atenção demais.

O Anarquista guardou a outra faceta em seu interior, encaixotando seus verdadeiros pensamentos e sentimentos em um canto escuro, e ajustou sua expressão facial para que combinasse com o resto do disfarce. Ele arqueou as sobrancelhas de volume considerável, torceu os lábios para assumir um ar crítico e soberbo e caminhou com passos hábeis em direção aos portões de pedra da faculdade.

Sabia a tabela cronológica das aulas e dos intervalos de estudo de anos antes, e sabia que eles jamais mudariam. O controle do tempo era um demônio que vivia nas mentes pequenas, e todas as pessoas ali eram completamente previsíveis. Como abelhas. Ele caminhou até a faculdade no exato instante em que seu trabalho poderia ter o maior impacto possível.

Quando estudara na Universidade Alquímica, havia feito um trabalho tão bom que os professores-filósofos tinha ficado impressionados, e depois intimidados. Ele se manteve persistente, propondo ideias para experimentos pouco ortodoxos que não faziam parte do currículo, e foi reprimido por isso.

Mas havia atraído a atenção secreta de alguém muito superior às mentes fechadas e aos sonhos pequenos. Ele encontrou recados misteriosos e não assinados deixados em seus livros e debaixo do seu travesseiro no dormitório – encorajamentos silenciosos, sugestões de possíveis misturas químicas para que ele experimentasse, perguntas que nem mesmo os filósofos-professores ou os monges alquimistas seriam capazes de responder. E ele *sabia* que os comunicados secretos vinham do próprio Relojoeiro.

Mais de duzentos anos atrás, aquele homem havia recriado a história da economia de Albion ao descobrir como criar ouro. Os monges alquimistas que criaram e mantinham as redes de fogo frio debaixo de Crown City tinham deixado de fazer novas descobertas havia muito tempo. Ninguém mais tinha imaginação para sequer tentar. Certamente o Relojoeiro devia estar frustrado, precisando de sangue fresco e de novas ideias.

O Relojoeiro continuara mandando sugestões sub-reptícias para aquele aluno de talento e ambição. Em todos os seus anos de pesquisas contínuas, o Relojoeiro nunca fora capaz de criar diamantes e joias de precisão. Por isso, precisava comprá-los a preços elevados das minas da longínqua Atlantis. Então havia persuadido o estudante talentoso a levar a cabo um experimento não autorizado. Se fosse bem sucedido, ele deveria criar diversas gemas; em vez disso, o experimento resultara em uma explosão gigantesca, que queimou e desfigurou a mão do aluno, lhe rendeu reprimendas severas e sua expulsão da faculdade.

Nenhum dos filósofos-professores acreditara quando ele alegou que o Relojoeiro era o catalisador de seus experimentos. Riram diante daquela hipótese. Chamaram-no de louco. Eles insistiram que o Relojoeiro não se comunicava diariamente com pessoas simples, que não tinha qualquer tipo de contato com meros estudantes.

Só mais tarde entendeu que o Relojoeiro se sentia tão intimidado pelo talento e potencial de seu protegido que havia sabotado o experimento...

Agora, envolvido por seu próprio disfarce físico e mental, o Anarquista apertou a faixa verde em seu robe e se apresentou nos portões da faculdade. O Regulador de uniforme vermelho olhou para o traje e grau hierárquico e deixou que entrasse sem fazer pesquisas.

"Tudo tem seu motivo", resmungou o Anarquista, e o guarda o saudou.

Meia hora mais tarde as aulas terminaram, as portas foram abertas e os estudantes de alquimia deixaram as salas de aula e marcharam para os cômodos designados para o estudo, onde memorizariam símbolos alquímicos, copiariam reações autorizadas e completariam a lista de tarefas designadas a eles, que precisavam ser concluídas para que passassem ao nível seguinte de estudos.

Ao olhar para os estudantes, o Anarquista lembrou de si mesmo. Anos atrás. Quando era um deles, vestia o mesmo uniforme todos os dias. Ele lia os mesmos textos, assistia às mesmas aulas, articulava as mesmas respostas rotineiras. Os filósofos-professores queriam que ele pensasse como um cientista e, ao mesmo tempo, aceitasse todas as descobertas sem fazer perguntas. A Universidade Alquímica fora desenvolvida para revelar os segredos do universo; em vez disso, por não autorizarem que seus alunos pensassem por conta própria, as aulas serviam apenas para reforçar a ignorância deles.

Verdadeiramente abençoada, de fato.

Os estudantes se curvaram em reverências respeitosas enquanto passavam pelo Anarquista e seguiam em direção aos salões de estudo.

Eles ficavam impressionados ao ver seu robe furtado – queriam *ser* como ele depois de se graduarem. Seria ótimo...

Ele caminhou sem hesitar até o cofre protegido que servia como depósito de químicos. Um disco de ouro adornado com o conhecido brasão da abelha estava afixado na entrada. Tubos hidráulicos ligavam-se a pistões que pressionavam longas estacas no chão e no teto, com barras transversais ligadas em plugues nos batentes. Engrenagens de grande diâmetro estavam conectadas umas às outras em uma combinação especial, e seus dentes de metal estavam encostados em cavilhas.

Um painel brilhava com fogo frio azul, esperando que alguém anotasse o código certo.

Mesmo com todos os sistemas de segurança interligados, um oficial da Guarda Vermelha também estava de costas para a porta com os braços ao lado do corpo e o olhar voltado para adiante. O Anarquista caminhou até ele, impaciente por ver alguém em seu caminho. O Anarquista percorreu o uniforme vermelho com os olhos, olhando deliberadamente o nível informado na insígnia.

– Tenente, requeiro acesso ao cofre. O Relojoeiro suspeita que há irregularidades na contagem de certos sais raros e joias de precisão importados das minas de Atlantis. Estou aqui para realizar um inventário completo por exigência dele.

Reparando no robe de monge alquimista e na faixa verde, o Regulador puxou uma chave da argola presa ao cinto. Ele inseriu a chave no painel de controle, o que fez com que o fogo frio brilhasse com mais força.

O Reglador girou uma válvula para liberar o vapor, fazendo com que as engrenagens se movessem: os dentes elevando as estacas do chão; outro sistema recolheu as barras laterais. Finalmente, com um silvo indicando que a pressão fora equalizada, a pesada porta do cofre se destrancou e abriu para dentro graças à força de grandes pistões.

O oficial da Guarda Vermelha deu um passo ao lado para deixá-lo entrar.

– Você precisa de minha assistência?

O Anarquista balançou a cabeça.

– Isso é expressamente proibido. O Relojoeiro me designou para executar essa tarefa sozinho. Sem ser incomodado.

Ele olhou para o fim do saguão, onde havia um relógio instalado a cada vinte passos.

– Me dê uma hora. Eu cuido da porta quando tiver concluído.

Relutante por abandonar seu posto, mas mais relutante ainda para questionar instruções do Relojoeiro, o guarda de jaqueta vermelha marchou para longe como um soldado de corda.

Dentro do grande cofre, o Anarquista respirou em meio aos segredos. A câmara era iluminada pelo brilho sinistro de globos flutuantes de fogo frio, e ele parou por um instante para apreciar aquele momento. Ele estivera naquele cofre apenas uma vez, durante seu primeiro ano de acólito, quando auxiliara um professor-filósofo a organizar os tesouros e os suprimentos perigosos que preenchiam as estantes. Havia visto muitas outras coisas desde então. Depois de ser expulso da Universidade Alquímica, com queimaduras severas no corpo e na alma, ele tinha atravessado o oceano, trabalhado como escravo e quase morrido de fome. Mas ele foi onde queria, aprendeu o que desejava e descobriu que havia outros modos de vida além daquele da Estabilidade do Relojoeiro, e outras terras e culturas além de Albion. Mais do que isso: de acordo com uma livreira excêntrica que possuía uma livraria em um beco secundário de Poseidon City, também havia outros mundos possíveis, e não apenas este.

A livreira era uma mulher muito alta e magra, com cabelos curtos de um marrom grisalho que era uma massa de cachos caóticos. Ela usava óculos que irritavam seu nariz, deixando marcas vermelhas. Nas prateleiras empoeiradas na penumbra de sua loja havia volumes arcanos em muitas línguas, incluindo tratados de cientistas a um só tempo geniais e obscuros. Na época daquele exílio de Albion, o Anarquista havia passado tardes na livraria lendo atentamente os volumes, até que a livreira o intimara a comprar os tomos se queria estudá-los.

– Respeito sua busca pelo conhecimento – ela havia dito –, mas isso não é uma biblioteca.

Então ele roubou dinheiro suficiente para comprar os livros que mais o intrigavam.

A livreira lhe disse que as obras vinham de outras terras, de mundos onde as leis da física e da química talvez fossem diferentes dali, e que suas conclusões podiam não ser válidas em todos os lugares, mas ele não deu ouvidos. Com tamanha riqueza de sabedoria, ele estava certo de que seria capaz de recriar descobertas poderosas, mas esquecidas. Preparando um retorno triunfal, se alojou a bordo de um navio com destino a Albion. Contrabandeou não apenas os livros, como também recursos alquímicos raros e necessários de Atlantis. Retornou à terra do Relojoeiro não como um filho pródigo, mas como um filho vingativo.

Contudo, a livreira durona tinha razão. Quando ele chegou em Crown City e pôs suas experiências em prática, as reações alquímicas resultantes eram diferentes daquelas informadas no livro. Muitas das "demonstrações triunfantes" do Anarquista foram tristes fracassos; um desastre resultou em duas mortes, forçando-o a mudar de identidade e se esconder em meio às pessoas. Ele tivera a intenção de criar diamantes com seus experimentos, mas a descoberta acidental de reações químicas tão incrivelmente explosivas lhe seriam úteis para outros fins.

Se o Relojoeiro usava suas calculadoras do destino para ver tudo, ele sabia que o Anarquista estava de volta, o nêmese que ele mesmo havia criado? Ou suas próprias ações eram aleatórias demais para serem previstas?

Dentro do cofre alquímico, o Anarquista encontrou os pós de que precisava, as caixas de sais elementais, as provetas seladas de ácidos, líquidos orgânicos verdes e ingredientes raros trazidos com grande custo do continente do outro lado do mar: pedras dos sonhos em pó, carvão vermelho destilado, óleo de pedra da lua.

Trabalhando como um chef que prepara um banquete, recriou seu experimento proibido, mas em escala muito maior.

Aquela não seria uma mera reação exotérmica, mas uma que ricochetearia numa corrente de descargas elétricas em meio aos químicos voláteis dentro do cofre: natrium, salitre, magnésio, tungstênio e kalium.

Ele deu um passo atrás enquanto a mistura começava a roncar, liberando uma névoa escarlate. Destilados vazaram no chão em poças borbulhantes de veneno, como símbolos químicos da raiva que ele sentia.

E aquilo era só o começo.

Sobre os químicos amontoados ele havia posicionado um béquer de opalas vermelhas dissolvidas, o reagente final do componente. Agora ele precisaria de uma absoluta precisão – o que era parte da grande piada com o Relojoeiro.

O Anarquista pegou num bolso interior do robe branco um aparelho que ele mesmo inventara: um relógio de bolso com um segundo relógio acoplado, conectado a pequenos anéis ativadores. O engenho funcionava com a energia de uma corda e de uma bateria química. Um detonador... uma coisa pequena, mas suficiente para criar um choque no instante desejado e derramar o béquer de opala vermelha dissolvida sobre o resto da mistura química. Aço e uma pederneira para *liberar* – bela palavra! – uma faísca. A energia adormecida no interior dos elementos despertaria com um estrondo. Enquanto o detonador marcava os segundos, virou-se para ir embora, não apenas levando o tempo necessário para a realização dessa tarefa, mas roubando um outro tanto.

Já na porta do cofre, porém, ele vislumbrou um aparelho complexo e intrigante em uma prateleira, posicionado em segurança, longe dos químicos. Uma máquina novinha em folha, mas desativada. Ele só tinha visto uma calculadora do destino antes, mas sabia reconhecê-las! Prendeu a respiração. Aquele era um pequeno aparelho com uma abrangência temporal limitada... mas se ele conseguisse programar o ponteiro para focar numa pessoa em particular, seria capaz de monitorar o futuro de Owen Hardy antes mesmo do jovem tomar suas decisões. Então o Anarquista poderia fazer os ajustes necessários, ou ao menos ir para os lugares certos.

Com cuidado, removeu a calculadora de seu lugar na prateleira, segurou-a com uma mão, escondeu-a embaixo de sua manga e saiu do cofre. Atrás dele, o detonador continuava sua contagem regressiva.

Quando saiu do depósito de suprimentos químicos, reiniciou o painel de controle para que as barras transversais e as travas de segurança retornassem à posição de origem. O sistema hidráulico pressionou a porta, selando-a. Houve uma liberação de vapor, que saiu como um suspiro de alívio por um trabalho bem feito. Um último detalhe cuidadoso: ele esmurrou o painel de controle de fogo frio, que soltou faíscas e crepitou antes de apagar.

Ele havia programado a engenhoca para dali a oito minutos, e o guarda da Guarda Vermelha deveria retornar dentro de dez, mas em um experimento tão aleatório e exuberante não dava para ser preciso.

Levando consigo a calculadora do destino roubada, o Anarquista avançou com passos apressados pelos corredores da universidade, passando pelas portas fechadas atrás das quais os alunos estudavam para seus exames. Ele mantinha os olhos nos relógios, assistindo a cada segundo passar e tentando não parecer apressado.

Depois de sair do edifício, passou pelos Reguladores no portão de entrada; eles não impediram ou sequer tomaram conhecimento de sua partida.

Muito tempo atrás tinha sido retirado à força da Universidade Alquímica. Agora ele se sentia como um herói conquistador.

O Anarquista encontrou sua valise exatamente onde a havia deixado no beco – ninguém em Crown City sequer pensaria em roubar. Ele tirou o robe e o chapéu de monge alquimista e vestiu o traje formal outra vez. Então guardou a calculadora do destino, ajeitou o cabelo e voltou para as ruas, se mesclando com a multidão como qualquer outra pessoa, invisível e despercebido. O tempo havia sido exato.

Atrás dele, a Universidade Alquímica explodiu.

Houve muitos gritos e guinchos agudos. As pessoas correram em direção à fumaça e às chamas, mas ele apenas sorriu e seguiu em frente. Ele ouviu uma crepitação vinda do chão e olhou para cima, onde viu uma centelha... pequenos diamantes, um resíduo inesperado daquela reação química espetacular. Ele riu com desdém. E pensar que o Relojoeiro só era capaz de criar *ouro*.

Ah, eles jamais o esqueceriam.

CAPÍTULO 17

Sometimes the Angels punish us
By answering our prayers
[Às vezes os Anjos nos punem
Atendendo às nossas preces]

Owen sonhara desde a infância com viagens empolgantes pelo mar, mas ele nunca imaginara como uma viagem daquelas podia ser triste.

O navio de carga se afastou das memórias recheadas de pesadelos de Crown City, deixando a foz do rio Winding Pinion e se dirigindo ao mar aberto. A carga do navio era constituída por máquinas e equipamentos manufaturados pelas indústrias de Albion, além de caixotes de ouro criados pelos monges alquimistas do Relojoeiro, que seriam usados para a compra de itens valiosos em Atlantis.

O capitão, um homem de ombros desnivelados e aparência solitária chamado Lochs, havia aceitado a história de Owen sem fazer perguntas; se um jovem disse que deveria estar a bordo de uma embarcação com destino a Poseidon City, quem era ele para questionar o plano do Relojoeiro? Sentindo-se culpado por ter usado um truque para subir a bordo, Owen oferecia ajuda na cozinha ou no convés. O Capitão Lochs ficou surpreso: aparentemente, os representantes do governo presentes em viagens anteriores esperavam ser recebidos com cabines de luxo e mordomias. Ele já tinha uma tripulação completa, mas pediu que o jovem escrevesse um inventário dos itens no depósito do navio, que já precisava ter sido feito muito tempo antes.

Owen pegou um bloco e uma prancheta, sentindo-se importante e aliviado por poder fazer algo em troca de sua passagem. Terminou a lista detalhada em umas poucas horas, enumerando os estoques de comida, peças de reposição, baterias de fogo frio na sala de máquinas, tanques de água, barris de graxa, rolos de corda, tubulações hidráulicas limpas para serem utilizadas em consertos, invólucros de pistões, turbinas e latas de tinta. Muitas vezes, precisou pedir para alguém da tripulação que lhe explicasse o que era algum item específico, e ele aprendeu muitas coisas.

Cada hora levava o navio para mais longe da costa de Albion, do Anarquista e dos Reguladores – que desejavam por as mãos em Owen, cada um por seus motivos – e mais longe de Barrel Arbor, da trupe e de Francesca. Em um livro de histórias, a jovem teria ido às docas para acenar e se despedir dele, mas agora Owen entendia que livros de histórias eram uma besteira.

Ainda assim, pensando nos cronótipos dos livros de sua mãe, ele estava em busca de um outro sonho. O amor verdadeiro se revelara uma ilusão. Agora, sentindo-se atormentado, esperava extrair sabedoria de seus erros juvenis. Jurou nunca mais se deixar decepcionar tanto outra vez... mas se conhecia bem o suficiente para saber que não era tão fácil assim. Cedo ou tarde se apaixonaria, com todas as ilusões que isso traz, tudo de novo.

Por enquanto seguiria o curso do vento e do mar, veria as costas de Atlantis e a mítica cidade de Poseidon. Talvez se demonstrasse ao Capitão Lochs que era trabalhador, confiável e companheiro, Owen poderia achar um lugar a bordo do vapor e passar a vida viajando entre Albion e portos exóticos. Ele sorriu diante dessa possibilidade; *aquilo* realmente parecia o melhor dos mundos possíveis.

Mas no segundo dia, quando os ventos ganharam força do lado de fora, Owen se sentiu tão enjoado que ficou incapacitado para realizar qualquer tarefa mais desafiadora do que esvaziar um balde de vômito. Nenhum dos outros marinheiros parecia minimamente afetado, mas Owen precisou prender os cabelos e se sentiu pior do que jamais estivera. O navio de carga saltava pelo mar agitado como um vaporeiro com uma roda quebrada, subindo na crista de uma onda para logo descer no vale, uma vez após a outra.

O Capitão Lochs e a tripulação vagavam pela ponte de comando ou pelo convés, indiferentes ao tumulto das águas. Dois homens haviam aberto um tabuleiro de xadrez sobre um caixote e moviam suas peças de uma casa a outra, segurando-as cada vez que ameaçavam cair.

Enquanto isso, Owen ficava recluso em uma pequena cabine. Embora o espaço não fosse maior que um closet, o rapaz sentiu-se culpado quando o Capitão Lochs lhe designou aquele alojamento. Em sua condição de passageiro não convidado, ele esperava ficar em um beliche com a tripulação. Mas o Capitão Lochs insistira que Owen era uma visita enviada pelo Relojoeiro, e por isso deveria aceitar ao menos o mínimo de hospitalidade oferecido pela pequena cabine. Owen ficara agradecido pela privacidade – especialmente agora que estava enfrentando todos os efeitos colaterais de seu enjoo.

Ele pôs a mão no estômago e na cabeça latejante, foi de sua cabine ao convés, vomitou no balde e voltou para a cabine. Estava tão enjoado que nem sequer conseguia pensar em Francesca. Ele não era bem a figura heroica que imaginara ser.

A essa altura, seus preconceitos já haviam sido postos à prova diversas vezes. Ele não podia acreditar que era um fugitivo, procurado pelo Relojoeiro em pessoa, e que os Reguladores achavam que *ele* era o sanguinário Anarquista – quando, na verdade, havia evitado a explosão em Chronos Square! Ele havia salvado os Anjos do Tempo, o Relojoeiro, a trupe e todos que estavam lá.

Quando o mar finalmente se acalmou, ao menos por algumas horas, ele saiu para o convés à noite para ver as estrelas. Respirando fundo aquele ar gelado e carregado de sal, ele se distraiu procurando constelações. Ele ficou surpreso ao ver que os padrões de estrelas pareciam diferentes vistos dali, longe de Crown City. Mas nuvens se moveram rapidamente no céu, obstruindo as constelações. Ele vislumbrou uma luz brilhante no mar a distância... talvez um outro navio, ou um fogo misterioso saindo do mar. O navio de carga seguiu sua viagem.

Embora estivesse pálido e fraco, subiu até a ponte de comando e pediu ao Capitão Lochs algumas folhas de papel e um lápis. Segurando aquele material de escrita como se sua vida dependesse disso, ele se arrastou de volta para a cabine e, entre um acesso de náusea e outro, escreveu uma carta para seu pai, detalhando suas aventuras e explicando onde estivera e as coisas que havia visto. Ele esperava que Anton Hardy tivesse recebido suas cartas anteriores, que ele havia escrito quando estava com a trupe.

Owen não sabia o que seu pai pensava dele, o que Lavinia andava fazendo ou como o resto de Barrel Arbor reagiria à sua derrocada. Talvez Barrel Arbor já tivesse esquecido dele, varrendo discretamente aquele constrangimento para baixo do tapete.

Após terminar a carta e exausto do esforço que isso exigira, Owen juntou suas forças e seguiu até a ponte de comando outra vez. O Capitão Lochs prometeu encaminhar a carta a Barrel Arbor assim que o vapor retornasse a Albion.

No quinto dia de viagem, consciente de que logo avistaria terra, Owen seguiu até o convés com a esperança de que a luz do sol e o ar fresco o animariam. Os vapores que saíam das grandes chaminés e se enrolavam no ar pareciam serpentinas. Os dois homens continuavam jogando xadrez, movendo peões vacilantes e seus bispos.

As ondas estouravam contra a proa lançando no ar um chuvisco cintilante, e Owen ficou cativado com a beleza daquilo... até que precisou correr para segurar a amurada do convés, como um estrangulador que luta contra uma vítima relutante. Ele tentou esvaziar outra vez o seu estômago que já estava vazio.

O Capitão Lochs olhou para ele com empatia.

– Talvez o Relojoeiro devesse ter escolhido alguém menos suscetível a enjoos para essa missão secreta, hein?

– Tudo tem o seu motivo.

Owen proferiu essas palavras com um engasgo e passou a mão na boca.

– Chegaremos a Poseidon antes do fim da tarde, não se preocupe – disse o Capitão Lochs. – Logo você estará com os pés em terra firme.

Owen ficou aliviado, e então sentiu náuseas outra vez. Ele olhou para o seu relógio de bolso. O jovem mal podia esperar pela chegada na maravilhosa cidade de Poseidon, quando poderia desembarcar daquele navio infernal.

Mas quando chegou, Owen descobriu que Poseidon City era ainda pior.

Ele desceu pela prancha de acesso (sua intenção era *pular* para fora e pisar em um novo continente, mas com as pernas tão fracas ele mal conseguia cambalear para a frente) e adentrou a cidade que habitava sua imaginação desde garoto.

Preocupado com ele, o Capitão Lochs gritou do convés:

– Você acha que consegue se virar, rapaz?

Embora Owen estivesse nervoso com as mudanças dramáticas em sua vida, ele alinhou os ombros, olhou para cima com confiança e sustentou a ficção de que tinha negócios a tratar por lá. Aquela era uma nova terra e uma nova esperança para ele – o que ele merecia. E os Anjos haviam atendido a esse pedido.

No entanto, não mantinha a ilusão de que estabelecer uma nova vida por lá seria tarefa fácil.

– Seria bom se você pudesse me emprestar uma pequena quantia para eu me manter até conseguir ajeitar as coisas. Eu pagarei de volta quando nos encontrarmos de novo.

Sem objeções ou expectativas de ser ressarcido, o capitão deu-lhe dinheiro suficiente para alguns dias de gastos, contanto que ele fosse frugal. Owen sabia ser frugal. Um pensamento desagradável veio à sua mente: o Anarquista havia lhe dado algumas moedas para ajudá-lo nos primeiros dias em Crown City, dizendo "Talvez eu simplesmente ache bom que você fique me devendo". Aquilo deixou Owen um tanto desconfortável.

Depois de um aceno de despedida dirigido ao Capitão Lochs, ele prometeu a si mesmo que não esqueceria de pagar sua dívida. Ele afastou de sua mente todos os pensamentos envolvendo o Anarquista.

No porto de Crown City, todas as docas eram organizadas e numeradas, e os navios de carga ficavam organizados como mercadorias nas estantes de um depósito. O de Poseidon era exatamente o oposto disso: desordenado, barulhento e fedido, com funcionários de postura ríspida sem qualquer interesse em cumprir o cronograma ou sentir a alegria trazida por um trabalho bem feito. Vista após as ruas limpas e os prédios dispostos de maneira organizada de Crown City, Poseidon dava a impressão de que um gigante havia pegado porções de prédios em uma pilha e simplesmente largado tudo por ali, deixando-os no lugar onde caíram.

Estruturas em ruínas se amontoavam em colinas escarpadas e ruas estreitas partiam do porto em todas as direções.

Owen entrou na cidade com os olhos abertos e pronto para qualquer coisa. Ele não viu nenhum emblema com abelhas brilhantes e perfeitas, nenhuma janela hexagonal e nenhum agrupamento de trabalhadores ocupados em postos de notícias. Aquele era um tipo de cidade totalmente diferente.

Enquanto caminhava por um calçadão de tavernas que parecia não ter fim, dois homens com a barba por fazer trombaram com ele, e então se desculparam dando tapinhas nas suas costas como se fossem velhos amigos. O hálito deles cheirava a repolho com picles e peixe, dois aromas que não harmonizavam bem. Owen foi amigável com os homens, visto que não conhecia ninguém por lá, mas ele não os viu como camaradas em potencial. A dupla já havia seguido pela rua antes que ele pudesse perguntar seus nomes.

Não muito adiante, Owen encontrou uma estalagem. Depois de tantos dias vomitando tudo o que tentava comer, se sentia fraco e faminto.

Só quando tentou comprar comida descobriu que os dois homens excessivamente amigáveis tinham roubado as moedas que o Capitão Lochs lhe dera.

Quando ele contou sua história trágica para o dono da estalagem, esperando alguns pedaços de pão ou talvez os restos de carne usados para sopa, foi enxotado pelo homem com um cabo de vassoura.

Owen se escorou em um caixote em frente a uma casa de fumos onde homens de negócios pagavam para que o porteiro os deixasse entrar. Mais tarde eles saíam com um fedor acre de fumaça. O jovem pôs as mãos na cabeça, pensando o que faria agora. O porteiro deixou que ele ficasse ali por meia hora antes de pedir que se retirasse.

Parecia fazer um século que Owen havia saltado em um vaporeiro noturno para deixar seu vilarejo e dar início à sua aventura. "Finalmente em meu caminho!". Agora ele havia chegado a uma nova parte da jornada, mas não via o sentido de passar por tantos sofrimentos. Para onde deveria ir?

Ele encarou sua situação de frente e foi de porta em porta, oferecendo-se para trabalhar em troca de cama e comida. Nas docas de Crown City, os trabalhadores haviam ficado contentes em aceitar a ajuda de alguém motivado, mas os proprietários desconfiados de Poseidon batiam a porta em sua cara. Um até atirou um penico transbordante nele, mas Owen conseguiu se esquivar a tempo.

O dono de um café disse que ele poderia se servir à vontade no ótimo buffet que havia nos fundos, mas quando o rapaz foi até a parte de trás do edifício só encontrou um amontoado de lixo composto por cascas de vegetais, frutas podres e uma quantidade incrível de moscas.

Quando a noite caiu, o volume aumentou nos bares e nas estalagens. Lanternas foram acesas com um carvão vermelho que vinha dos veios ao pé das colinas. Brigas irromperam, e Owen se escondeu assustado nas sombras da rua. Ele encontrou um beco e se encolheu para dormir, encostando os joelhos no peito e recostando-se na parede de tijolos.

Embora agora com liberdade para dormir onde quisesse, sem nenhum Regulador para atormentá-lo, ele não encontrou nenhum conforto em sua suposta paz. O jovem fechou os olhos e tentou imaginar que estava debaixo de uma macieira na colina do pomar. A memória não ajudou muito, mas ele apagou mesmo assim.

Na manhã seguinte, Owen estava tão faminto que voltou para o monte de lixo atrás do café. Vasculhou os restos até encontrar algo que ajudasse a preencher seu estômago que roncava. Ele mal conseguia comer aquilo sem vomitar, mas era comida.

Ele voltou para as docas, pensando que talvez conseguisse pedir ajuda ao Capitão Lochs mais uma vez, no entanto, o navio de carga já havia partido, carregado com imensas porções de suprimentos alquímicos, obsidianas, ágatas, jaspes, opalas vermelhas e minerais ainda mais raros provenientes dos postos nas montanhas. O estivadores defendiam com cautela os seus próprios salários contra intrusos, e espantavam qualquer um que se voluntariasse para dar uma mão.

No dia seguinte, encontrou um grupo de jovens brutais. O mais velho deles tinha doze anos. Eles o cercaram, zombaram dele e tentaram roubá-lo. Quando Owen abriu os bolsos para mostrar que não tinha nada de valor além do seu relógio de bolso, roubaram seu relógio por mero despeito e o agrediram. Mas eles não estavam muito interessados naquele esforço vão e o deixaram ferido ali no chão.

Owen não tinha mais como saber que horas eram, e a cidade parecia indiferente às torres de relógio.

Aquilo era muito diferente da imagem de Poseidon City transmitida nas lendas. Ele sentia vontade de chorar ao pensar na morte do lugar incrível dos livros da mãe. Ficou contente por ela jamais ter visto a verdadeira Poseidon pessoalmente; era melhor que tivesse morrido de febre com seus sonhos intactos.

CAPÍTULO 18

In this one of many possible worlds, all for the best,
or some bizarre test?
[Neste mundo de tantos possíveis, tudo tem seu motivo,
Ou tudo é um teste sem sentido?]

Embora os dias em Poseidon não tivessem uma ordem e uma rotina, eles se pareciam muito uns com os outros. Owen não tinha qualquer objetivo além de encontrar comida, ir atrás de algum dinheiro e se manter a salvo.

Ele nunca havia vivido nas sombras antes. Procurava um lugar quente para dormir, como um coelho desesperado por uma toca morninha. Sua cabeça voltava o tempo todo para a memória daquela noite na tenda aquecida e receptiva de Francesca, e a memória era mais doce e dourada do que o mel de maior qualidade do Relojoeiro. Cada vez que ele encontrava um ponto vagamente confortável, outra pessoa também o encontrava logo depois – e geralmente alguém mais forte do que ele. Em três ocasiões, Owen lutou para proteger sua escassa parcela de normalidade, mas fracassou todas as vezes e acabou machucado e ensanguentado, tendo que ir procurar outro lugar para ficar. As outras pessoas que viviam nas ruas de Poseidon não lutavam de acordo com as regras que Golsan lhe havia ensinado. Sozinha, a confiança não era muito útil para Owen, e sua confiança logo minguou.

Um dia, na saída de um beco encurvado onde esperava encontrar um abrigo – talvez alguns caixotes velhos empilhados e as sombras para servirem de lençol –, ele deparou uma loja com a vitrine encardida e uma placa de madeira na entrada. *Livros do Submundo*. A entrada ficava dois degraus abaixo da rua, como se a própria loja estivesse afundando para uma nova localização subterrânea.

Um livro escorado no lado interno do vidro atraiu o seu olhar: as cores estavam gastas da longa exposição à luz do sol, embora Owen não conseguisse imaginar como a luz do sol poderia penetrar as sombras daquele beco. Ele reconheceu a capa: era o livro de sua mãe, o volume ilustrado com os cronótipos de Crown City.

Abismado, parou onde estava. Depois de tudo por que ele passara desde que fugira de Albion, das experiências que precisavam ser classificadas como *suplícios* em vez de aventuras, aquela livraria, aquele *livro*, brilhava como como um farol iluminado em meio a uma noite escura de tempestade. Ele encostou os dedos na vitrine, incapaz de alcançar o volume em exibição. A poeira e a fuligem estavam do lado de dentro do vidro.

Reunindo coragem, Owen espanou suas roupas sujas e amarrotadas, ajeitou o chapéu na cabeça para ocultar seu cabelo sujo e desgrenhado e abriu a porta da *Livros do Submundo*. Lá dentro, sentada diante de um balcão, ele viu uma mulher alta de cabelo curto e embaraçado, com cachos marrons acinzentados e óculos apertados que marcavam seu nariz. Ela olhou para ele com a expressão automática de boas-vindas típica de um lojista que recebia muito poucos clientes. Naquele instante ela estava conversando com um homem de ombros largos, e porte de urso. O homem era careca, tinha a pele escura e usava uma barba comprida.

Owen se esforçou para transmitir um pouco de confiança com sua voz.

– Com licença, eu poderia dar uma olhada naquele livro na vitrine?

– Fique à vontade – disse a livreira.

Ela se virou para terminar de embalar um pacote com pequenos livros para o homem careca e atou o barbante habilmente com voltas perpendiculares.

– Só confere se seus dedos estão limpos.

Owen esfregou as mãos na calça e assentiu com seriedade.

– Vou tomar cuidado. Eu... eu conheço esse livro.

Ele pegou o livro em seu lugar na vitrine e, com os dedos tremendo, virou as páginas, ansioso para ver algo familiar. Em tempos mais tranquilos ele havia passado inúmeras horas divagando com a imaginação a partir daqueles intensos cronótipos: a torre do Relojoeiro, a enfeitada Sede dos Reguladores, a Catedral dos Guardiões do Tempo, as fachadas dos edifícios ministeriais e os encantadores Anjos do Tempo.

Mas as imagens daquele livro não mostravam a Crown City que ele conhecera. As gravuras costuradas na brochura não eram as fotografias submetidas a tratamentos alquímicos do livro de sua mãe, e certamente não mostravam os lugares que ele vira com os próprios olhos.

O homem careca e barbudo enfiou o pacote de livros debaixo do braço e se virou para partir.

– Obrigado, Sra. Courier. Isso vai me deixar ocupado por mais um bom tempo.

– Pode me chamar só de Courier, Comodoro, você sabe disso. E eu sei que vamos nos ver outra vez.

O homem sorriu para a livreira.

– Há livros demais para serem lidos em um universo, mas eu tenho muito tempo pela frente – e, graças a você, posso escolher entre as bibliotecas de muitos mundos possíveis.

No caminho até a porta, o homem barbado cumprimentou Owen educadamente, como se estivesse encorajando um companheiro de viagens literárias.

– Esse livro é excelente, jovem – ele disse. – Eu tenho uma das variações.

Concentrado no livro em suas mãos, Owen olhou para as imagens desnorteado, e até mesmo consternado.

– Ele está diferente.

Owen olhou para a livreira – a Sra. Courier, ou simplesmente Courier.

– Essa não é a Crown City que eu conheço.

Ela ergueu os óculos do nariz e esfregou as marcas vermelhas.

– Talvez sejam de uma Crown City diferente.

– Quantas Crown City existem? – ele perguntou. – Eu só ouvi falar de uma.

– Existe uma Crown City para cada mundo distinto.

Ele virou a página e encontrou outra imagem perturbadora.

– E quantos mundos existem?

O homem barbado – o Comodoro – riu.

– Mais do que você consegue imaginar.

Owen franziu a testa.

– Eu consigo imaginar muitos.

Segurando seu pacote, o Comodoro riu e fez uma mesura com um chapéu imaginário.

– Isso mata a charada.

O Comodoro abriu a porta e saiu da livraria.

Owen não entendeu nada daquela explicação.

A livreira anotou algo em seu espesso livro de contabilidade.

– Esse é importado – ela disse, sem sequer olhar para ele.

Então ela disse um valor que ele não poderia pagar, nem quando ainda tinha o dinheiro que ganhara com a trupe.

– Sinta-se à vontade para dar uma olhada... por enquanto. Só tenha em mente que seria praticamente impossível repô-lo.

Ela puxou os óculos até a parte de cima do nariz.

– Na verdade, não sei se eu seria capaz de localizar esse mundo específico outra vez.

Ela lançou um olhar impenetrável para o grande espelho que estava ao lado de sua escrivaninha. Ele era diferente de qualquer espelho que Owen tivesse visto – mais alto do que Courier, do tamanho de uma porta – e não refletia nenhuma imagem. Era apenas uma superfície plana de pedra da lua. Ela bateu na ponta do espelho de pedra da lua.

– Poucas pessoas chegam a visitar esses outros mundos partindo daqui.

Nervoso, Owen fechou o livro e colocou-o de volta na estante.

– O Relojoeiro diz que esse é o melhor de todos os mundos possíveis.

– E como ele poderia saber? Ele já visitou todos? – Ela estralou a língua. – Isso é um absurdo.

Ela anotou mais alguma coisa em seu livro de contabilidade e depois o fechou.

– Você está procurando algo específico, jovem? Posso encontrar qualquer livro de qualquer lugar para você, embora possa demorar certo tempo para procurar os lugares alternativos.

– De qualquer maneira, eu não tenho dinheiro – ele disse com um suspiro.

– Não achei que você tivesse.

Nem surpresa nem desapontada pela falta de recursos dele, Courier parecia contente apenas em ver o amor dele pelos livros.

– E se você tivesse o dinheiro, meu jovem, eu teria recomendado que você gastasse em roupas novas e uma refeição quentinha em vez de livros... embora de vez em quando eu prefira passar fome a ter que vender certos livros.

O estômago dele roncou, como se discordasse daquela observação.

Pelo que o jovem vira até então, pena não era algo comum em Poseidon, mas Courier ficou com pena dele. Ela ofereceu-lhe uma pilha de biscoitos água e sal e um pequeno cacho de uvas que estava em uma tigela em sua mesa.

– Não posso te dar o livro, mas posso dar o meu almoço.

Depois de pensar um pouco, Owen ficou ainda mais agradecido.

– Não sei como retribuir o favor, madame.

A livreira olhou para ele e pensou ter visto – ou imaginado – alguma coisa ali.

– Talvez um dia você escreva seu próprio livro.

Menos de uma semana depois, sentindo saudades de ver o livro ilustrado outra vez, embora ele mostrasse a versão errada de Crown City, Owen tentou encontrar a Livros do Submundo outra vez. Embora tenha procurado de rua em rua, percorrendo becos que lhe eram muito familiares, ele simplesmente não encontrou a livraria. Ou ele não se lembrava direito onde ela ficava, ou a livraria havia fechado, ou todo o beco havia desaparecido.

CAPÍTULO 19

In a world where all must fail
Heaven's justice will prevail
[Em um mundo onde tudo deve fracassar
A justiça divina irá predominar]

Owen passou semanas, depois meses aprendendo um novo modo de vida. Ele se tornou durão e cuidadoso, e questionou pela primeira vez as coisas que tinha aprendido no inocente vilarejo de Barrel Arbor, e depois esquecendo tudo. Ele jamais se perdia, pois pouco importava onde estava. As ruas eram todas iguais.

Com uma nova ideia em mente, apenas tentando sobreviver, ele encontrou quatro pedras redondas que serviriam para seu propósito. Ele parou em uma esquina e praticou malabares, uma pedra depois da outra, desenhando no ar um arco preciso. Em um espasmo, pensou como seria se Francesa estivesse lá assistindo e ensinando coisas para ele, mas tirou todos os pensamentos ligados a ela da cabeça e se concentrou em nada.

Curiosas, as pessoas pararam para vê-lo (concluiu que Poseidon não devia ter muitas atrações do tipo). Com um público formado, ele fez o melhor que pôde e viu alguns dos rostos com olhares satisfeitos. Sorriu de volta para eles. Quando terminou e agarrou as pedras de maneira graciosa, fez uma reverência. O rapaz pôs as pedras no chão, tirou o chapéu da cabeça e passou adiante. Diversas pessoas foram embora, como se tivessem tarefas urgentes a fazer. No fim ele recebeu duas moedas de cobre (dadas a contragosto) de um par de homens velhos que foram embora sem lhe dirigir uma palavra.

Ele voltou a fazer malabarismos, mantendo um sorriso e lembrando como eram as performances da trupe. O suor escorria por sua testa, mas fez o melhor show que era capaz. Outra pequena multidão se reuniu para assistir, mas eles ficaram do outro lado da rua, bem além do alcance de seu chapéu.

Apertando o cobre em sua mão para que ninguém pudesse roubá-lo de seu bolso, Owen caminhou pela rua olhando para os estabelecimentos até encontrar uma padaria. O cheiro de pão e salgados o intoxicou, apertando o nó de fome em seu estômago. O padeiro era um homem de mandíbula saliente, e em sua cara rosada havia salpicos de farinha. Enquanto Owen olhava os pães, os rolinhos e as tortas, o padeiro o espiava desconfiado. Ele era muito diferente do Sr. Oliveira, o padeiro de Barrel Arbor.

Owen estendeu as duas moedas de cobre e disse:

– Por favor, eu queria comprar algum pão. O que dá pra comprar com isso?

O padeiro franziu a sobrancelha para as moedas, como se elas fossem pouco dignas, mas aceitou-as mesmo assim.

– Você pode comprar um pãozinho dormido, e isso porque tem sorte.

O homem pôs a mão atrás do balcão e tirou dali um pão duro que provavelmente tinha alguns dias; pelo menos não estava bolorento.

– Obrigado.

Owen pegou o pão sem discutir e ficou na rua em frente à padaria, onde começou a devorá-lo. Ele se obrigou a ir com calma e saborear cada mordida.

Em um beco do outro lado da rua avistou um rapaz esguio e de cabelos loiros que deveria ter mais ou menos sua idade. Ele tinha olhos incrivelmente azuis e um olhar esfomeado que, mais do que mostrar desespero, parecia estudá-lo. Owen comeu o resto do pão, com medo de que fosse roubado caso não fizesse isso.

O padeiro começou a varrer seu estabelecimento, levantando uma nuvem de farinha e açúcar de confeiteiro em vez de sujeira e poeira. O homem resmungou para si mesmo.

Owen lambeu os dedos para extrair as últimas migalhas do pão seco. Ele olhou para o outro lado da rua, mas o garoto loiro havia desaparecido no beco. Então Owen reuniu sua coragem e voltou para a padaria. O homem franziu as sobrancelhas outra vez – aquela parecia ser sua expressão corriqueira – em resposta ao sorriso de Owen.

– Eu posso varrer, se você quiser.

O padeiro hesitou, mas mesmo assim Owen deu um passo à frente e tirou a vassoura das mãos dele. Varreu o chão com grande dedicação enquanto o padeiro olhava-o e concordava, relutante.

– Vê se faz um bom trabalho.

– Sim, senhor.

Owen varreu, e os cheiros que vinham da padaria o deixaram tonto. Embora ele tivesse comido o pão dormido, aquilo tinha feito muito pouco – nada, na verdade – para aplacar sua fome; aquilo apenas servira para que ele percebesse como andava comendo pouco havia muito tempo. E ali havia muitas recompensas.

– E aproveita pra limpar a calçada ali na frente – disse o padeiro assim que Owen terminou de varrer o chão.

Foi o que Owen fez. Foi uma tarefa pesada, mas ele ficou satisfeito com o trabalho que fez. Ele voltou e o padeiro estendeu a mão.

– Devolve a minha vassoura.

Owen devolveu e esperou, mas o padeiro o enxotou dali.

– Agora cai fora da minha padaria antes que você espante algum cliente.

O ânimo de Owen desabou.

– Mas eu achava que... você não poderia me dar outro pão? Ou talvez algum salgado?

O padeiro pareceu ofendido.

– Não. Isso é para ser vendido.

– Mas eu varri o chão! Eu ajudei você...

– Nunca prometi nenhum pagamento. Se você é tolo o suficiente para trabalhar de graça, eu seria tolo se não me aproveitasse disso.

Owen ficou confuso e indignado. Ninguém em Barrel Arbor seria tão ingrato, e nenhum membro da trupe o trataria daquela maneira.

Quando se juntara aos estivadores em Crown City, os trabalhadores ficaram contentes em dividir com Owen as frutas que ele quisesse.

– Mas isso não é justo!

O padeiro deu uma risada maldosa.

– Se você acha que eu vou te pagar só por me fazer rir, você está muito enganado.

Owen não conseguia acreditar no que estava ouvindo. Ele já havia passado por muitas situações ruins, tinha sido trapaceado diversas vezes e roubado em mais de uma ocasião. O padeiro devia saber que Owen esperava um pagamento. Por qual outra razão ele teria dito a Owen que varresse a calçada? Se o homem tinha aceitado seu trabalho sem a intenção de pagar, ele havia "roubado" Owen da mesma maneira que um ladrão. O estômago vazio de Owen começou a se encher de raiva. Ele não gostava da maneira como as pessoas viviam em Poseidon, nem das regras que seguiam. Aquela era uma sociedade bárbara, como aquela sobre a qual havia lido no livro que o caixeiro-viajante desconhecido lhe havia presenteado antes da chuva.

O padeiro mandou Owen embora como se estivesse tirando excrementos da sola de seu sapato e voltou para trás do balcão. Ele deu uma risada debochada outra vez, dessa vez mais alta.

Em um acesso de decisões equivocadas, Owen pegou uma das tortas no balcão da padaria e saiu correndo de lá. Sua visão havia se estreitado, e ele correu pela rua levando a torta roubada.

O padeiro pisou para fora de seu estabelecimento gritando "Ladrão!". A palavra parecia *errada*. O homem estava falando *dele*, e Owen nunca fora um ladrão, e jamais sequer cogitara roubar. Mesmo assim ele continuou correndo, se embrenhou em um beco, atravessou outra rua e finalmente encontrou um canto escuro e silencioso onde poderia recuperar o fôlego e esperar até que o coração se acalmasse. Então, mesmo se sentindo mal por ter roubado, ele comeu a torta, uma mistura de frutas vermelhas com grandes sementes crocantes e muito pouco doces. Para Owen, ela estava deliciosa de qualquer maneira, e quando terminou de devorá-la, olhou para a frente e viu que estava sendo observado pelo jovem loiro.

Owen se levantou. Suas mãos e seu rosto estavam pegajosos. O outro jovem riu.

– Achei que conseguiria chegar antes de você terminar. Na próxima vez, você terá de dividir.

– Próxima vez?

Não haveria uma próxima vez.

– Eu mereci essa torta!

– Ah, tenho certeza de que o padeiro concorda – ele disse com ironia, e revirou os olhos. – Mas foi uma boa cena. Gostei muito.

O jovem se acocorou ao lado de Owen, que varria os arredores com o olhar.

– Eu sou Guerrero. E você?

– Owen. Owen Hardy, de Barrel Arbor. Em Albion. Eu era o assistente de gerência de um pomar de maçãs e...

– Só perguntei seu nome, não sua história de vida.

Owen fechou a boca.

Os dois jovens passaram o resto da tarde juntos, mas Guerrero não contou nada de sua própria história. Finalmente, Owen perguntou:

– Onde você mora?

– Depende.

– Depende do quê?

– Do dia da semana... de quem está e quem não está em casa. De quem tem algo que não está usando.

Guerrero não o convidou para ficar, e Owen tampouco pediu autorização, mas ele não tinha nenhum amigo e sentia como se estivesse há muito tempo sem companhia.

Quando a noite caiu como uma guilhotina sobre a cidade, Guerrero levou-o até um conjunto de casas escuras nos arredores da cidade.

– É aqui que você mora? – perguntou Owen.

– Hoje de noite, sim. Essas pessoas têm uma casa no lago. Fiquei semanas observando-as, e vi que costumam ficar fora por diversos dias.

Ele abriu a janela dos fundos.

– Tá vendo? Não tá nem trancada.

– Mas a gente não pode simplesmente...

Guerrero olhou para ele com seus olhos azuis e penetrantes.

– Eu posso. E sinta-se à vontade para se juntar a mim... ou não, como preferir. Olhe ao seu redor: os donos têm tanta coisa que nem vão sentir falta, desde que a gente não deixe vestígios. Você não quer um lugar para dormir que seja quente e seguro, um lugar para tomar banho? Uma refeição decente e farta o suficiente para que você se sinta cheio?

Owen sentiu uma ardência nos olhos e percebeu que havia lágrimas surgindo.

– Sim, mais do que sou capaz de dizer.

Haviam ensinado a ele que cada pessoa teria o que merecia, e que o diabo ficaria com a sobra. Merecesse ou não, Owen precisava pegar o que pudesse para garantir sua sobrevivência. E Guerrero sabia exatamente onde procurar. Os dois se banquetearam com a comida estocada na despensa, tendo o cuidado de só pegar maçãs, cenouras e batatas do fundo do barril e reorganizar as prateleiras depois disso para que não dessem falta de nada.

– Tá vendo como eles têm bastante? – disse Guerrero – Se eles não estavam precisando não é roubar de verdade.

– Mas não é *nosso* – disse Owen.

O outro jovem deu de ombros.

– Quem poderá dizer que eles mereciam? E por que eles merecem mais do que nós?

Owen ficou envergonhado.

– Ainda assim, é um roubo. Eles trabalharam e compraram essas coisas.

Antes do incidente na padaria, ele nunca havia roubado nada em toda sua vida, e só de pensar no que tinha feito ele sentia náuseas... mas também era verdade que aquele crime não prejudicaria ninguém.

Guerrero olhou para ele com atenção.

– Você tem um jeito melhor de sobreviver?

– Não... ainda não.

Apesar de ter um teto para cobri-lo e uma cama onde dormir, Owen teve uma noite inquieta, e mesmo depois de ter enchido a pança com comida de qualidade, ficou com o estômago embrulhado. A dupla partiu ao amanhecer por garantia caso os proprietários voltassem cedo para casa.

– Eu tento não deixar nenhum vestígio – disse Guerrero. – Em um lugar como esse, eu consigo ficar umas três ou quatro vezes antes que eles se deem conta.

De volta às ruas, Guerrero conhecia diversos lugares úteis em Poseidon. Owen seguiu-o como um cachorrinho, ou um aprendiz, embora ficasse incomodado por aquele jovem achar tão normal quebrar as regras sempre que elas pareciam inconvenientes. Por outro lado, Owen estava com medo e sozinho, e ele chegou à conclusão que uma má opção era melhor do que não ter opção.

Com uma nostalgia distorcida, ele falou sobre Barrel Arbor para Guerrero, apesar da completa falta de interesse do outro jovem. No fim, Guerrero disse:

– Você é estranho, Owen Hardy. Como é que você chegou até aqui tendo feito e visto tudo isso que você diz e ainda consegue ser tão inocente?

Owen não entendeu o que ele quis dizer.

– Eu sou assim. Você não vê o lado bom das pessoas?

– Geralmente não. Mas eu nem me preocupo muito em olhar.

Guerrero tinha por hábito roubar frutas de quitandas, linguiças de açougues e pães de padarias ou cafés. Talvez por algum senso de honra distorcido, ou apenas preocupado com a inaptidão de Owen, o jovem protegia-o para que não precisasse roubar.

– Você não se daria nada bem – ele disse. – Vou deixar você me ajudar de outras maneiras.

Ao longo dos dias, semanas, ou talvez meses (Owen não estava contando; além de não ter nem um relógio nem um calendário, ele não tinha motivo para diferenciar um dia do outro), Owen foi conhecendo seu companheiro tanto quanto possível. Mesmo assim, Guerrero nunca falava sobre sua mãe ou seu pai, nunca mencionava seu passado e, o mais estranho de tudo, nunca mencionava os seus sonhos.

Eles passavam a maioria das noites na rua, às vezes se aventurando em uma casa desocupada. Uma vez acordaram um cachorro que avançou contra eles; Owen não conseguia ver a fera, mas a julgar pela magnitude de seus latidos e grunhidos, ela deveria ser enorme. Houve uma noite em que um homem passou pelo beco atrás de uma taverna onde Owen e Guerrero haviam se refugiado. O homem caiu no chão em um estupor cheirando a cerveja. Com ele roncando, Guerrero, furtivamente, cutucou-o e virou o corpo dele, mas o bêbado apenas soltou um resmungo e continuou dormindo. Guerrero reparou em uma pequena bolsa que ele levava presa ao redor da cintura e aproveitou para surrupiá-la rompendo a corda. Ele agarrou o braço de Owen e saiu correndo do beco.

– Vamos!

Owen desvencilhou-se.

– Você acabou de roubar aquele homem!

– Eu não o machuquei.

Ele abriu a bolsa e tirou quatro moedas dali orgulhosamente. Os dois usaram o dinheiro para comprar sua primeira refeição decente em um bom tempo.

Daquele momento em diante, Guerrero mudou de tática. Embora Owen protestasse sempre, Guerrero esperava do lado de fora das tavernas bem depois da meia-noite para seguir homens completamente inebriados. Mesmo quando os bêbados ainda estavam conscientes, eles não conseguiam correr de maneira ágil ou em uma linha suficientemente reta para alcançar os dois depois que eles haviam pegado o dinheiro.

Owen havia tentado todas as outras estratégias que vieram à sua mente para sobreviver. Ele havia oferecido ajuda e se esforçado para arrumar um trabalho. Ele não encontrou nenhum amigo, nenhum braço aberto, nenhum sorriso. Ele sentia falta de seus dias junto ao Magnusson's Carnival Extravaganza ou com seu pai na Taverna Tick Tack; ele não conseguia esquecer Francesca, muito embora ela o tivesse machucado.

Guerrero era tudo o que ele tinha.

Em uma noite, já bem tarde, eles seguiram um homem que saiu da taverna cambaleando e cantando uma canção sobre as Sete Cidades de Ouro a plenos pulmões. O homem era grande e desgrenhado e vestia roupas sujas e uma jaqueta grossa apesar do calor. Guerrero sorriu.

– Ah, o Cabeza de Vaca! Ele é uma figura conhecida nas tabernas de Poseidon. Acredita que alguém põe o nome de cabeça de vaca no filho?

Cabeza de Vaca tinha mesmo feições sólidas e massivas e (aparentemente) um crânio sólido e massivo. Com um tom de voz calmo e robusto, Guerrero continuou:

– Ah, e ele tem uma reputação e tanto! Cabeza de Vaca passa meses em regiões ermas em busca de tesouros. Acho que ele nunca encontrou nada, mas sempre que ele volta pra cidade ele conta histórias para as pessoas em troca de bebidas. Ele sempre diz que chegou perto das Sete Cidades de Ouro.

O jovem mudou sua voz para um falsete, abanando as mãos no ar como se estivesse com calor de tanta empolgação.

– Eu podia vê-las! As muralhas de ouro estavam lá... eu podia vê-las, mas nunca consegui chegar até lá.

Guerrero deu uma risada.

– Ele fica na cidade até que as pessoas parem de comprar bebidas pra ele, e então volta para as regiões ermas e faz tudo de novo.

Owen e Guerrero seguiram o homem desgrenhado que virava a esquina. Cabeza de Vaca continuava mancando, protegendo a perna esquerda. Ele começou a cantar outro verso, mas esqueceu a letra e voltou a repetir o primeiro verso.

Depois de fazer um sinal para Owen, Guerrero correu feito uma sombra e Owen se aproximou pelo outro lado para bloquear o homem cambaleante. Guerrero agarrou a jaqueta do bêbado e tateou o bolso dele e passou a mão ao redor de sua cintura até encontrar uma pochete. Ele deu um puxão, mas a bolsa estava presa a um pequeno arame e não em uma corda fácil de romper.

Surpreso e enraivecido, Cabeza de Vaca ergueu a voz, falando ainda mais alto do que a cantoria fora de tom. Owen correu em sua direção para distrai-lo, permitindo que Guerrero escapasse. O homem desgrenhado ergueu um punho do tamanho de uma carne de carneiro assada e acertou a cabeça de Owen com um soco que fez com que seu chapéu voasse longe. De Vaca não estava tão bêbado quanto Owen e Guerrero haviam pensado – ele só estava arrastando a perna por causa de um machucado.

Em resposta aos gritos dele, outros homens saíram da taverna e foram até o beco para resgatá-lo. Cabeza de Vaca agarrou o braço de Owen, envolvendo-o com os dedos como se fossem uma algema. Owen tentou escapar, mas o bêbado incrustou os dedos no tecido da manga dele e não soltou de jeito nenhum.

Os amigos de De Vaca viram o que estava acontecendo e partiram para cima, vibrando como se tivessem descoberto um novo esporte.

Guerrero deu uma olhada para os homens atrás dele, soltou a bolsa de De Vaca e saiu em disparada. Ele não olhou nem momentaneamente para o seu amigo. Owen olhou para ele, de olhos arregalados, e então caiu no chão nocauteado.

Quando os outros homens foram para cima dele, não fizeram perguntas: apenas começaram a dar socos.

– Guerrero!

Ele não ouviu nenhuma resposta, não viu nenhum indício de resgate.

– Me ajuda!

Owen resistiu, brandindo os punhos como Golsan lhe havia ensinado. Mas aquilo não era um treino; com suas habilidades e seu desespero, até conseguiu deixar alguns narizes ensanguentados, mas havia oponentes demais.

Ele conseguiu se desvencilhar, saindo em disparada em direção à rua principal, e estava na saída do beco quando seus agressores o alcançaram e derrubaram no chão outra vez. Eles começaram a chutá-lo, praguejando. Um homem desceu pela rua bem iluminada. Ele tinha um peito grande, pele marrom-escura e uma cabeça escura que brilhava sob as luzes de carvão vermelho. Ele parou para ver a altercação. Convencidos de que era seu direito impor justiça à sua maneira, os durões da taverna não viam problema em ter uma plateia, mas enquanto lutava para se defender Owen olhou para o estranho com um os olhos cheios de suplício e desespero.

Era o homem da Livros do Submundo – aquele que a proprietária chamara de Comodoro.

O homem hesitou, sem vontade de se envolver; ele deu um passo em outra direção, mas pensou melhor. Ele se virou e voltou.

– Chega, ele já teve o que merecia!

O Comodoro pegou um cassetete de tamanho formidável.

– Se vocês não acharem que ele teve o suficiente, vamos ter muito mais pancadaria nos próximos minutos.

Owen gemeu, todo ensanguentado no chão do beco. Ele se encolheu, com dificuldade para respirar. Seus agressores debocharam daquela cena patética, mas o careca e seu porrete foram o suficiente para fazê-los perceber que sua desforra já fora suficiente. Eles se juntaram ao redor de Cabeza de Vaca, que continuava praguejando, indignado. Então o grupo se dispersou. Antes de chegarem ao fim da rua, eles começaram a cantar desafinados uma canção sobre as Sete Cidades de Ouro.

O salvador de Owen olhou para ele, estudando o silêncio do jovem. Ele parecia ao mesmo tempo curioso e desapontado.

– Agora você tem a chance de me convencer que eu não cometi um erro.

CAPÍTULO 20

I have stoked the fire on the big steel wheels,
Steered the airships right across the stars
[Alimentei o fogo nas grandes rodas de aço
Conduzi os dirigíveis em meio às estrelas]

O homem se chamava Pangloss e era piloto de um vaporeiro. Estava de visita a Poseidon após uma viagem de dirigível que havia partido das minas alquímicas das terras altas de Atlantis. Por ser piloto, se apresentava como Comodoro, embora Owen não soubesse dizer quem havia atribuído aquele título a ele. Pangloss era completamente careca, não tinha nem sequer sobrancelhas, mas ele compensava a ausência de cabelo com uma barba negra imensa que descia do queixo até o peito.

O Comodoro Pangloss ajudou Owen a caminhar do beco até um quarto bem iluminado em uma estalagem a diversas quadras da taverna.

– Não tenho um grande apreço por ladrões, jovem, e teria passado por ali e presumido que você havia recebido o que merecia. Não sei o que me deteve. Talvez tenha sido o seu interesse pelos livros.

Ele balançou a cabeça.

– Mas eu vi algo em seus olhos que não costumo ver em criminosos experientes.

– Eu não sou um criminoso experiente.

Owen cuspiu sangue e passou a mão sobre a boca, mas ele não tinha nenhuma desculpa para dar. Ele nem sabia se estava mesmo falando a verdade. O Comodoro Pangloss disse:

– Talvez ainda não seja, mas uma cidade como Poseidon vai arruiná-lo rapidinho.

– Não tenho outro lugar para onde ir.

Owen tateou ao redor da boca. Um de seus dentes estava frouxo, mas não balançava muito.

– Você pode dividir o quarto comigo por enquanto, mas eu vou partir outra vez em dois dias – disse o Comodoro. – Se limpa, e depois vou ouvir o que você tem a dizer.

Tanto tempo se passara desde a última vez em que Owen havia se lavado em um lugar iluminado e sem medo de ser descoberto que ele até havia esquecido como era a sensação de se sentir limpo. Depois de ter usado a água ensaboada de uma bacia e esfregado as mãos e o rosto, enxaguando a sujeira e o sangue coagulado, ele viu que sua pele já não tinha a cor de sujeira encardida. Ele esperou sentado e enrolado em um lençol enquanto o Comodoro levava suas roupas imundas para que o estalajadeiro lavasse.

Owen devorou avidamente alguns pães de semente de papoula acompanhados de queijo que haviam sobrado do almoço de Pangloss e ficado sobre a cômoda e tomou um chá morno que era como a felicidade descendo por sua garganta. Ele gostaria de ter acrescentado um pouco de mel, mas ninguém ofereceu.

Em sua condição de fugitivo, Owen não sabia se deveria dizer o seu nome ou admitir que vinha de Barrel Arbor. Àquela altura, os Reguladores certamente haviam transmitido um mandado de prisão em seu nome, muito embora Poseidon não tivesse uma conexão direta de cabos com Albion. Qual seria a recompensa oferecida pelo Relojoeiro pela sua captura e apresentação diante da justiça?

O Magnusson's Carnival Extravaganza lhe havia ensinado que, para fazer valer seu pão, ele precisava oferecer um show. E como ele estava ferido e com dores demais para fazer malabarismos, ele resolveu contar uma história. A julgar pelo seu pacote de livros novos atados por um barbante, o Comodoro era um apreciador de narrativas. Owen falou por mais de uma hora, e Pangloss escutou sem comentar. Depois de começar, o jovem esqueceu quais eram os detalhes que deveria ocultar, e então contou tudo, até as partes de Francesca e do seu período com Guerrero... e como seu suposto amigo havia fugido, abandonando-o para que fosse espancado no beco.

Em algum ponto da história, lágrimas começaram a escorrer pelas bochechas de Owen, embora ele não soubesse apontar exatamente que parte havia provocado isso. No fim, o Comodoro disse apenas uma frase:

– Na primeira vez em que pus os olhos em você lá na livraria, eu já soube que você não era daqui.

– Eu rezei apenas para conseguir sair de Crown City – disse Owen. – Com os Reguladores no meu encalce e alarmes soando em toda a cidade, eu vi o navio a vapor prestes a sair e pensei em todas as coisas que havia escutado sobre Poseidon, as Sete Cidades de Ouro e as maravilhas de Atlantis. Eu sabia que tudo seria melhor aqui... eu não sabia que era tudo mentira.

– Pois é – disse Pangloss –, e todo mundo aqui já ouviu falar na perfeição da Estabilidade do Relojoeiro e nos Anjos do Tempo, e que nada nunca dá errado lá – cada coisa tem o seu lugar e cada lugar tem a sua coisa. É agradável ter histórias coloridas para nos confortar, como um cobertor em uma noite fria.

Os lábios dele se curvaram para cima, embora continuassem sombreados por sua barba.

– Posso dizer que poucas pessoas em Atlantis gostariam de ser presas aos cronogramas rígidos impostos pelo Relojoeiro, e tampouco gostaríamos de ter os Reguladores uniformizados supervisionando cada coisinha que poderíamos pensar em fazer. Ainda que tomemos decisões equivocadas, as decisões são nossas, e não de outra pessoa.

Owen se debruçou, puxou o cobertor ao redor do corpo e soltou um gemido. Pangloss ficou com pena dele.

– Você cresceu sob a Estabilidade – acredito que você não possa ser responsabilizado pela pessoa que é. Na verdade eu não sou daqui, mas acabei... descarrilado do meu mundo. De qualquer maneira, montei uma vida bem boazinha para mim. Basicamente, eu fico longe de Poseidon o máximo que posso. Um lugar como esse é capaz de consumir qualquer um rapidinho.

– Para onde mais você vai?

Owen imaginou que qualquer lugar seria melhor que as ruas sujas e escuras daquela cidade.

– Vou para o meu vapor, é claro – sorriu o Comodoro. – É um dirigível magnífico, que voa livremente pela noite e depois pousa sobre os trilhos, nos levando para todas as estações ao longo da rota de mineração.

Ele arfou em um suspiro e falou como se estivesse falando de um grande amor.

– Não é como aquelas caravanas adoráveis e gigantescas que viajam por Albion. É apenas um vaporeiro de carga – mas o que importa é que é o meu dirigível.

Pangloss coçou a volumosa barba como se procurasse por um suvenir que mantinha escondido entre os fios e ficou em silêncio, pensativo. Owen percebia que o Comodoro era um homem que gostava de medir suas palavras antes de falar para não dizer algo de que se arrependesse.

– Descanse, coma e se recupere, Owen Hardy de Barrel Arbor. Um assistente seria bem útil para me ajudar a alimentar o fogo e guiar meu vaporeiro. O que você acha de viajar comigo por uns tempos?

O dirigível do Comodoro consistia de uma locomotiva e sete espessos vagões de carga, cada um deles flutuando graças a balões feitos com pedaços de lonas costurados firmemente e inflados com o vapor quente que vinha da caldeira principal. Os vagões de carga estavam arranhados e batidos, mas eram bastante limpos. Em sua rota regular, Pangloss transportava carregamentos de opala vermelho, calcedônia, ferrocerium reativo e barris com pós alquímicos raros escavados nas montanhas. Depois de entregar sua carga em Poseidon, ele voltava às montanhas com alimentos, roupas, ferramentas e equipamentos.

A nave principal, onde ficava o motor, também servia como a casa do Comodoro durante a viagem. A cabine do piloto tinha cheiro de laranjas por causa do óleo que ele usava para polir os móveis de madeira. Owen se pôs diante dos controles de comando do dirigível quando ele estava voando e olhou para a bússola de alinhamento magnético que conduzia o vaporeiro de volta para os trilhos durante a aterrissagem.

A locomotiva de motor alquímico lembrou Owen de um mastim gigante de estimação, poderoso e barulhento, mas fiel ao seu proprietário. Assim como um grande mastim, ela precisava ser alimentada de tempos em tempos. Pangloss e Owen trabalharam juntos, utilizando pás para enchê-la de carvão vermelho e despejando barris de destilado de nafta com um cheiro doce. A reação era acionada por um catalisador de fogo frio – pré-misturado, empacotado e vendido em Poseidon pelos monges alquimistas de Crown City.

Com Owen ao seu lado para aprender as tarefas, o Comodoro Pangloss passou dois dias carregando seus vagões com itens necessários para as comunidades mineradoras da rota do vaporeiro. Owen realizou as tarefas adicionais como varrer, esfregar o chão e pintar os vagões; ele seguia o Comodoro em suas visitas a depósitos e lojas de suprimentos. Ele nunca mais viu Guerrero.

Seus músculos ainda estavam doloridos do espancamento. As feridas em seu corpo (agora plenamente visíveis, pois sua pele estava limpa) tinham assumido tons alarmantes de roxo e amarelo, tons que os palhaços da trupe poderiam usar ao se maquiarem. Ao ver a condição debilitada de Owen, alguns trabalhadores durões da estação davam risadas guturais, presumindo que o Comodoro Pangloss batia em seu aprendiz. Ofendido com sua postura, Pangloss brandia seu cassetete para eles, o que só servia para reforçar a teoria.

Num fim de tarde, quando eles finalmente estavam prontos para partir, a empolgação de Owen começou a aumentar como a pressão dentro da caldeira de vapor. Ele olhou para longe da cidade caótica e pensou no misterioso continente, todos os lugares inexplorados que havia lá. Em algum lugar em meio àquelas montanhas e desertos estavam as lendárias Sete Cidades de Ouro. Embora o ouro em si tivesse perdido muito de seu valor em Crown City por causa da alquimia do Relojoeiro, ele ainda servia para comprar bens em Atlantis. Mas mesmo assim o mistério e as maravilhas eram o verdadeiro tesouro...

Eles abasteceram os motores, selaram a caldeira, giraram as válvulas para aumentar a pressão, preencheram os condutos e inflaram os balões de zepelim dos vagões. O fogo frio brilhou mais forte na câmara de contenção. A locomotiva estremeceu e as grandes rodas de aço começaram a girar, soltando faíscas e lembrando Owen dos pequenos duendes de fogo que Tomio havia criado no truque alquímico que usou em seu aniversário. Fazia tanto tempo...

O vaporeiro despertou e começou a se mover. Os trilhos paralelos que penetravam as colinas emitiram um brilho azul fosforescente e levitaram quando o trem acelerou.

O Comodoro ficou na plataforma do piloto olhando pelas janelas frontais, atento nos trilhos à frente. Silhuetas de montanhas se assomavam no horizonte, banhadas pelas cores do pôr do sol que escureciam aos poucos.

– Alimente os motores mais uma vez, Sr. Hardy – disse o Comodoro. – Precisamos aumentar nossa vazão de vapor para inflar os balões. Estamos prestes a voar!

Owen correu para jogar mais carvão vermelho e pós reatores na câmara exotérmica. O motor da locomotiva soltou baforadas de fumaça, emitiu grunhidos e rugiu como um animal demarcando território. Ele voltou correndo para a janela do piloto e ficou ao lado de Pangloss enquanto eles se moviam estrondosamente sobre os trilhos. As linhas prateadas à frente deles desapareceram abruptamente no fim dos trilhos.

Quando o vaporeiro que acelerava chegou ao final da via vapórea, ele subiu no ar com a mesma graciosidade de Francesca. Mas em vez de desabrochar asas angelicais repletas de molas, o vaporeiro levantou do chão e planou pelo céu.

O Comodoro Pangloss alisou a barba enquanto olhava para a frente com um sorriso paternal e orgulhoso.

– Você já esteve em um vaporeiro antes, Sr. Hardy?

Owen levou algum tempo para conseguir falar.

– Sim e não. Nunca dessa maneira.

Ele respirou fundo.

– Nada parecido com isso.

Eles seguiram em frente em silêncio e suavemente enquanto a noite se fechava em volta deles. O Comodoro o ensinou a encontrar o rumo certo com a bússola de cristal líquido, alinhando o vetor correto para que pudessem encontrar os trilhos outra vez, no momento de descer à terra . Owen conduziu o dirigível em meio às estrelas, e eles voaram pela noite em direção às montanhas.

CAPÍTULO 21

Stories that fired my imagination
[Histórias que dispararam minha imaginação]

Enquanto viajava com o Comodoro Pangloss a bordo do vaporeiro, Owen aproveitou para descansar, recuperar-se e lembrar-se de quem era. Os ferimentos e os ossos doloridos sararam. Seu espírito despertou de seu sono. Embora seu coração partido ainda pesasse no peito, ele conseguiu guardar os pensamentos em Francesca em um canto de sua mente. As memórias estavam lá, como uma carga que rebaixa um navio, mas ao menos não estavam à vista. Em umas poucas noites ele acordava com a sensação de tê-la ouvido rir, mas era apenas o barulho dos motores do vaporeiro.

No fim das contas ele poderia ver as lembranças dela de uma nova perspectiva, como se fossem cronótipos priístinos, e se lembraria das partes boas mais facilmente que de sua decepção. Pensou no que poderia ter dito de diferente, em escolhas alternativas que poderia ter feito e em como Francesca poderia ter reagido. Se havia muitos outros mundos possíveis bem parecidos com este, mas diferentes, talvez em algum deles uma outra versão de Owen tinha feito tudo certo...

A rota do Comodoro levava-os de uma cidade mineira a outra, atendendo a populações cada vez mais distantes de Poseidon. O vaporeiro parava em estações industriais, fundições, minas a céu aberto, cavernas de sal e lagos secos cravejados de elementos químicos valiosos. Eles trocavam seus suprimentos, enchiam os vagões de carga e voltavam a Poseidon para descarregar, ao que partiam novamente o mais rápido possível. Pangloss sorria ao ver a maneira como Owen trabalhava.

– Com a sua ajuda, Sr. Owen, eu posso passar ainda menos tempo na cidade.

Em outras ocasiões, adentravam muito longe nas montanhas até chegarem às minas de extração de carvão vermelho em cânions isolados, onde grutas extensas iam ficando ocas conforme os trabalhadores tiravam lascas das paredes para extrair sardélio, cinábrio, aventurina e compostos de diamantes ainda mais raros.

Vendo o tesouro de substâncias estranhas carregado em cada parada, Owen não conseguia deixar de pensar em Tomio e sua biblioteca de pós, líquidos e metais alquímicos que podiam ser combinados em receitas milagrosas. Enquanto trabalhavam juntos, o Comodoro Pangloss explicava a utilidade de cada um daqueles materiais tão preciosos para o Relojoeiro em Albion, dando lições a Owen de geologia, química, alquimia e até de economia, pois cada recurso era um mecanismo que botava em funcionamento uma parte do maquinário da sociedade.

O dirigível voou sobre o terreno escarpado e primitivo, seguindo o curso indicado pela bússola de linha dos sonhos principal, que os guiava até o trecho de trilhos do destino seguinte. A essa altura, Owen sabia que cada cidade mineradora tinha características próprias: algumas eram sujas e esfumaçadas, outras turbulentas e ruidosas. Depois das experiências em Poseidon, ele não tinha muita vontade de explorar tavernas ou ruas barras-pesadas, e nunca saía de perto do Comodoro quando eles paravam em estalagens de regiões fronteiriças.

Durante os meses que passaram juntos, Owen se tornou muito próximo de Pangloss. Como Guerrero, o piloto do dirigível parecia especialmente relutante em contar sua história pessoal, e os poucos pitacos que ele revelou foram elaborados de propósito para que não parecessem interessantes. Pangloss mencionou apenas que vinha de outro lugar, um mundo que era igual, mas diferente, conhecido por poucos e inacessível para a maioria. Owen não sabia o que ele queria dizer, qual era exatamente a intenção do Comodoro.

– Por que você deixa sua barba tão grande e desgrenhada? – ele perguntou em uma manhã, quando voavam pelo céu azul com uma montanha visível a distância.

O Comodoro semicerrou os olhos marrons.

– Você também poderia perguntar por que eu depilo minha cabeça desse jeito.

Seus dedos percorreram o escalpo negro.

– Por que você depila sua cabeça desse jeito?

– Certas perguntas não devem ser feitas.

Para Owen, os melhores momentos eram as horas de silêncio com o Comodoro a bordo do vaporeiro, sozinhos no céu. Pangloss mantinha sua biblioteca pessoal em um amplo armário com prateleiras que cobriam uma parede inteira da sala de estar. Ela incluía uma ampla coleção que ele havia comprado na Livros do Submundo, e Courier sentia prazer em encontrar títulos especiais e "importá-los" para ele. Para Owen, parecia haver palavras suficientes para toda uma vida, e o Comodoro planejava adquirir mais volumes.

Quando Owen espiou a livraria pela primeira vez ele ficou desapontado ao descobrir que não havia grandes edições com ilustrações prodigiosas, como aquelas que sua mãe tinha. Ele torceu para encontrar outra versão da retrospectiva de Crown City, como aquele que havia visto na vitrine da livraria, mas ele não encontrou nenhum livro de imagens. Devido às limitações de espaço à bordo do vaporeiro, Pangloss preferia edições compactas, volumes portáteis com letras extremamente pequenas (às vezes ele precisava de uma grande lente de aumento para decifrar as frases).

Mesmo sem cronótipos extravagantes, os livros tinham muito valor, e Pangloss o convenceu a ler as palavras e pensar em filosofia, na história do(s) mundo(s), nas bases da ciência natural, nos princípios elementares da hidráulica e nas especulações da alquimia. Enquanto refletia sobre os textos, Owen criava suas próprias imagens em sua mente, e elas eram figuras melhores, mais precisas e mais nítidas do que os cronótipos de que ele se lembrava.

Ao terminar de ler um ensaio, Owen discutia as ideias com Pangloss, que ficava contente por escutar opiniões alternativas. Ninguém nunca tinha perguntado antes a Owen sua opinião; ninguém nunca o havia encorajado a pensar. Cada coisa tem seu lugar e cada lugar tem sua coisa. Ele se lembrou dos pronunciamentos hipnóticos dos Anjos do Tempo, *A ig-*

norância é uma verdadeira bênção, mas ele já não acreditava naquilo. A ignorância lhe causara muitos problemas. Se ele tivesse as informações corretas, jamais teria cometido tantos erros. Para começo de conversa, ele não teria empreendido aquela árdua jornada.

Por outro lado, ele nunca teria se tornado quem ele era.

Tudo tem seu motivo.

O vaporeiro fazia uma rota atrás da outra, dirigindo-se a diferentes cidades fronteiriças. Owen vivenciou mudanças de clima surpreendentes, viu animais e plantas estranhos, testemunhou costumes peculiares e comeu novas comidas. Embora aquilo fosse mais do que qualquer aventura que ele algum dia houvesse imaginado, agora tudo fazia parte de sua vida diária. A viagem era uma constante interrompida por eventuais chegadas.

Ele leu muitos dos livros da biblioteca do vaporeiro. Diversos dos volumes tinham símbolos no lugar das letras que eram diferentes de qualquer língua que ele conhecia, de modo que Owen os ignorava (ao menos até o dia em que ele aprendesse outras línguas escritas).

Em uma prateleira alta, Owen encontrou um livro esfarrapado e muito manuseado com uma lombada tão desgastada que ele não conseguia ler as letras. Ele pegou o livro e abriu para ver a folha de rosto. *Um Relato de Minhas Aventuras, Viagens e Descobertas em Albion, Atlantis e Além*. Ele ficou fascinado pelo tema, e espiou o nome do autor.

Hanneke Lakota.

Era o nome da mãe dele!

Em seus devaneios havia fantasiado por muitos anos que sua mãe estaria explorando o mundo, fingido que ela não havia morrido de febre, e sim escapado da enfadonha Barrel Arbor para conhecer países exóticos, culturas intrigantes e paisagens de tirar o fôlego. Mas, em seu coração, ele sempre soubera a dura realidade: ela estava enterrada no cemitério de Barrel Arbor, e o pai dele havia providenciado para ela uma sepultura tranquila em uma colina gramada nos limites da cidade. Embora se esforçasse ao máximo para esquecer, Owen lembrava da cena de sua mãe deitada com o cabelo emaranhado de suor, coberta por um lençol, e seu pai de joelhos ao lado da cama enquanto se faziam os arranjos para que o menino, Owen, ficasse com o vizinho...

Ele virou a página e leu o primeiro parágrafo do livro.

"O melhor lugar por onde começar uma aventura é uma vida quieta e perfeita... de alguém que percebe que aquilo não pode ser o suficiente. Para a maioria das pessoas, um vilarejo silencioso pode ser um ótimo lugar para viver, mas eu queria ver o mundo inteiro. E foi isso que fiz."

Ele ficou de olhos arregalados, e sua visão enturveceu por causa das lágrimas. Ele levou o livro até Pangloss, que estava na estação de comando checando os medidores de pressão do motor de fogo frio.

– Comodoro... esse livro.

O homem barbado olhou para ele e reconheceu o volume.

– Ah, sim, uma história marcante. Ela era uma exploradora e tanto. Renomada, influente... e não apenas em seu próprio mundo. Suas obras tiveram impactos em outros lugares, até mesmo aqui. São relatos que inspiram nossa imaginação.

– Esse é o nome da minha mãe!

– É mesmo? E no mundo dela – ele bateu com o dedo na capa desgastada do livro – ela saiu de casa para seguir sua imaginação. Neste mundo sua mãe ficou em um pequeno vilarejo, se casou e teve um filho. Agora é você quem está explorando... e enquanto isso, em outros mundos, certamente outros Owen Hardys nunca reuniram a coragem para cair na estrada.

Owen pegou o livro de volta e se sentou em um canto, matutando com as palavras, página após página, até chegar ao fim da história. Então ele começou a ler o livro desde o início outra vez.

Quando eles chegaram a Fidalinha, a cidade mineradora mais isolada em meio às montanhas, última fronteira antes de uma região erma e inexplorada, o vaporeiro pousou sobre os trilhos e seguiu até uma parada na austera estação. Em situações como aquela eles pernoitavam no local antes de voltar a Poseidon com um novo carregamento. Os trilhos acabavam ali, e a partir daquele ponto o vaporeiro só era capaz de viajar em seu modo aéreo, e por uma distância restrita. Para além de Fidalinha já não havia viagens e comércio, e ninguém demonstrava qualquer inclinação para ampliar a rota.

As falésias próximas abrigavam um veio rico de opalas vermelhas, fontes de energia de um tom cintilante de rubi que queimavam a altas temperaturas e tinham cheiro de ferro. Recentemente, uma conflagração trágica havia resultado na morte de dez mineiros, causando a interrupção dos trabalhos (e elevando o preço das opalas vermelhas em Atlantis). Agora, o trabalho havia recomeçado, e Fidalinha tinha um carregamento para vender ao Comodoro Pangloss em troca de suprimentos de grande necessidade.

Devido ao isolamento, as pessoas tinham de ser em grande parte autossuficientes. Eles encanavam a água dos córregos e usavam as próprias opalas vermelhas para gerar energia na cidade. Caçadores vasculhavam as montanhas e voltavam com muitas presas. Cada domicílio tinha no quintal um jardim de ervas e vegetais. As pessoas tinham dinheiro, mas poucas oportunidades para gastá-lo com conforto e bens desejados. Quando o vaporeiro encostou na estação para o descarregamento, os moradores do vilarejo recolheram todos os objetos que tivessem algum uso possível do vagão. Mas como sua cidade ficava no fim da rota, os caixotes já haviam sido recolhidos.

Owen comeu um jantar com sal demais ao lado de Pangloss na taverna; eles comeram um bife de antílope espesso e saboroso e provaram um licor destilado forte produzido no local que deixou Owen tonto após um único copo. Como já havia provado o licor antes, o Comodoro bebeu com parcimônia.

Em uma mesa próxima, três mineiros de opala estavam jogando um jogo de cartas e fichas. Eles cantavam em voz alta, o que atraiu o interesse de Owen. Era a mesma canção que Cabeza de Vaca havia cantado no beco em Poseidon.

Nos últimos tempos, Owen havia pensado muito nas Sete Cidades porque nas viagens de sua outra-mãe *ela* havia deparado com a metrópole reluzente de prédios de ouro, uma civilização enérgica. As pessoas de lá recepcionaram-na como uma embaixatriz, e organizaram apresentações incríveis e banquetes pródigos em sua honra. Ela havia visitado cada uma das Sete Cidades que estavam situadas em um grande planalto, e ficou lá por meses antes de continuar com suas viagens.

As lendas no livro de sua mãe verdadeira sempre o haviam fascinado, e agora as descrições daquele diário de viagem atiçaram seu desejo de ver ainda mais coisas.

Quando a canção terminou, ele perguntou de sua mesa:

– Você sabe onde fica Cíbola, as Sete Cidades? Você já esteve lá?

O homem apenas riu.

– Ninguém vai até lá. As Sete Cidades são um sonho que não pode ser encontrado por qualquer homem.

Owen inflou o peito.

– E se eu não for um homem qualquer?

Sua resposta gerou outra rodada de risadas estridentes, e o mineiro acrescentou:

– Não acredito em histórias impossíveis. O lugar não existe.

Pangloss lhe dirigiu um sorriso paternal.

– O rapaz andou lendo muito. Ele alimenta sua imaginação tanto quanto alimenta as grandes rodas da locomotiva.

Era visível que os moradores de Fidalinha conheciam Pangloss bem. Um dos homens brincou:

– Você e seus livros, Comodoro!

Owen sentia seus pensamentos rodopiando, talvez por causa da bebida surpreendentemente inebriante. Ele ergueu o queixo.

– Até em um lugar tão distante quanto Albion se ouve falar em Cíbola. Se há tantas histórias, as Sete Cidades devem existir – ou ao menos existiram.

– Ah, companheiro, elas estão lá – disse um dos mineiros –, perdidas no deserto de Redrock, para além das montanhas. As pessoas procuraram-na, mas ninguém jamais retornou.

– Talvez porque seja uma utopia e ninguém quer partir – disse Owen.

Aquecendo-se junto à fogueira, na qual havia uma labareda fulgurante de opala vermelha, um homem magro e esguio de barba rala pôs seu cachimbo de lado.

– Às vezes saio para caçar longe daqui, para oeste das minas, e vejo coisas lá, petróglifos, entalhes nas rochas, abóbadas e despachos que devem ter sido criados com uma alquimia poderosa. É um cenário que poderia deixar uma pessoa normal louca.

Owen respondeu ecoando sua frase anterior, mas sem a intenção de ser engraçado:

– E quem disse que sou uma pessoa *normal*?

O Comodoro Pangloss o pegou pelo braço.

– Você já bebeu o suficiente, Sr. Hardy, e também conversou bastante. Vamos ter uma boa noite de sono antes de pegarmos os trilhos no amanhecer.

Owen se deixou levar com passos alarmantemente tortos até a estalagem. Mas seu sono foi intranquilo.

Na manhã seguinte, o vaporeiro partiu de Fidalinha e, dia após dia, Owen continuou viajando pela rota que levava a Poseidon. Ele ficou cada vez mais vidrado na ideia de encontrar as Sete Cidades. Ele releu as aventuras de sua outra-mãe em meio às pessoas das lendárias cidades de ouro, sentiu o gosto das comidas que ela descrevia e ouviu as músicas que ela evocava com suas palavras. O anseio por ver aquilo tudo com os próprios olhos se tornou um pedaço de sua pele que era impossível de ser arrancado.

Durante a juventude em Barrel Arbor ele havia sonhado com Crown City e os Anjos do Tempo, Poseidon, Atlantis e as Sete Cidades de Ouro. As histórias haviam disparado sua imaginação. Mas no decorrer de suas aventuras, aqueles contos haviam sido maculados pela realidade. As imagens vibrantes nos cronótipos haviam levado sua mente jovem e otimista para viajar em terras imaginárias, mas a verdade que ele viu pessoalmente era muito diferente. Ele tinha começado a perder a esperança. Crown City não era o que ele esperava. E os Anjos, apesar de sua beleza e graciosidade sincronizadas, tinham sido uma decepção. Com ou sem o Anarquista, a cidade do Relojoeiro não era perfeita, e Owen achava que as alegrias e tristezas por que passara não eram tudo o que ele merecia. A trupe havia sido um ponto luminoso que se apagou e revelou-se uma decepção; o que ele julgava ser um amor verdadeiro acabou se revelando uma ilusão.

Sua série de sonhos partidos era como uma sequência de vaporeiros descarrilados espargidos em uma paisagem. Ao fugir de Crown City em estado de desgraça, ele havia redirecionado seus suspiros otimistas para a mítica Poseidon, que também era um tanto diferente do que ele imaginava e acabou por revelar-se uma decepção devastadora. Seu baú de ideias e esperanças estava quase vazio. Nenhuma das outras histórias estivera à altura de suas expectativas otimistas.

Mas seria possível que *todas* aquelas histórias fossem mentira? Ele se negava a acreditar nisso. Agora ele havia lido as descrições de sua outra-mãe. Sem dúvidas, ao menos uma daquelas belas lendas tinha de ter base real. Lá em Atlantis, sua vida já não fazia parte da intricada sociedade organizada do Relojoeiro, e ele tampouco estava preso a um caminho rígido, como os vaporeiros, indo apenas de um destino específico ao outro sucessivamente, sem jamais desviar-se dos eixos. Agora ele podia seguir seus sonhos. Ele podia ver com os próprios olhos.

Encontrar as Sete Cidades era sua última esperança de reavivar a capacidade de maravilhar-se que ele tinha quando criança. Cíbola precisava ser real. Enquanto o vaporeiro percorria suas rotas, Owen esquadrinhava a biblioteca do Comodoro atrás de quaisquer outros registros das

Sete Cidades, mas ele encontrou apenas informações passageiras e contraditórias. Pangloss testemunhou a transformação do fascínio de Owen em uma obsessão, e foi condescendente.

Três semanas mais tarde, depois que o vaporeiro havia visitado todos os seus destinos programados e retornado às montanhas para chegar à distante Fidalinha, Owen se sentia ansioso para voltar à taverna. Pensativo, mas determinado, ele falou com o Comodoro enquanto o vaporeiro encostava nos trilhos, aproximando-se da cidade mineradora.

– Senhor, eu gostei do tempo que passamos juntos mais do que posso expressar. Mas agora que estamos aqui eu... tem uma coisa que preciso fazer. Eu vou encontrar as Sete Cidades.

Pangloss passou a mão em sua barba indomável e respondeu com um gesto sério de concordância.

– Eu sabia que logo você tomaria essa decisão, Sr. Hardy. É impossível esconder a inquietação a bordo de um pequeno vagão de vaporeiro.

Owen engoliu em seco.

– Se eu encontrar as cidades, pode ser que eu nunca volte.

– Pode ser que você não as encontre e também não volte. Mas se voltar você sabe como me encontrar.

Os dois homens entraram na taverna. Muito pouco havia mudado: os mesmos mineiros estavam jogando o mesmo jogo e cantando outra vez sua canção sobre as Sete Cidades. O caçador esguio continuava sentado ao lado da chama de opala vermelha, e Owen se aproximou dele.

– Eu vou para as Sete Cidades de Ouro. Que dicas você pode me dar? Por favor, me conte o que você viu.

Os homens jogando carta soltaram risinhos. O dono da taverna zombou amigavelmente:

– Já ouvi essa antes.

Mas o Comodoro Pangloss assentiu, e os homens na taverna perceberam que Owen estava falando sério.

– Vá para oeste e continue andando – disse o caçador. – Depois das montanhas você entrará no deserto de Redrock, e seus pés o levarão ao lugar onde poucas pessoas já estiveram. Cânions e bacias, planaltos elevadíssimos que surgem em meio ao deserto feito cepos de árvores. Dizem que o paraíso está lá em cima, se você conseguir subir até lá.

– Quem diz isso? – perguntou Owen.

– *Eles* dizem.

O caçador deu outra longa baforada em seu cachimbo.

– De acordo com a lenda, há um lago entre o sol e a lua, um corpo d'água branco e cintilante logo abaixo de um planalto. Cíbola fica no topo daquele planalto. As sete cidades.

Ele deu mais uma baforada no cachimbo.

– Mas eu não iria até lá.

O Comodoro Pangloss tinha uma expressão de tristeza profunda no rosto que nem mesmo sua enorme barba era capaz de esconder.

– Não vou tentar dissuadi-lo, Sr. Hardy.

Ele deu um longo suspiro.

– Devo alguns pagamentos a você. Vou ajudá-lo a comprar o equipamento necessário.

Owen se sentia febril com o desejo de ver e explorar a região, mas ele não havia pensado nos aspectos práticos. Que suprimentos e equipamentos uma pessoa precisaria para uma expedição como aquela? Ele poderia ter partido para as regiões ermas completamente despreparado. Teria sido pior que tentar viver nas ruas de Poseidon, e ele não teria Guerrero para ajudá-lo. Com um calafrio, ele imaginou seu cadáver dissecado sendo limpado por abutres em um monte de areia esquecido sem ninguém para sequer ficar ao seu lado e dizer como em uma bênção que "tudo tem seu motivo".

No dia seguinte, Pangloss não partiu no horário marcado. Ele passou algumas horas com Owen, auxiliando-o a comprar comida enlatada, recipientes de água, cordas, uma faca e pacotes de pó inflamável.

– Esses suprimentos não cobrem nem metade do que devo a você, Sr. Hardy. Você quer receber o restante agora mesmo em moedas?

Owen havia vivido com Pangloss por meses, e ele sentia que *ele* devia ao Comodoro por tudo o que o homem fizera.

– Pode ficar com o dinheiro dos pagamentos, senhor. Você já fez muito por mim.

– E você também fez muito por mim, meu jovem. Você sabe quanto tempo faz desde que tive um amigo tão otimista? Alguém capaz de ver o colorido dos sonhos?

Owen corou e sentiu um caroço na garganta.

– Sempre achei que isso fosse um defeito.

– Não para todos. Vou guardar os seus pagamentos em forma de crédito, pois acredito que você vá retornar.

– Sim senhor.

Owen pensou na longa jornada que estava prestes a empreender, nas muitas noites que passaria sozinho no deserto.

– Quero pedir um favor... Você poderia me emprestar o livro – aquele que minha mãe escreveu?

– Ela não era sua mãe de verdade, Sr. Hardy.

– Mas poderia ter sido.

Ele sorriu.

– Então o livro é seu.

Depois que fizeram todos os preparativos necessários e estavam inventando desculpas para não se separar, os dois tiveram conversas desajeitadas ao lado do vaporeiro. Owen pôs o relato de viagem de Hanneke Lakota em sua mochila, arrastou os pés no chão e se preparou para partir.

Com um dedo erguido, o Comodoro entrou na locomotiva e voltou com um pequeno aparelho na mão semelhante ao que havia na cabine de comando.

– Tenho outro de reserva – ele disse. – Leve essa bússola da linha dos sonhos. Ela dirá onde você está e vai ajudá-lo a seguir as linhas longitudinais do mundo.

Ele apontou para um visor de satélite acoplado às engrenagens e para a agulha magnética oscilante da bússola principal.

– E esse segundo mostrador mostra onde você *deveria* estar. Desde que você saiba como programá-lo.

Lágrimas saltaram dos olhos de Owen ao aceitar a bússola da linha dos sonhos. Ele abraçou Pangloss e agradeceu por tudo, prometendo voltar são e salvo. Algum dia. Até os olhos marrons do Comodoro ficaram úmidos.

– No começo achei que você era sonhador demais, Sr. Hardy, mas comecei a apreciar a maneira como você pensa grande.

Depois de tudo por que havia passado, Owen ficou impressionado por ainda ter algo de sonhador dentro de si. Pangloss lhe havia dado um trabalho, amizade, uma biblioteca de sabedoria e um lugar para se recuperar. E agora Owen poderia curar seu coração encontrando as Sete Cidades.

O jovem agradeceu Pangloss mais uma vez e, quando o Comodoro subiu a bordo para despejar carvão vermelho na grande caldeira, seguiu na direção contrária, deixando Fidalinha para trás.

Finalmente em meu caminho. Ele adentrou a vastidão erma e selvagem das montanhas.

CAPÍTULO 22

Seven Cities of Gold
Glowing in my dreams, like hallucinations,
Glitter in the sun like a revelation
[Sete Cidades de Ouro
Brilhando em meus sonhos, feito alucinação,
Reluzem ao sol como uma revelação]

Um homem poderia até mesmo esquecer do seu passado em uma região como aquela – e era exatamente isso que Owen queria. Ao menos partes de seu passado. Dirigindo-se para o oeste e deixando as montanhas para trás, ele seguiu seus sonhos e correu de seus pesadelos. Ele escolheu seu novo caminho, consultando a bússola da linha dos sonhos de vez em quando.

Durante sua vida tranquila em Albion ele nunca havia cogitado que pudessem existir lugares sem estradas ou trilhos de linhas vapóreas, nem que alguém poderia querer ir lá. O Relojoeiro impunha a todos uma rede de proteção – ou talvez apenas uma *rede* – que separava a civilização do ambiente. Agora Owen estava percorrendo colinas arborizadas, abrindo caminho em meio às moitas para chegar ao topo de um espinhaço sem nenhum motivo além de ter vontade de fazer aquilo, e a vista compensou todo o esforço. Parado no limiar da cadeia de montanhas, ele olhou para baixo em direção ao oeste, vendo a face mais seca daquela elevação e os contrafortes cada vez menores que se esvaíam para dar lugar a um deserto.

O caçador na taverna o havia instruído para que soubesse quais frutas, cogumelos, folhas e raízes comer. E ele alertou Owen – com muita sabedoria, pensando agora – para que se alimentasse do que a terra oferecia enquanto estivesse nos bosques das colinas, economizando a comida enlatada para o austero deserto.

Ainda que estivesse sozinho e em lugares inexplorados, dependendo apenas de si mesmo e sem o Relojoeiro, a trupe ou um piloto de dirigível para ajudá-lo, Owen se sentia rejuvenescido. Ele dormia bastante bem em meio aos arbustos macios, sob o abrigo confortável dos galhos. Era melhor do que um beco frio e úmido em Poseidon.

A vegetação se tornou mais esparsa, com predominância de mata arbustiva e algarobeiras, e as árvores escassearam enquanto as rochas se tornaram mais abundantes. O céu azul e sem nuvens parecia de um azul mais infinito. Enquanto caminhava pelo deserto Redrock, ele percebeu que a paisagem se tornava mais limpa. Ele tinha mais tempo para pensar do que em qualquer momento de sua vida, mas na maior parte do tempo, como se ainda estivesse seguindo o conselho de Francesca, ele não pensava em nada. O total silêncio fazia com que se perguntasse se havia ensurdecido, até que era interrompido pelo crocito de um corvo. Ele não tinha nenhum relógio, nenhum cronograma e nenhum plano. Sua experiência do tempo era marcada apenas pelo nascer e pôr do sol, não por um ponteiro das horas indicando um número arbitrário em um relógio. Ele programou sua bússola da linha dos sonhos, marcando uma rota que levava de volta a Fidalinha, caso algum dia pretendesse retornar. O segundo ponteiro da bússola, que indicava onde ele *deveria* estar, oscilava em direções aleatórias.

Owen escolheu um caminho que levava até algumas interessantes formações rochosas e seguiu o brilho dourado que via todas as tardes ao pôr do sol. Cíbola estava lá. Em algum lugar. Ele deixava pegadas onde nunca antes houve pegadas.

No alto das paredes de um cânion escarpado e inacessível, havia figuras exóticas e pictogramas deixados por uma civilização há muito desaparecida. Ele espichou o pescoço para olhar as mensagens, imaginando se elas haviam sido escritas para ele. A língua era tão incompreensível quanto os símbolos alquímicos que ele vira nos livros de referência de Tomio.

Owen se perguntou se os habitantes das Sete Cidades realmente haviam desaparecido, se eles haviam saltado para algum mundo adjacente, como havia sugerido a dona da livraria... ou se eles simplesmente haviam decidido se esconder. Mas ele havia lido as histórias de sua outra-mãe, e sabia o que havia lá. Ele imaginou que as pessoas de Cíbola haviam constituído seu próprio paraíso longe das minas e das montanhas, longe de Poseidon, de Albion e do Relojoeiro. Uma sociedade perfeita onde pessoas felizes faziam o que queriam e se sentiam realizadas, sem se importar se o resto do mundo havia esquecido delas. Se um dia ele encontrasse o planalto elevado das Sete Cidades, ele teria de convencer as pessoas de que era um acréscimo digno à sua utopia. Ele poderia diverti-las com malabares, ou até mesmo cuidar de seus pomares de macieiras, caso tivessem algum.

Ele deparou com arcos majestosos que eram como janelas para um novo mundo. Obeliscos grumosos e macumbas lembraram-no de cogumelos distorcidos ou formas lúdicas, como um troll agachado. Ele lembrou de quando olhava para as nuvens e apontava as formas para Lavinia. Sem mais ninguém por perto, agora todas as formas imaginárias eram só dele.

Ele prosseguiu pelas terras ermas e irregulares, e seus pés ficaram doloridos de tanto caminhar. Estradas e rotas movimentadas tinham suas vantagens! Ele teve de fazer seu caminho em meio a pedras que haviam desmoronado das montanhas durante inundações repentinas. Ele mourejou em trechos de areia instável, escalou riachos de pedras negras e afiadas e seguiu caminhos de escoamento. O deserto Redrock se mostrou um tanto carrancudo, uma eternidade de cactos espinhentos e árvores de Josué. As únicas criaturas que encontrou foram lagartos, escorpiões e cascavéis. Mas ele continuou caminhando, certo de que acabaria deparando com as Sete Cidades.

As noites se tornaram mais frias e passaram a durar mais do que ele lembrava que uma noite deveria durar. Após o pôr do sol, todo o calor desaparecia da atmosfera, deixando o chão quebradiço e gelado. Ele sempre imaginara o deserto como um lugar quente e seco, mas Pangloss havia insistido para que ele carregasse um cobertor em sua bagagem. Owen tremia e se enrolava nele.

Ele reunia pedaços de madeira de algarobeiras, e usava uma pitada de pó exotérmico que tinha na mochila para provocar uma ação alquímica, que gerava uma chama quente e incendiava a madeira. Ele se amontoava perto da fogueira para tentar ler em sua luz, virando as páginas que contavam a vida de sua outra-mãe. Ela vivera aventuras maravilhosas, mas Owen se perguntava se ela sempre havia visto as coisas dessa maneira.

A fogueira o esquentava por um tempo, mas a madeira seca e oca queimava tão rápido que o fogo se reduzia a brasas antes que ele pudesse reunir mais galhos. Todas as manhãs ele acordava com um frio de doer. Ele bebeu a maior parte de sua água antes de perceber que não havia visto fontes de água fresca em algum tempo. Se ele encontrasse o lago branco e resplandecente que estava em algum lugar por ali, entre o sol e a lua, e o grande planalto que abrigava as Sete Cidades, ele teria tudo o que desejasse. Mas por enquanto, ao andar pelo cânion a cada manhã, encontrava fendas onde a água havia se infiltrado, protegidas por uma película de gelo. Ele tentava aproveitar para encher seu cantil, mas na maioria das tentativas ele obtinha lama arenosa em vez de água fresca.

À distância, através do ar ondulante que se erguia do solo, ele viu estruturas douradas que se pareciam com torres de relógio cintilantes de fazer inveja para qualquer obra arquitetônica que ele vira em Crown City. A miragem reluzia ao sol como uma revelação, mas conforme ele continuava a andar ela parecia tão distante quanto as constelações que Owen observava todas as noites. Quando ele finalmente chegou, as torres de relógio douradas eram apenas formações rochosas desgastadas e inabitadas.

A água dele terminou, e a comida se foi no dia seguinte. Quando caiu de joelhos, rochas machucaram sua pele. Ele cavou em meio aos pedregulhos do chão, na esperança de encontrar algo úmido, mas por mais que cavasse só encontrava areia e pedras.

Ele continuou se arrastando, só que mal conseguia ver. Encarou a possibilidade bastante factível de que poderia morrer naquele lugar. Pensando nos livros da biblioteca do Comodoro, reviveu suas aventuras e escreveu sua história na cabeça. No entanto, não tinha amigos ou um público, e ninguém jamais leria o relato de sua vida...

Imaginando que seus amigos da trupe, inclusive Francesca, estavam ali, juntou pedras do chão e fez malabarismos, mas se atrapalhou e deixou que as pedras caíssem. Quando se virou para ver se Francesca estava aplaudindo ou zombando dele, sua imagem havia se desvanecido.

Finalmente ele viu à sua frente um planalto imponente que parecia se erguer de um grande lago branco que era como uma planície de diamantes reluzentes. Pelo brilho e pela maneira como cintilava em resposta à luz do dia, Owen sabia que aquele deveria ser o lago entre o sol e a lua. Recusando-se a acreditar que se tratava de uma miragem, correu até lá, mesmo com os pés sangrando e a garganta ressecada. Por fim, quando chegou à margem esfacelada daquela nascente abençoada, ele caiu de joelhos e mergulhou suas mãos em... nada mais do que o sal amargo deixado por um mar pré-histórico. Então ele chorou, e suas lágrimas de sal eram igualmente amargas.

Do outro lado do lago, contudo, as escarpas íngremes do planalto isolado se erguiam como uma ilha no céu. Quando a luz do sol começou a se esconder, ele vislumbrou reflexos dourados lá em cima, formas retangulares e esculturas que não eram naturais. Cíbola poderia estar lá em cima... se ao menos ele conseguisse escalar uma altura daquelas. Com os dedos sangrando, conseguiu ajustar a bússola do segundo mostrador de sua bússola da linha dos sonhos, já que agora tinha um ponto de referência. Ele se arrastou pela salina. Poças eventuais se formavam entre o pó cristalino e, em um ato desesperado, juntou as mãos em uma concha e bebeu um pouco da água, mas ela era fétida e de sabor anormal, pois estava saturada de químicos que deram a Owen ânsia de vômito. Seus lábios queimavam, sua pele estava esfolada e seus olhos estavam tão secos que era como se estivesse olhando sempre diretamente para o sol.

Ele chegou à base do planalto e seguiu pelas rochas caídas até descobrir uma trilha de verdade, um caminho íngreme que aproveitava uma fissura na escarpa e saliências estreitas que se conectavam. Ele subiu pelo caminho. Quando encontrou marcas de pés e mãos na rocha ao seu lado, soube que estava no lugar certo. Ele era capaz de fazer malabares e havia caminhado sobre uma corda bamba. Conseguiria escalar um paredão rochoso, mesmo sem a ajuda de Francesca. As Sete Cidades de Ouro estavam lá em cima. Aquilo deveria ser uma espécie de teste, para provar às pessoas de lá que ele merecia estar entre elas. A sua outra-mãe também havia passado por aquilo...

Owen se impulsionou para cima usando as mãos, os pés, os cotovelos e os joelhos. Ele chegou a um ponto sem saída, e então encontrou uma pequena fenda pela qual sua mão mal passava. Agarrou a fissura, pensando nos parapeitos e na fachada do prédio ministerial por onde havia escapado da multidão em Chronos Square. O jovem era capaz de fazer aquilo. Pressionou o corpo fatigado contra o penhasco e seguiu até a fenda seguinte. Ziguezagueou de uma fissura a outra, sempre escalando, sem pensar em como desceria novamente. Depois que atingisse Cíbola no topo daquele planalto, as pessoas o receberiam de braços abertos. Depois dos percalços que enfrentara para chegar até lá, aquele era o seu lugar.

Quando finalmente atingiu o topo do planalto e encontrou um vasto gramado marrom e quebradiço exposto ao céu, ele viu uma cidade: complexos de construções bronzeadas de adobe, algumas delas com dois andares e janelas abertas como as cavidades oculares de uma caveira. A cidade lendária não era muito maior do que Barrel Arbor, quieta e abandonada. Não viu nenhuma pessoa.

Ele cambaleou em direção ao tesouro que tanto almejara, incrédulo, e mesmo delirante. Cíbola havia sido extinta. A verdade havia sido esquecida, deixando para trás apenas alguns traços de memória e histórias exageradas. Sabe-se lá por qual razão as pessoas tinham morrido ou partido... talvez por causa do caos e da anarquia, ou talvez porque as regras ali eram rígidas demais.

Aquela era uma cidade para fantasmas; os edifícios agora serviam como palácios para roedores. Nada de ouro, apenas ouro de tolo. É hora de você deixar essas besteiras para trás. Ele não ouviu conversas e risadas, apenas o vento soprando pelas portas abertas. Não havia nada além disso.

CAPÍTULO 23

All the journeys
Of this great adventure
It didn't always feel that way
[Todas as jornadas
Dessa grande aventura
Nem sempre pareceram ser isso]

Sentado sozinho na cidade abandonada, Owen não conseguia mensurar a diferença entre sua imaginação e a realidade – sequer conseguia tentar. Faminto, perdido e com sede, ele se arrastou até o edifício mais próximo, apoiou-se contra a parede e chorou até pegar no sono. Todas as suas jornadas, aventuras e seus sonhos o haviam levado de um lugar ao outro, mas as histórias o traíram e as pessoas o decepcionaram. Talvez o Relojoeiro estivesse tentando lhe ensinar uma lição, demonstrando que ele deveria ter ficado exatamente onde estava e cumprido seu papel de pequena engrenagem em uma máquina imensa. Cada coisa tinha o seu lugar e cada lugar tinha a sua coisa.

E agora ele estava em meio à imensidão erma de pedras vermelhas, em uma cidade assombrada habitada por sonhos irreais...

Quando Owen acordou, com frio e inesperadamente revigorado, descobriu que uma chama de otimismo havia sobrevivido mesmo àquela decepção. Ele respirou fundo, sentiu o peso reconfortante das paredes ao seu redor e lembrou a si mesmo que, apesar de tudo, estava *lá*. Decidiu explorar.

As estruturas bem construídas de madeira e adobe permaneciam sólidas, embora diversos telhados tivessem cedido ao peso do tempo e da gravidade. Embora Cíbola não fosse um paraíso lotado de pessoas acolhedoras, embora os edifícios não fossem construídos com metais preciosos e gemas cintilantes, ele ainda pôde sentir algo de majestoso no local.

A cidade vazia continha um tipo diferente de tesouro, que ele precisava muito mais do que de ouro. Em um pátio que permanecera intocado por diversos anos, o rapaz encontrou uma cisterna cheia de água da chuva. Owen bebeu o máximo que pôde e se sentiu muito mais forte.

Ao vasculhar os edifícios abandonados o jovem não localizou nenhum estoque de ouro secreto, nenhum tesouro mágico e nenhum indício de por que aquelas pessoas haviam partido. Ele se sentiu tolo por seu desejo de continuar indo atrás de seus sonhos bobos.

Os armazéns de tijolos de barro estavam quase totalmente vazios, mas ele encontrou um que permanecera fechado e estava cheio de grãos de milho seco; era difícil de mastigar, mas mesmo assim tinha muitos nutrientes. Mais tarde ele poderia cozinhá-los para comer melhor. Nos lotes entre os edifícios, a gente desaparecida de Cíbola havia plantado jardins e hortas que há muito não eram semeados, mas Owen encontrou boas porções de cebolas, cenouras e até a parte superior seca e esmorecida de um girassol. Depois de dias cambaleando pelo deserto, aquilo era um prêmio fabuloso.

Ele poderia viver ali por um tempo.

Durante os dias seguintes, Owen recuperou suas forças sozinho em Cíbola. Do planalto elevado, conseguia olhar o deserto Redrock e sua vastidão de tirar o fôlego. Quando o sol nascia a cada manhã, o rapaz via a linha arroxeada e nebulosa de montanhas e ficava impressionado com o quão longe chegara em sua peregrinação – e o quão longe teria de viajar caso decidisse voltar à civilização.

A solidão o abraçou e tomou conta de seu ser. Até onde sabia, ele tinha todo o planalto para si. Ele era o Relojoeiro daquela ilha no céu, e aquilo era mais importante para ele do que toda Albion. Ele não pensava em nada. Mais tarde, conforme os dias passaram, ele pensou em Francesca o suficiente para que as lembranças deixassem de doer. Pouco a pouco, chegou à conclusão de que havia visto ela através do véu de suas próprias ilusões. Ele havia sido tão tolo quanto ela fora danosa para os sentimentos dele. Às vezes ele até desejava ainda ter aquela rosa seca e velha. Já havia cometido o mesmo erro antes. Mesmo com todo esse tempo para refletir, mal conseguia se lembrar de Lavinia, e, ainda assim, esteve convencido por um tempo de que ela era seu verdadeiro amor. Ele nunca mais queria se decepcionar daquela maneira. Esperava ter aprendido o suficiente com seus erros juvenis. Mas, havendo oportunidade, será que não se apaixonaria com ilusões outra vez? Ele era Owen Hardy de Barrel Arbor; ele era a pessoa que era.

Simplesmente porque sentiu vontade, Owen encontrou pedras lisas com o tamanho ideal e passou horas jogando malabares. Maçãs seriam melhores, mas ele deu um jeito. Mantendo a mente vazia, ele andou de um edifício ao outro e passou pela borda do planalto enquanto jogava as pedras para cima, lançando-as no ar em diversos desenhos, como os planetas artificiais no Planetário de Crown City.

Para si mesmo e mais ninguém, ele subiu nos telhados de adobe e caminhou precariamente sobre os finos paus de sustentação, às vezes fazendo malabarismo e às vezes abrindo os braços para garantir o equilíbrio, como o mais habilidoso acrobata sobre a corda bamba. Ele leu o diário de sua outra-mãe tantas vezes que memorizou trechos inteiros. Aquela cidade vazia não tinha nada a ver com as Sete Cidades de Ouro que ela havia explorado. Mas ele ainda tinha outras seis cidades para encontrar...

No fim, Owen juntou determinação o suficiente para atravessar de novo o terreno aberto e desconhecido. Ele seguiu uma trilha onde vegetação havia crescido, que talvez um dia tivesse sido uma estrada movimentada, conectando a antiga civilização cintilante. Ela o conduziu pela beirada do planalto, e então surgiu outra estrada que seguia em meio a alguns tufos de grama... até outra cidade vazia e empoeirada. Ele encontrou flocos de tinta amarela em uma parede de adobe, os quais sugeriam que possivelmente todo o prédio tivesse aquela cor dourada antes, mas que agora já havia desaparecido.

Ainda assim, ele manteve as esperanças. Ele caminhou por semanas, viajando vários quilômetros pelos caminhos abandonados, seguindo as pegadas de uma civilização perdida. Ele descobriu mais duas cidades lendárias – na verdade, pouco mais do que vilarejos – no topo fértil do planalto. Cada um tinha alguns suprimentos, grãos que deveriam ter sido semeados há muito tempo, cereais estocados. Ele perdeu a noção do tempo, não apenas das horas, mas dos dias e das semanas, talvez até dos meses.

Pela estação, ele sabia que em Barrel Arbor seu pai deveria estar se preparando para o inverno, produzindo o resto da sidra e estocando maçãs no porão. Se estivesse em casa, Owen teria ajudado seu pai a podar os galhos das árvores e juntar as folhas douradas do pomar com um ancinho. Embora não percebesse quando estava lá, Owen gostava daquele trabalho... e também de plantar novas árvores na primavera, cuidar das árvores durante todo o verão e saborear uma torta de maçã recém-assada.

A melhor maneira de apreciar alguma coisa, ele percebeu, é ficar longe dela por bastante tempo.

Em uma noite caiu neve sobre o planalto, e o inverno se instalou. As noites eram frias e cristalinas no ar seco do deserto. No entanto, quando o sol vinha e pintava o céu de um azul profundo e distante, a neve derretia. Owen tinha tudo o que precisava, até mesmo para o verão. Suas roupas de viagem estavam gastas, mas eram de qualidade. Havia todas aquelas casas vazias para abrigá-lo, e ele tinha madeira para fazer fogo e comida e água suficientes para viver.

Ele gostava da companhia do silêncio e da contemplação em um só lugar. Sentindo a solidão como uma dor que cura, ele se permitiu sentir saudades do Comodoro Pangloss e da trupe, e até mesmo do tempo que passou com Guerrero. E Francesca.

Logo uma inquietação cresceu dentro dele, uma vontade de explorar e de lembrar de seus sonhos originais. Em Barrel Arbor ele queria ver o mundo inteiro, e ainda havia muito para ser visto. Então ele tinha de partir outra vez.

Um complexo de edifícios, e outro, e mais outro, todos eles abandonados, quase esquecidos... mas, ao ver aquelas cidades, ele as trazia de volta à existência, mantendo viva sua memória e tornando-as reais outra vez.

Cinco cidades encontradas. E então seis. Cada descoberta era como apagar uma vela, e ele sabia em seu íntimo que não havia nenhuma utopia mágica naquele extenso planalto, como aquela descrita por sua outra-mãe em seu diário de viagem, mas ele continuou procurando mesmo assim. Seu otimismo mantinha a busca viva – e a busca mantinha *ele* vivo. No ápice do inverno, finalmente encontrou a última das sete cidades. Estava na borda mais ao norte do grande planalto, um longo ponto que dava para um cânion profundo e um belo rio verde a distância. Os edifícios de adobe dali estavam limpos e intactos, como se alguém os tivesse varrido, pintado com tinta fresca e fechado todas as portas e janelas antes de sumir da história.

Dois monólitos altos de pedra guardavam a cidade, sentinelas estreitas erigidas por um motivo desconhecido. Com o sol se pondo e o frio se intensificando no ar, Owen chegou à última cidade. Ele se sentiu triste por encontrá-la, como se a caminhada e a busca tivessem gasto não apenas as solas de suas botas, mas também suas esperanças e seus sonhos. Não havia ouro por lá, tampouco pessoas. Apenas edifícios vazios e distantes de tudo.

Ao se esconder no horizonte, o sol deslizou entre as torres de pedra sabiamente construídas e posicionadas. Espremido ali, em foco como se os pilares fossem um funil, a luz rósea do pôr do sol emanava do espaço entre as rochas e recaía sobre as antigas estruturas. As paredes empoeiradas dos edifícios de adobe foram transmutadas em ouro. Uma luz incrível criou poças resplandecentes no chão, e se espalhou como o grande pincel de um mago para envernizar todos os edifícios com um brilho lindo e amarelo, mais puro do que a reserva particular de mel do Relojoeiro. A cidade parecia vibrar e tremeluzir.

Owen não conseguia respirar; era a coisa mais incrível que ele já tinha visto. Ele ficou apenas observando, como se tivesse sido transportado para um cofre de tesouros. Diante de um cenário daqueles, até os Anjos do Tempo teriam ficado maravilhados.

O tempo não passava para ele. Aquela obra-prima astronômica durou uma eternidade e acabou em um instante. O sol que afundava no horizonte saiu do alinhamento e o ouro desapareceu, deixando a cidade vazia com paredes normais e cor de bronze outra vez.

Owen se sentia como se tivesse recebido um presente de valor inestimável, uma recompensa etérea após tantos contratempos. Ele percebeu que se não tivesse visto tantas outras coisas e reunido tanto material para comparação, jamais teria apreciado a majestade daquilo em toda sua dimensão.

Após meses de solidão, Owen também havia aprendido a medir outras coisas. Os tesouros dessa cidade de ouro seriam muito mais valiosos se ele ao menos tivesse alguém com quem compartilhá-los.

Foi quando ele finalmente soube que precisava se juntar com o resto do mundo outra vez.

Nos dias seguintes ele percorreu o caminho de volta até a primeira cidade vazia e recarregou suas mochilas com toda água e comida que conseguia carregar, marcou a rota até Fidalinha em sua bússola da linha do tempo e partiu para as montanhas enevoadas.

Ele havia aprendido muito com sua primeira viagem pelo deserto, e dessa vez ele consumiu seus recursos com mais sapiência. Ele descansava na sombra dos cânions durante o calor do dia e não perdia nenhuma oportunidade de repor sua água.

E ele sobreviveu, mais forte, sábio, confiante e resiliente – mas na essência ele ainda era Owen Hardy, um sonhador otimista de Barrel Arbor.

Quando chegou à cidade mineradora de Fidalinha, ele entrou em uma taverna e apareceu diante das pessoas de lá, causando surpresa e descrença. O caçador esguio que lhe havia dado conselhos viu a pele escurecida de Owen e seu corpo mais magro e forte, e então olhou em seus olhos.

– Ninguém nunca volta de lá – ele disse.

– Eu voltei – respondeu Owen.

Os músculos de sua bochecha e de sua boca estavam estranhos, e ele percebeu que estava sorrindo.

Ele foi tratado como um herói. Os mineiros e o estalajadeiro compraram comida para ele e ofereceram copos do licor oleoso e inebriante, embora ele tenha se contentado a beber grandes quantidades de água. Ele dormiu em uma cama macia e, para sua surpresa, não achou ela mais confortável que o chão duro sob o céu estrelado do deserto. Eles pediram histórias, e ele contou parte de sua jornada, explicando as coisas que havia visto e descrevendo a região erma por onde havia andado. Mas ele não contou tudo.

O que eles mais queriam saber era se ele havia encontrado as Sete Cidades de Ouro. No entanto, Owen havia refletido muito sobre isso em sua árdua caminhada de volta. Ele se lembrou das lindas canções que eles haviam cantado sobre a lenda, os tesouros, o ouro e a glória. Por muito tempo, o que o mantivera firme foram seus belos sonhos inspirados no livro que sua mãe lhe havia mostrado e pelos relatos alternativos que sua outra-mãe havia escrito sobre as viagens dela. Sem aquelas histórias para atiçar sua imaginação, será que ele teria feito... alguma coisa?

Ele havia ido até lá pessoalmente e encontrado suas respostas. Ele havia alcançado o lago entre o sol e a lua, havia escalado o grande planalto e descoberto a verdade. Com uma única explicação, Owen poderia apagar aquelas lendas maravilhosas e transformá-las em poeira. Ele seria um matador de sonhos.

Sim, ele tivera uma grande decepção ao encontrar apenas cabanas de adobe em vez de edifícios de ouro, mas ele também lembrava como aqueles sonhos haviam sido poderosos. Eles tinham dado a ele um sentimento de curiosidade. As Sete Cidades existiam, mas apenas para aqueles capazes de vê-las – e elas não eram o que ninguém esperava. O tesouro era a *esperança* de encontrá-las, e não as cidades em si – uma esperança pelo que restava para ser visto.

Talvez em outro dos diversos mundos possíveis os edifícios realmente fossem feitos de ouro, e não de barro. Como ele poderia ter certeza? Sua outra-mãe certamente os havia encontrado. Sem vontade de carregar nos ombros o peso de esmagar a imaginação de todos os outros, ele respondeu apenas:

– O Deserto Redrock é imenso, e explorei muitos lugares maravilhosos, mas nunca encontrei a Cíbola da lenda.

Ele abriu um sorriso misterioso.

– As Sete Cidades ainda devem estar lá em algum canto.

Dois dias depois, o vaporeiro de carga do Comodoro chegou naquela parada regular de sua rota para entregar suprimentos e recolher novos carregamentos de opala vermelha. Quando Pangloss viu Owen se aproximando de sua locomotiva com um grande sorriso, sua boca despencou e sua barba volumosa se eriçou como o pelo de um gato que se sente ameaçado. Ele foi correndo acolher o jovem com um abraço entusiástico.

– Sr. Hardy, você voltou! Você sobreviveu.

Owen riu.

– Isso aí até eu adivinhava.

Pangloss coçou seu escalpo negro, tentando se recuperar do choque.

– Você se juntaria a mim outra vez a bordo do vaporeiro? Eu não sabia o quanto gostava de sua ajuda.

Ele envolveu o ombro de Owen com um braço musculoso e apertou ele com tanta força que Owen achou que seus ossos iriam quebrar.

– Você esteve fora por tanto tempo que eu já estava começando a ver o mundo com olhos estafados outra vez.

Owen riu.

– Não vai dar, Comodoro. Vou voar com você por um tempo, mas depois que voltarmos para Poseidon acho que vou para outro lugar, trabalhar a bordo de um vapor de carga por uns tempos e ver outros continentes... talvez até voltarei para Albion.

Pangloss riu.

– Você mudou! Achei que você nunca voltaria para o seu vilarejo calmo e desinteressante.

– Eu não disse que estou indo para lá.

Ele pensou na trupe viajando pelo interior. Talvez ele fosse corajoso o suficiente para ir até lá.

– Eu ainda não decidi.

No dia seguinte, enquanto o vaporeiro partia mais uma vez, Pangloss deixou que ele alimentasse a caldeira alquímica como nos velhos tempos. Owen assumiu os controles e conduziu o dirigível, acelerando quando eles deixavam os trilhos e se erguiam no ar. Tocando a sineta do veículo, ele guiou o trem de carga para leste, o lado contrário às montanhas, destinando-se à corrompida e heterogênea Poseidon.

Dessa vez, Owen não temia nada do que havia na cidade. Com o Comodoro Pangloss ao seu lado ele era alguém respeitável. Depois de descarregar opalas vermelhas, calcedônias, aventurinas, cinábrios e sardélio, o Comodoro insistiu em pagar-lhe os salários atrasados (muito mais do que Owen esperava).

– Posso ajudá-lo a conseguir um trabalho a bordo do vapor – disse Pangloss.

Todos os capitães de vapores conheciam Pangloss, e o Comodoro fez uma recomendação. Owen ficou feliz ao saber que o próximo navio que sairia do porto era o mesmo que ele havia pegado para chegar em Atlantis, com o Capitão Lochs no comando. O capitão do vapor nunca havia questionado as afirmações desesperadas de Owen, e jamais sonhara que o jovem estava escapando para não ser preso pelos Reguladores.

Lochs apertou a mão de Owen formalmente e viu como o jovem havia mudado.

– Então sua tarefa especial foi concluída, jovem?

– Ainda não – ele respondeu ao embarcar no navio –, mas estou pronto para seguir adiante.

– Ficarei contente por ter você a bordo. Você fez um bom trabalho na última vez – disse o capitão. – Contanto que você não fique marejado.

Owen pegou as moedas que havia recebido de Pangloss e entregou-as todas ao Capitão Lochs, que ficou bastante surpreso.

– Isso é para pagar pelo dinheiro que você me deu quando cheguei em Poseidon... e para pagar minha primeira viagem. Eu...

Ele parou por um instante, e então se obrigou a confessar.

– Eu não estava realmente em uma missão para o Relojoeiro.

Lochs arqueou suas sobrancelhas cinzas.

– Ah é? E como é que você pode ter tanta certeza?

Owen não sabia como responder.

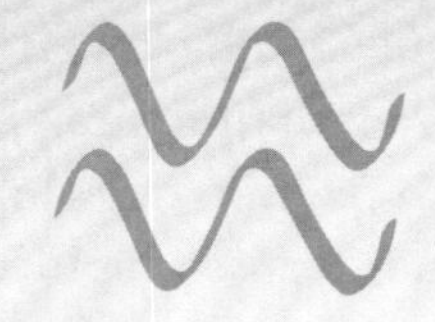

CAPÍTULO 24

All I know is that sometimes you have to be wary
Of a miracle too good to be true
[Tudo o que sei é que às vezes você deve ser cauteloso
Frente a milagres bons demais para serem verdade]

Ou o mar estava mais calmo, ou Owen estava mais calmo, estável e instruído. Dessa vez a travessia a bordo do navio foi menos extenuante que aquela primeira e terrível experiência. Owen não estava mais fugindo ou se escondendo, e ele se sentiu bem por estar ali.

As ondas estavam calmas sob o céu ensolarado, e o vapor emanava exuberantes colunas de fumaça branca no ar, levando sua carga de gemas preciosas, minerais valiosos e suprimentos alquímicos através do Mar do Oeste. Owen estava contente por estar a bordo do navio, navegando em mar aberto. Ele pensou que poderia gostar de viver assim por uns tempos, e o capitão parecia bem contente por tê-lo na tripulação.

Embora ele não tenha falado sobre o debacle em Chronos Square e do motivo pelos quais os Reguladores o estavam perseguindo, ele tinha diversas histórias para contar. À noite ele jantava com o Capitão Lochs no convés da torre, olhando para as ondas taciturnas e falando de suas aventuras. O capitão solitário absorvia em silêncio cada trecho de cada relato.

Owen descreveu a bucólica Barrel Arbor com uma saudade melancólica, ciente de que estava pintando uma imagem baseada na neblina colorida das memórias, e não naquilo que ele lembrava de fato. Ele falou sobre os dias com a trupe, mas fez isso rápido para se esquivar da dor de pensar no que Francesca lhe havia dito. *Eu nunca me deixaria prender dessa maneira!* E Owen tampouco havia sido preso. Se tivesse ficado com Francesca ele jamais teria ido a Atlantis e vivido nas ruas de Poseidon. Ele não teria aprendido a conduzir um dirigível pelo céu, e também não teria visto as minas de opala vermelha. Ele não teria vivido nas Sete Cidades de Ouro como rei e único habitante vivo de uma civilização perdida.

Ele se perguntou se, caso tivesse a oportunidade de viver tudo aquilo de novo, apaixonaria-se por Francesca outra vez. Agora ele era uma pessoa diferente. O Capitão Lochs pareceu entender que o jovem se recusava a contar parte da história. Enquanto escutava, comia o peixe, assentindo para Owen.

– Você pode servir a bordo deste navio, jovem, mas talvez você descubra que não é bem o que você espera. Eu costumava achar que a vida de um capitão de navio era repleta de aventuras.

Ele limpou a boca com um guardanapo.

– Mas basicamente eu vou de Crown City a Atlantis... e daí volto, e vou de novo, e volto, e vou de novo. Estou satisfeito com minha vida no navio, e estou feliz que você viveu suas aventuras, de modo que eu não precise fazer isso.

No dia seguinte, nuvens se acumularam no céu como um pudim de fumaça congelada. Owen foi até o convés para tomar um pouco de ar fresco, na esperança de escapar do enjoo. Afora uma pontada de náusea, seu corpo parecia mais apto a suportar aquele mundo instável. Dois outros membros da tripulação haviam montado um tabuleiro de xadrez e jogavam enquanto o vapor balançava em sua valsa em câmera-lenta.

Owen pediu sua lista de tarefas, mas o Capitão Lochs disse a ele que haveria tempo suficiente.

– Dessa vez você pagou sua passagem, Sr. Hardy. Não costumamos colocar os passageiros pagantes para trabalhar.

Owen sorriu, agradeceu e ajudou os marinheiros mesmo assim.

– É a melhor maneira para que eu aprenda a manejar as cordas.

Ele queria se manter ocupado não apenas porque assim se sentia útil, mas também porque não queria pensar muito no seu próximo destino. Ele ainda não tinha decidido se devia voltar a Barrel Arbor, viver em outra parte de Albion ou apenas continuar navegando. Durante boa parte de sua vida, ele havia tentado se convencer de que Barrel Arbor era o seu lugar – um lar, paz, uma rotina diária com a família e os vizinhos. Todos os outros estavam satisfeitos com aquela vida; por que ele não estaria? Ele pensou na Taverna Tick Tack e se imaginou erguendo um copo de sidra (ou talvez ele até provasse uma caneca de hidromel); ele escutaria o Sr. Paquette lendo os relatórios diários do escritório de notícias, com informações sobre lugares distantes. Ele e seu pai dariam corda em todos os relógios da casa todas as noites, e Owen cuidaria do pomar, colheria as maçãs e viveria sua vida...

Enquanto pensava nas pessoas de Barrel Arbor, ele se perguntou o que o Sr. Oliveira teria feito se tivesse a oportunidade de viver suas aventuras. Ou o Sr. e a Sra. Paquette, ou o Sr. Huang. Como não queriam nada de estranho ou exótico, eles provavelmente teriam ficado em casa vivendo suas vidas simples.

E eles nunca teriam visto a efusão das luzes áureas de sol nas paredes de uma cidade vazia, ou as constelações a partir do convés de um vaporeiro em pleno voo, ou mesmo os hipnóticos Anjos do Tempo em Chronos Square.

Ele se lembrou de um gato laranja e gorducho que frequentava o escritório de notícias dos Paquette. O gato preguiçoso se esparramava em qualquer quadradinho de sol e dormia o dia inteiro, contente com seus sonhos vagarosos. Cada coisa tinha seu lugar, e cada lugar tinha sua coisa.

Ao ponderar sobre uma vida tão mundana – um sonho que era muito menos satisfatório do que imaginar as Sete Cidades de Ouro –, ele olhou para o céu. Contra o amontoado de nuvens que se acumulavam ao fundo ele viu o balão branco de um pequeno dirigível com casco de madeira que viajava ao sabor do vento. Owen ficou observando o pequeno dirigível e se perguntou o que poderia ter por lá – eles ainda estavam a dois dias de viagem de Albion, e a aeronave estava longe de qualquer trilho de vaporeiros. Ele foi até o convés da ponte para perguntar ao Capitão Lochs, mas eles vasculharam o céu em vão sem conseguir encontrar qualquer vestígio do misterioso dirigível.

Naquela noite, uma tempestade se formou no mar, desabando sobre eles com a cruel intensidade de um furacão. Ondas quebravam contra o casco, lançando no ar objetos soltos pelas cabines. No depósito de carga, diversas cordas se romperam, derramando o conteúdo dos caixotes de minerais rochosos em pequenos montes desordenados. Por sorte, nenhuma das perigosas substâncias reativas se misturou. No convés, as lonas pesadas se debatiam com o vento e o aguaceiro; os marinheiros se esforçaram para afixá-las outra vez antes que os caixotes de suprimentos ficassem encharcados.

Embora não estivesse a serviço, Owen foi até a cabine no convés da ponte. Ele subiu a escada externa, nervoso demais para se sentir enjoado. O Capitão Lochs estava em frente ao leme, batalhando para manter o navio de carga em seu curso. Para verificar a direção em que seguiam, Owen pegou a bússola da linha dos sonhos que Pangloss lhe havia presenteado. A agulha rodopiava, como se estivesse confusa quanto à direção a seguir. O segundo ponteiro, que mostrava o local onde Owen deveria estar, também girava indeciso e nauseado.

– Nunca vi uma tempestade como essa – disse o Capitão Lochs por entre os dentes semicerrados. – Os ventos e as correntes nos desviaram de nosso percurso.

– Então onde nós estamos? – Owen teve que elevar a voz para vencer as batidas da chuva nas janelas.

– Impossível determinar, mas assim que o céu estiver claro eu poderei navegar até Albion. Por enquanto só estou tentando impedir o navio de afundar.

Uma onda gigantesca bateu contra o casco, e os motores rangeram e chiaram. A embarcação se inclinou perigosamente, como se estivesse hesitando na beira de um abismo, e então voltou à posição de antes.

Os dois tripulantes que estavam jogando xadrez entraram no passadiço, completamente encharcados.

– Capitão, não vamos aguentar por muito tempo. Estamos levando uma surra!

– Logo a tempestade deve acalmar – disse Owen.

– Deve? – perguntou um dos homens. – O Almanaque do Relojoeiro não vale para o mar aberto.

– Os alquimistas do clima não podem nos ajudar agora – disse o outro.

O Capitão Lochs tentou enxergar através da Cortina de água que corria pelos vidros.

– Olhem aquilo! Acho que vi alguma coisa.

Owen olhou a tempestade e viu apenas a noite e a chuva torrencial. Então uma luz fantasmagórica que parecia ser um farol surgiu a estibordo.

– O que é aquilo? – perguntou ele. – Os mapas mostram algo tão longe assim da costa?

– Os mapas não servem de muito por aqui, Sr. Hardy – disse o Capitão Lochs. – Sabemos de pouca coisa que está fora da rota entre Crown City e Poseidon.

– Será que aquela luz está nos chamando para um lugar seguro? – perguntou Owen. – Como um... Anjo?

Ele imaginou autômatos divinos brilhando em meio à tempestade, oferecendo a mão e abrindo as asas como se fossem precipitar-se sobre o navio e resgatá-los.

Uma onda arrebatadora inundou a proa, lançando os caixotes de carga por cima da amurada. Owen foi atirado ao convés, e os dois jogadores de xadrez se agarraram na primeira coisa que viram. A luz brilhou outra vez. O rosto do capitão ficou pálido.

– Teremos de arriscar. Aquela luz indica que há mais alguém por aqui – é como um milagre, e justo quando mais precisamos de um.

Owen não questionou, mas aquele milagre parecia bom demais para ser verdade. Lochs virou o leme, ajustando a direção do navio para o farol convidativo. Talvez fosse uma ilha, algum outro navio ou um fenômeno ótico.

Ou talvez fosse apenas uma peça pregada por seus olhos.

De qualquer forma, possivelmente era um lugar seguro, e o Capitão Lochs dirigiu o navio de carga para lá, usando cada grão de potência que ainda restava em seus motores. Conforme o brilho do farol se tornava mais intenso, seus olhos se iluminaram de esperança. A salvação estava ao seu alcance.

Na esperança de encontrar um porto seguro e inesperado onde pudessem se abrigar, Owen espiou em meio à chuva torrencial. O navio de carga ainda estava a alguma distância da luz convidativa, mas quando ele olhou para além da proa um cacho de espuma surgiu – ondas inesperadas colidindo contra uma costa que passara despercebida.

– Capitão! – ele gritou –, estamos prestes a...

A força dos motores e as ondas violentas jogaram o vapor contra o solo com um som tenebroso. Os rochedos romperam o casco como um pescador limpando as vísceras de uma truta, fazendo Owen estremecer.

Todos que estavam no convés foram arremessados no ar, e deram de cara na amurada. Ainda a pleno vapor, os motores continuaram empurrando a embarcação contra os rochedos que mais pareciam um grande serrote. Na sala de máquinas, a caldeira principal estourou com um rugido.

Por cima de todo o barulho, Owen pensou ter ouvido um coral de ovações à distância.

A tempestade continuou a retalhar o navio, que inundou e começou a afundar. A tripulação correu para o convés, gritando uns com os outros. Boias salva-vidas foram lançadas ao mar, mas foram arrastadas para longe pela fúria das ondas. Owen viu marinheiros corajosos, ou apenas tolos, pulando na água e sendo levados pelo caldeirão do mar ou batendo contra as rochas até morrer. Owen puxou o Capitão Lochs para fora, esforçando-se para salvá-lo. O homem estava mancando e muito sangue escorria de sua cabeça machucada.

– Preciso de ajuda! – gritou Owen, mas os ventos carregaram seus gritos para longe.

Ele encontrou uma boia salva-vidas e enfiou os braços do capitão na abertura. Uma grande onda limpou a proa. Owen agarrou-se com uma mão e segurou o Capitão Lochs com a outra, mas a força da água revolta levou o homem inconsciente para fora do navio. Owen tentou segurar a corda e deu um grito consternado, mas ninguém escutou. Uma onda traseira arrancou da boia os braços frouxos do capitão, e o velho desapareceu.

Owen se embrenhou em um canto protegido junto à amurada. Ele amarrou um pedaço de corda no peito e se amarrou no convés. Ele não se lançaria voluntariamente nas garras de uma morte gélida. Ele conseguia distinguir vozes, gritos e comemorações vindas de um lugar adiante. Quando se arrastou até a amurada, ele discerniu formas humanas, pessoas com roupas estranhas – capas e luvas grossas utilizadas em plataformas de extração de óleo. Eles estavam amarrados por cordas e se deslocavam em uma corrente humana pelos rochedos, segurando-se em postes para se ancorarem.

– Ajudem! – acenou Owen para eles. – Ajudem, nos salvem!

As pessoas desconhecidas olharam para ele, mas eles pareciam menos interessados em resgatar eventuais sobreviventes do que em saquear os caixotes de carga. Suas costas estavam curvadas sob o peso dos tesouros que haviam coletado; eles cambaleavam pelas rochas umedecidas. Ele chamou os resgatadores outra vez.

Owen viu dois de seus companheiros de viagem subirem nos rochedos. Um dos marinheiros exaustos ergueu a mão suplicando por ajuda. Alguns dos desconhecidos correram até eles e, para o horror de Owen, deram pauladas nos marinheiros e chutaram seus corpos de volta para a água, onde a espuma das ondas se tingiu de vermelho.

Outra onda varreu o navio enquanto ele se acomodava nos rochedos. Owen soluçou e limpou a água salgada de seus olhos. Ele ficou escondido ali e viu os desconhecidos se movendo agilmente pelo convés inclinado, fuçando na carga e correndo para fora do navio com barris e caixas de mercadorias valiosas.

Ele não viu mais nenhum tripulante do vapor, e achou que devia ser o único sobrevivente – ao menos até que aqueles assassinos desconhecidos o matassem. Ele segurou firme a corda que o impedia de ser atirado para o mar e fuçou os destroços do convés em busca de uma arma que ao menos possibilitasse algum modo de defesa. Um caixote de carga havia arrebentado no convés, espalhando pedaços de pedras e minerais de Atlantis pelo chão. Owen encontrou uma pedra pesada e grande o suficiente para conter um oponente. Ele a havia identificado pelo que aprendera em seus dias com o Comodoro Pangloss. Pedra dos sonhos.

Enquanto assistia aos desconhecidos selvagens perambulando pelo convés, muito perto de encontrá-lo, ele manteve um olho atento nas grandes ondas. Ele pegou a grande pedra dos sonhos, ergueu-a no ar... e uma onda atingiu o convés como uma mão vingativa, lançando Owen contra a amurada. Ele sofreu uma pancada forte na cabeça. Inconsciente, as coisas ficavam ainda mais escuras do que na tempestade.

CAPÍTULO 25

The days were dark and the nights were bright
[Os dias eram negros e as noites eram claras]

Quando acordou, Owen ficou bastante surpreso por ainda estar vivo – o que não deveria ter sido uma surpresa, caso contrário ele sequer teria acordado. Em vez de despertar em meio a uma poça de sangue nos rochedos, ele estava deitado em um colchão cheio de trapos. Alguém o havia enrolado em um cobertor de lã. Talvez a tempestade, a luz decepcionante, o vapor colidindo com o solo e a morte do Capitão Lochs e de sua tripulação tivessem sido apenas um sonho... um sonho terrível.

Tantos de seus sonhos se haviam mostrado falsos, mas ele temia que aquele fosse real.

Ele estava em um quartinho desorganizado com a janela aberta para deixar que o vento fresco e gelado entrasse; o cômodo tinha vestígios de sal e umidade por tudo. Ele levou a mão à cabeça e sentiu bandagens ao redor de um machucado. Seu braço esquerdo também estava enrolado com força. Ele sequer lembrava de ter se cortado ali. Ele sentou na cama e gemeu. Aquele era um hospital bem estranho.

– Achei que você acordaria mais cedo – disse uma voz feminina firme.

Ele viu uma mulher de meia-idade e quadris largos que tinha o cabelo envolto em fios cinzas. Ela vestia um vestido preto envolvido por um xale e um cachecol magenta, ambos adornados com braceletes.

– Preparei uma sopa de peixe para você recuperar suas forças, mas já esfriou.

– Desculpas, não sabia que tinha alguém esperando que eu acordasse – disse Owen.

Ele lembrou dos vultos amarrados uns aos outros durante a tempestade pilhando o navio destroçado e fugindo com cargas pesadas nas costas. Bárbaros, piratas... eles mataram a pauladas os marinheiros que haviam sido lançados do barco, embora estivessem implorando para serem resgatados. Ele sentiu medo e se perguntou se aquela mulher o mataria naquele instante, embora provavelmente ela já houvesse tido muitas oportunidades para fazer isso.

– Quem é você?

A voz dele estava áspera, pois ele tinha a garganta arranhada. Ele se lembrou de como tinha gritado durante o furacão, e tudo havia sido em vão.

– Meu nome é Xandrina – ela disse. – Não que eu espere que você vá lembrar. E você é Owen Hardy de Barrel Arbor.

Ele ficou desconcertado por ela saber seu nome. A não ser que algum outro marinheiro do vapor tinha sobrevivido... seria possível? Por quanto tempo ele estivera inconsciente?

– E quem são vocês? – ele perguntou. – O seu grupo? Eu vi vocês nos rochedos. Aquela luz que nos atraiu...

– Nós somos as Pessoas Livres do Mar – disse Xandrina com certo orgulho na voz. – Marginais e foras da lei, caçadores de tesouro, e qualquer pessoa que não queira ficar limitada.

– Vocês afundaram nosso navio!

– É por isso que algumas pessoas nos chamam de Naufragadores.

Os Naufragadores! Ele se encolheu na cama, e o movimento rápido provocou muita dor dentro de seu crânio. Ela ofereceu a ele uma sopa morna e gosmenta com massas de peixe. O sabor era tão forte que ele se engasgou, mas o seu corpo insistiu e ele comeu o resto da tigela. A essa altura ele havia concluído que seus ferimentos eram leves. Ele não entendia por que os Naufragadores não o haviam espancado até a morte e largado seu corpo no mar como fizeram com os outros.

– Como você sabe quem eu sou? E por que você me salvou?

Owen não teria de perguntar isso para muitas pessoas; ajudar alguém passando por necessidades era algo perfeitamente normal e não exigia explicações. Mas aquelas pessoas não haviam demonstrado nenhuma piedade.

Xandrina ajustou seu cachecol incrivelmente colorido e olhou para ele.

– Nós sabemos quem você é. Ele já nos contou. Ele pediu para nós te salvarmos.

Ela saiu do quartinho como se tivesse concluído seu trabalho e não tivesse a intenção de gastar mais tempo naquilo.

– Esperamos que você se recupere para que possa ser mais útil.

Embora estivesse confuso, Owen dormiu outra vez, e quando acordou ele se sentiu bem o suficiente para sair da cama e caminhar sobre suas pernas moles pelo chão irregular. Ele abriu a porta do quartinho. Ao sair para o ar livre, Owen percebeu que estava em uma ilha de navios naufragados – inúmeros cascos amarrados juntos para formar um conjunto desnivelado de destroços flutuantes.

Ele reconheceu o formato de uma embarcação em particular: outro vapor de carga de Albion. Ele estava amarrado a outro navio adjacente cujos mastros se erguiam como árvores sem folhas no inverno. O extenso conglomerado de destroços navegava pelo mar aberto. Owen percebeu que cada vez que os Naufragadores destruíam um navio eles recolhiam o casco e o utilizavam em seu "país" crescente.

Centenas de pessoas estavam refugiadas lá, ocupando cabines vazias ou demarcando seu território nos conveses inclinados. Havia roupas lavadas estendidas em varais entre os mastros e as amuradas. Os Naufragadores haviam feito o que podiam para acrescentar alguma cor aos montes de metal opaco e de madeira marrom desgastada, pendurando cartazes, flâmulas e fitas que balançavam ao vento. Um homem estava tocando um instrumento exótico que fez Owen lembrar de um clarinete.

Um pequeno barco encostou na extremidade do conglomerado trazendo uma rede cheia de peixes. Homens e mulheres estavam nos cascos mais externos, com linhas de pesca dentro da água. Todos vestiam roupas coloridas com grossas linhas geométricas de padrões aleatórios. No outro lado do amontoado de embarcações, Owen viu um pequeno dirigível acorrentado conectado ao casco de madeira de um barco. Aquilo devia ser o que ele vira do convés do vapor – um veículo de reconhecimento dos Naufragadores. Ele devia estar espionando-os, esperando por uma tempestade para que os Naufragadores pudessem aproveitar a oportunidade e atraí-los para os rochedos. Fazendo sombra sobre os olhos, Owen olhou a linha de ondas quebrando à distância.

Sua cabeça machucada estava latejando, e ao tocar na bandagem ele encontrou um ponto de sangue fresco. Xandrina foi depressa até onde ele estava.

– Já estava na hora de você decidir esticar as pernas. Você já perdeu a refeição de almoço, mas posso achar alguns pedaços frios pra você. Fui designada para tomar conta de você – ele me pagou dois diamantes pelo serviço, mas eu não sabia que você ia ser tão difícil.

– Eu não tenho relógio – ele disse, olhando ao redor. – Então isso... todos vocês são Naufragadores?

– As Pessoas Livres do Mar – ela corrigiu.

– Vocês são piratas. Vocês mataram o Capitão Lochs. Ele era um homem bom.

Ela não se desculpou.

– Nós somos caçadores, e caçamos navios. O comércio do Relojoeiro com Atlantis nos abastece com diamantes e tesouros. Com o que nós tiramos do vapor de vocês, nossa balsa está tão pesada que agora viaja um palmo mais baixa!

Ela riu, mas ele não conseguia parar de pensar em quantos tripulantes haviam morrido quando o navio colidiu com os rochedos.

Naufragadores pulavam de um convés ao outro caminhando pelos cascos flutuantes. Homens e mulheres dançavam uma música estridente e sem qualquer melodia que Owen fosse capaz de discernir. Todos os homens tinham barba comprida e levavam adagas estilosas penduradas na cintura; suas camisetas eram folgadas e suas calças apertadas. Eram pessoas fortes e afeitas ao contato físico: riam de forma escandalosa, davam socos uns nos outros, batiam nos ombros e se empurravam de brincadeira. As risadas soavam ao mesmo tempo joviais e debochadas. Sua rebeldia selvagem lembrou ele da trupe, mas apenas no âmbito mais superficial.

Xandrina levou comida para ele e insistiu que era a última vez.

– Você terá de encontrar seu espaço e cuidar de si mesmo daqui em diante. É assim que a liberdade funciona.

– Eu preferiria encontrar o caminho de volta para casa – ele disse.

Qualquer lugar, menos aqui.

Ela torceu o nariz.

– Se você construísse sua própria casa, não precisaria procurá-la em outro lugar. Aqui, entre as Pessoas Livres do Mar, é cada um por si.

Xandrina não esperou que ele terminasse sua refeição fria: ela foi embora para cuidar de seus próprios problemas. Enquanto ele comia, diversas brigas irromperam ao seu redor, mas ele não sabia dizer se eram apenas brincadeiras ou contendas genuínas. Durante uma altercação, um homem de porte com um xale na cabeça foi lançado para o mar; embora ele tenha se debatido, engolindo e cuspindo água, ninguém tentou ajudá-lo. O homem conseguiu voltar a bordo e deu um soco bem na fuça de seu rival. O homem cuspiu sangue, cambaleou para trás e cada um dos homens seguiu seu caminho resmungando.

Quando Owen andou pelo convés, ninguém pareceu interessado em perguntar quem ele era. Olhavam para ele e então seguiam adiante, sem desejarem amizade ou conversas; provavelmente ele era visto como outra boca para ser alimentada, alguém que pegaria uma parcela da pilhagem na próxima vez em que eles saqueassem um navio desavisado.

Owen não se sentia nem um pouco confortável naquele lugar. Os Naufragadores podiam até achar que eram livres, mas eram mortíferos e anárquicos. Sua cabeça doía e seu coração estava pesado. Ele ainda não entendia por que aquelas pessoas o tinham resgatado.

Ele pediu para nós te salvarmos.

– Você viaja por um caminho bastante aleatório, Owen Hardy de Barrel Arbor.

Owen virou e deparou com o rosto de um homem com uma expressão arrogante um tanto familiar, com o queixo erguido e sobrancelhas cerradas. Ele alisou a barba pontuda, e Owen olhou para a tatuagem alquímica em uma das mãos e a cicatriz de queimadura na outra.

– Sem a calculadora do destino do próprio Relojoeiro, eu jamais teria descoberto uma maneira de interceptá-lo.

Owen olhou para ele e sentiu um tremor. Na última vez em que vira aqueles olhos, protegidos por uma máscara de gás, aquele homem estivera programando um detonador e tentando destruir Chronos Square.

– O que você está fazendo aqui?

– Os Naufragadores são minha alma gêmea – disse o Anarquista.

– Essa é a parte óbvia.

Owen percebeu que *odiava* aquele homem e as agitações inconvenientes que ele causava, um caos sem outro fim além do caos em si. O Anarquista pretendera explodir milhares de pessoas, o Relojoeiro, as conexões de fogo frio, os Anjos do Tempo, a trupe... e Francesca. Pior ainda, Owen havia levado a culpa por seus crimes; ele havia sido forçado a abandonar qualquer esperança de se juntar aos seus amigos, sua família emprestada.

O Anarquista fez um gesto em direção à miscelânea de navios afundados, destilando orgulho.

– Quando eu contei a eles minha grande missão, eles entenderam o potencial e a abraçaram de coração. Agora eles aproveitam qualquer oportunidade de afundar navios de carga e evitar que os materiais alquímicos vitais cheguem a Crown City. Nós cortamos o suprimento do Relojoeiro. Eu quero privar aquele homem mau de tudo o que ele precisa para que seu próprio fogo frio perca o brilho! Quanto aos Naufragadores... – ele deu de ombros – bem, eles simplesmente ficam contentes em saquear navios.

Owen estava sem palavras.

– *Você* disse para eles me salvarem? Você sabia que eu estava naquele navio.

– Nossos cursos de vida se cruzam com frequência, meu bom amigo, geralmente por desígnio – disse o Anarquista. – Eu mapeei todas as bifurcações e investiguei o que você faria.

Os olhos dele brilhavam

– Até rompermos a fortaleza do Relojoeiro, nada será aleatório, não importa o quanto você pense que é. E eu sei como você é importante, Owen Hardy.

– Não sou importante para ninguém!

– E é exatamente por isso que você é tão necessário.

Quando o Anarquista sorriu, as extremidades pontiagudas de seu bigode se ergueram como duas espadas afiadas.

– Eu sou o Anjo Misterioso, o maior pesadelo do Relojoeiro. E você é o elemento decisivo, exatamente o que precisamos para destruir a Estabilidade.

CAPÍTULO 26

All the highlights of that headlong flight,
Holding on with all my might
[Todos os pontos altos daquele voo deslocado
Com todas as forças me mantendo agarrado]

No dia seguinte, os ferimentos de Owen haviam parado de sangrar, embora a dor continuasse presente. Ele não se sentia nem um pouco mais seguro entre os Naufragadores, tampouco mais bem-vindo. Até o Anarquista o deixava sozinho, ciente de que o prisioneiro não podia ir a lugar nenhum. Owen dormiu no quartinho de recuperação onde havia acordado. Ninguém lhe havia dado outras instruções, e ninguém parecia se importar.

A balsa de destroços navegava longe dos recifes traiçoeiros. Com grandes motores e parafusos potentes afixados nos cascos incompatíveis, os Naufragadores conseguiam dirigir sua ilha para qualquer lugar que desejassem. Na manhã seguinte, o Anarquista encontrou Owen no convés da cidade-balsa. Ele apareceu com um sorriso grande e aberto, e seus olhos escuros reluziam como a luz do sol refletida por lascas de obsidiana.

– Que manhã encantadora. Hoje continuaremos com sua formação.

O Anarquista pôs o braço ao redor de Owen em um gesto indesejado de camaradagem.

– Logo começaremos nosso trabalho de verdade, meu bom amigo.

Desgostoso, Owen se livrou do abraço do homem e o encarou de frente.

– Você é um desconhecido, um desconhecido *perigoso* – não um amigo do qual eu sentia falta. Eu não queria estar aqui, e certamente não quero passar pela sua "formação".

O Anarquista deu uma risada.

– Eu jamais o forçaria a isso.

Seu bigode pontiagudo esmoreceu.

– Mas qualquer homem verdadeiramente livre não deveria ter medo de ouvir outras ideias. Você está com medo?

– Não estou, eu apenas não tenho interesse.

Com passos vistosos, o Anarquista subiu na extremidade de um dos conveses e saltou para outro navio capturado. Um pouco contra sua vontade, Owen seguiu o homem. O jovem ainda não entendia por que estava lá ou qual deveria ser sua função junto aos Naufragadores. Como ele seria um... elemento decisivo?

– Você passou por uma lavagem cerebral perpetrada pelo Relojoeiro. Não há nada de mau ou terrível na anarquia. A palavra apenas designa uma sociedade sem líder definido. Pessoas que tomam suas próprias decisões e tocam suas próprias vidas. Não precisamos de um ditador para dar ordens a cada segundo de cada dia.

Owen não acreditava nele.

– E pelo que você é conhecido? Perturbações da ordem e explosões mortais. Você e o Relojoeiro são dois extremos.

Ele corria atrás do Anarquista, que não parecia preocupado com a capacidade de Owen acompanhar o seu passo.

– E você vivenciou esses dois extremos. Você abriu os olhos.

Na extremidade da balsa de conglomerados, o Anarquista parou para assistir ao dirigível de reconhecimento inflando o balão principal e dois sacos de levitação auxiliar; ele não prestou atenção em Owen, que estava ao seu lado. A pilota do dirigível vestiu uma jaqueta de remendos e luvas sem dedos antes de alimentar o motor para a decolagem. Dois pares de rodas mantinham o dirigível estável sobre o convés, balançando para a frente e para trás enquanto os balões inflavam, e um motor de fogo frio com roldanas liberou vapor pelos bocais com estampidos.

Embora a aeronave funcionasse pelo mesmo princípio do vaporeiro do Comodoro Pangloss, a pilota tinha uma missão diferente. Ela viajaria bem alto em meio às nuvens, vasculhando a imensidão do oceano em busca de novas vítimas. No convés, um assistente soltou as cordas que prendiam o veículo, e o dirigível subiu no céu e saiu voando com um leme triangular pendurado para o lado de fora.

O Anarquista seguiu o olhar de Owen.

– Geralmente dirigíveis não são capazes de viajar tão longe mar adentro, mas a pilota usa essa balsa gigante como base, um lugar para pouso e decolagem. Ela não precisa de trilhos ou de um eixo central.

– E se ela se perder? – perguntou Owen. – E se ela voar além do seu raio, ela não vai cair no mar?

Ele deu de ombros.

– Uma vida sem riscos é uma vida sem... *vida*. Ela ama voar livremente pelo céu, e todos tiramos proveito de seus esforços. Caso contrário, teríamos de arranjar outra maneira de encontrar nossas presas.

Ele fez um gesto para que Owen o seguisse.

– Mas mesmo assim daríamos um jeito – as Pessoas Livres do Mar são bons caçadores.

O Anarquista o conduziu até uma torre de andaime esquelética construída sobre o convés de um vapor de carga recolhido do naufrágio. Um globo alquímico deslumbrante azul e branco estava pendurado na estrutura, como uma estrela aprisionada. Agora a luz estava frágil e quiescente, mas Owen presumiu que, com a adição de combustível concentrado, a luz deslumbrante ficaria intensa o suficiente para penetrar em qualquer tempestade.

E indicar uma falsa salvação para marinheiros desavisados.

Os Naufragadores deviam ter manobrado sua balsa de destroços até uma posição do outro lado dos rochedos, e então acenderam sua luz tentadora para atrair o Capitão Lochs para as rochas pontiagudas.

O Anarquista envolveu uma ripa da estrutura com a mão tatuada.

– Como foi criado no campo, você subia em árvores de maçãs. Sei que você escalou cordas e prédios.

Sorrindo, o homem agarrou um dos degraus, dependurou-se com a mão tatuada e voltou para o chão.

– Venha, tem um troço que você precisa ver.

Owen decidiu resistir.

– Posso ver muito bem daqui.

– Você também pode ver muito bem do topo da torre.

Em vez de oferecer mais ajuda ou encorajamento, ele continuou a subir, presumindo que Owen o seguiria. O jovem suspirou incomodado e seguiu atrás dele. O rapaz não tinha medo de altura e, mesmo com o braço enfaixado, aquela subida foi tão fácil quanto subir no poste do trapézio de Francesca.

No topo da torre, o Anarquista soltou-se e abriu os braços para receber o céu aberto e a brisa rápida.

– Está sentindo, Owen Hardy? Nenhuma rede de segurança, nenhum escudo, apenas o vento e a liberdade!

Owen envolveu o braço em uma das barras que havia no topo para se estabilizar. Na época de Barrel Arbor, ele teria ficado nervoso por estar tão alto. Mas agora, tendo andado por cordas bambas tanto por vontade própria quanto pela força das circunstâncias, confiava em seu equilíbrio e seu controle – mas o Anarquista parecia mais perigoso do que uma queda de qualquer altura que fosse.

– Por que você não sorri? Sente, aqui.

O desconhecido bateu no meio de seu peito.

– Agora você está livre. Você deveria curtir isso.

– Curtir? – Owen não conseguia acreditar na postura daquele homem. – Eu estou muito triste! Eu vi pessoas inocentes do meu navio *morrerem* apenas para que esses ladrões pudessem roubá-las! Estou perdido. Não tenho para onde ir.

– Nada de estorvos. A mais pura definição de liberdade! – disse o Anarquista. – Você só precisava de um empurrãozinho, e tudo teve seu motivo.

Seu sorriso estava cheio de malícia.

– Eu escolhi você há muito tempo em Barrel Arbor, acompanhei sua vida sonâmbula e senti que ali havia em você uma faísca que precisava ser alimentada para se tornar uma grande chama.

– Você... acompanhou minha vida?

– Era fácil me esgueirar pelo seu vilarejo. Ninguém me via porque eles tinham esquecido havia muito tempo como olhar para algo fora do comum. Por que você acha que sua doce e vápida Lavinia não se encontrou com você sob as estrelas naquela noite? Ela estava tão presa aos próprios hábitos que foi fácil colocar um sonífero potente no copo de leite quente que ela tomava todas as noites antes de ir para a cama.

Owen olhou para ele, de olhos arregalados diante daquela revelação. O Anarquista fez um gesto petulante para minimizar o que havia feito.

– Provavelmente nem era necessário. Duvido muito que ela tivesse sido corajosa o suficiente para encontrá-lo de qualquer maneira – até um desvio tão pequeno das regras parecia além das capacidades dela. Por outro lado, Lavinia poderia não ter nem sequer imaginação suficiente para discordar depois que você pediu que ela fizesse isso. Então eu precisei garantir. Eu precisava te dar liberdade completa.

O Anarquista sorriu.

– Se Lavinia tivesse ido atrás de você, teria faltado o incentivo para que você partisse, e você não teria... tudo isso!

Owen não conseguia se conter.

– Eu te odeio!

– Sim, é bom sentir alguma coisa, né? Pense onde você está. O que te falta agora? Você não tem responsabilidades, obrigações ou expectativas. Nenhuma âncora te puxando para baixo! E eu dei isso a você.

Ele parecia esperar por aplausos.

Owen não conseguia acreditar no que estava escutando.

– Você me deu isso? Você *fez* isso comigo.

O rapaz não conseguia articular toda a dor em seu coração, o sofrimento, tudo por que havia passado desde que deixara o vilarejo.

– Você afundou minha vida da mesma forma como essas pessoas afundam navios.

O Anarquista permaneceu convicto, sem qualquer traço de pena.

– Ah é? E você se arrepende de ter vivido toda esta aventura? Você desistiria de tudo? Há mundo e tempo suficientes lá fora.

Ele apontou para o mar aberto.

– O Relojoeiro aprisiona o tempo. Nós precisamos libertá-lo e nos libertarmos.

Os olhos escuros do Anarquista ficaram distantes e desfocados, e ele ficou brincando com o alfinete em seu colarinho sem perceber.

– Eu destruí a Universidade Alquímica, e aquilo foi só o começo. Assim que voltarmos para Albion, nós podemos continuar a série de atentados. Será como acordar alguém em sono profundo. Sim, é difícil, mas tempos duros exigem pessoas duronas.

Owen se afastou.

– Eu não sou seu aprendiz! Ser imprudente não é o mesmo que ser livre. Você é louco.

O Anarquista olhou para ele com uma decepção fulminante.

– Insano... Isso é o que os filósofos-professores e os analistas me diziam na época de faculdade, quando arrancaram meu traje e me baniram. Eu disse a eles que o próprio Relojoeiro havia me enviado mensagens secretas e me instruído para que me tornasse o sucessor dele algum dia, mas acharam que havia algo de errado comigo. Eles disseram que eu sofria de um narcisismo maligno.

A raiva dele cortou o ar como a lâmina de uma espada.

– Eles tentaram me entender, me analisar. Achavam que poderiam me *consertar* se encontrassem o que não estava funcionando em meus mecanismos mentais. Eu apenas desdenhava a banalidade de suas mentes.

O homem se inclinou para trás, segurando-se na torre com uma mão, e se balançou imprudentemente pela abertura que dava para o convés abaixo.

– O Relojoeiro nunca me defendeu, nunca admitiu seu papel. Só mais tarde percebi que ele *queria* que eu fracassasse. Ah, mas ele não estava preparado para o que havia criado.

Rindo, ele se balançou mais uma vez. Owen tinha a esperança de que ele pudesse escorregar e morrer na queda, salvando assim centenas, *milhares* de vidas que seriam vítimas de sua violência. Com um empurrão ligeiro, Owen poderia fazê-lo despencar da torre...

O rapaz ficou horrorizado consigo mesmo diante daquele pensamento.

Mas o Anarquista estava agarrado firme. Parecia estar testando Owen. Lançando para o jovem um olhar que era uma estranha combinação de satisfação e decepção, retornou a uma posição estável.

– Analistas, médicos, filósofos. Deixei confusos seus diagnósticos de praxe. Eles não compreendiam minha mente ou meu coração, mas o certo é que eles jamais esquecerão de mim.

A cabeça de Owen latejava, e não apenas por causa dos machucados.

– E agora você é o líder dos Naufragadores? Você não tinha dito que a definição de anarquia é viver sem líderes?

O homem riu da desastrada arapuca verbal de Owen.

– Essas pessoas precisam de minha orientação, mas é apenas uma etapa. Eles estão mais interessados neles mesmos e em seu tesouro. São movidos pela pura ambição, não por uma ideologia, mas posso lidar com isso. Você, meu bom amigo, é uma peça muito mais importante no jogo. A verdadeira revolução precisa vir de pessoas simples e banais como você. Não de grandes pronunciamentos, mas do ruído crescente dos sussurros de uma pequena multidão. E você será o primeiro. Você será um herói.

– Eu não sou o herói de ninguém – disse Owen –, e sobretudo não sou seu herói.

O rapaz olhou para o mar e viu o dirigível de reconhecimento voltando. Cordões de vapor formavam uma trilha no ar, e Owen sabia que a pilota havia programado seu motor para o máximo da capacidade e voltava o mais rápido possível para a ilha flutuante. Ele podia escutar uma sineta fraca viajando por meio do ar.

– Acho que ela encontrou outro navio para ser afundado – constatou Owen em um tom repreensivo. – Mais vítimas inocentes.

– Esse é outro tipo de alarme. Algo interessante está prestes a acontecer.

O Anarquista parecia incomodado, e logo ansioso.

– É melhor nós descermos.

Quando eles chegaram ao convés, o dirigível de reconhecimento havia pousado e suas rodas estavam balançando no convés. Presa por uma única corda e com os balões de flutuação ainda inflados, a aeronave sacudia ao acaso. Quando a pilota desembarcou acenando as mãos de luvas, seu rosto demonstrava preocupação, e até um pouco de pânico.

– Eles estão vindo... uma esquadra inteira! Às armas!

– Quem está vindo?

As sobrancelhas cerradas do Anarquista se aproximaram, e sua expressão era alegre e determinada.

– O Relojoeiro, obviamente.

As primeiras aeronaves apareceram no horizonte: grandes dirigíveis de guerra, maiores do que os vaporeiros majestosos que levavam carga e passageiros por toda Albion. Cada uma delas era blasonada com o desenho de uma abelha corajosa e prestes a ferroar um oponente. Uma esquadra de navios a vapor blindados cortava as águas, expelindo tanto vapor e fumaça branca que o conjunto parecia um nevoeiro que se aproximava da cidade-balsa dos Naufragadores.

– Pelo jeito eu fui descoberto.

O Anarquista estava de pé com as mãos na cintura estreita. Ele falou em voz alta para todas as pessoas apressadas:

– Aproveitem a oportunidade! Saquem suas espadas e se preparem para lutar! Vocês são as Pessoas Livres do Mar!

Os Naufragadores gritavam uns com os outros, esbarravam uns nos outros ao irem para suas cabines ou se apressavam até os conveses para se armarem com espadas e adagas. Owen avistou sua "enfermeira" Xandrina pegando um grande cutelo de açougueiro e se posicionando firmemente; ela havia ajeitado seu cachecol magenta e brilhante . Ainda com a jaqueta de retalhos, a pilota do dirigível de reconhecimento deu tapinhas na luva em sua mão com um grande porrete, idêntico àqueles que os Naufragadores haviam utilizado para espancar os companheiros de navio de Owen até a morte nos recifes durante a tempestade...

O Anarquista gritava ordens. Às vezes os Naufragadores escutavam; em outras eles praguejavam com ele e faziam o que dava na telha. Algumas "pessoas livres" soltaram botes individuais da ilha e partiram para escapar da batalha iminente.

Os dirigíveis de guerra do Relojoeiro se aproximaram sobre suas cabeças como nuvens negras de tempestade, e soldados Reguladores de uniforme azul desceram por escadas de corda suspensas no ar. Os navios de guerra a vapor cercaram a ilha-balsa e também despacharam seus esquadrões. As Pessoas Livres do Mar brandiram suas espadas e gritaram, desafiadoras.

Ao subirem na balsa de retalhos, as forças do Relojoeiro se moviam em filas perfeitas, com os ombros juntos, uma patrulha após a outra. Eles carregavam rifles de um só tiro com canos longos, e depois que as armas já estavam carregadas com balas de chumbo, os soldados da Guarda Azul acionaram uma faísca propulsora. Os rifles dispararam uma saraivada de barragem em direção aos agrupamentos de Naufragadores que avançavam, derrubando-os com uma onda de sangue.

Owen não conseguia imaginar como ou por que, após mais de dois séculos de Estabilidade, o Relojoeiro fabricara armas tão mortíferas ou treinara seus Reguladores de elite para um ataque tão sanguinário. Ainda assim, eles atuavam como componentes de uma mesma máquina intrigada.

As pessoas gritavam e caíam sangrando. Alguns projéteis ricochetearam nas cossas e mastros, e Owen se agachou quando uma bala atingiu a parede de madeira ao lado de sua cabeça. Em vez de usar balas de chumbo, os rifles do Relojoeiro estavam disparando tiros de ouro.

Em resposta, os bárbaros Naufragadores correram para a frente em um caos completo. Depois que os primeiros Reguladores dispararam seus rifles, a vanguarda deu um passo ao lado para recarregar enquanto a segunda fileira abaixou os canos e abriu fogo. Os Naufragadores partiram para cima deles agitando suas espadas. Com a respiração acelerada, o Anarquista correu até Owen. Seu cabelo estava desgrenhado, seu rosto corado e sua bochecha suja – mas ele parecia antes empolgado que apavorado. A longa espada que ele carregava era muito mais imponente que aquela utilizada por Tomio em suas apresentações. Ele pôs o punho nas mãos de Owen.

– Pegue isso e lute!

Owen não pretendia golpear ou lancinar ninguém, mas, antes que pudesse discutir, o Anarquista caiu fora deixando a espada com ele. Mais soldados de uniforme azul desembarcaram dos vapores de guerra, avançando com total precisão por meio dos conveses como uma trovoada ressonante de botas marchando. Em contraste, os caóticos Naufragadores investiram contra as patrulhas limpas e organizadas, cortando, golpeando e dando pauladas enquanto os bem treinados Reguladores davam um passo ao lado para recarregar seus rifles.

Owen buscou abrigo enquanto as ondas da batalha vinham contra ele. Apesar de sua espada, não tinha intenção de lutar para defender aqueles piratas assassinos. Eles tinham afundado o navio, causado a morte do Capitão Lochs e de todos os marinheiros a bordo. Era assim que eles compravam a "liberdade"? Owen não queria ter participação naquilo! Ele viu a relutante benfeitora Xandrina avançar com o cutelo de açougueiro em mãos, o cachecol se rasgando e os cabelos esvoaçantes. A expressão dela mostrava sede de sangue. Dois soldados Reguladores atiraram nela, que desabou no chão do convés.

Do outro lado do conglomerado de cascos, o Anarquista surgiu carregando potes de misturas químicas. Ele arremessou os potes na direção dos soldados Reguladores. Depois de liberadas e expostas ao ar, as misturas químicas causaram explosões de calor branco. As patrulhas organizadas do Relojoeiro se espalharam como folhas secas ao vento.

Um novo esquadrão de Reguladores de uniforme vermelho marchou do lado esquerdo de Owen, após ter desembarcado de um dirigível de guerra acima dele. Uma das bombas do Anarquista explodiu ali perto, e Owen teve de se agachar e correr, levado pelas marés da batalha.

Quando outro pote explosivo cortou o ar, a pilota do dirigível de reconhecimento correu para a frente com seu porrete em riste, impaciente demais para esperar que a bomba fizesse seu trabalho. Ela baixou seu cassetete sobre um dos soldados uniformizados do Relojoeiro justo quando a bomba explodiu entre eles, matando os dois.

Owen estava se sentindo muito mal.

Um contingente especial de uniforme preto desembarcou do navio de batalha principal; cada membro da Guarda Preta vestia uma faixa vermelha com uma insígnia dourada da abelha. Eles avançavam de ombros grudados, protegendo e escoltando um homem velho e retesado que se movimentava com formalidade.

Por algum motivo, o velho acompanhado pela guarda especial vestida de preto apontou o braço teso para *ele* e gritou com uma voz tentadora:

– O que te falta agora, Owen Hardy?

E então o jovem riu. Um formigamento deslizou pelas costas dele. Já havia escutado aquilo antes, do caixeiro-viajante que lhe dera o aterrorizante livro *Antes da Estabilidade*. Embora não estivesse vestido com roupas de caixeiro-viajante e uma cartola, Owen percebeu que se tratava do mesmo homem, mas ele estava diferente... não estava disfarçado.

Owen ergueu sua espada em um ato de rendição.

– Você é o caixeiro-viajante!

– Eu sou muitas coisas. Mantenho uma lista organizada.

A Guarda Preta marchou na direção de Owen. Ele não tinha para onde correr e sequer tinha certeza se queria mesmo correr, pois certamente também não estaria em segurança com os Naufragadores. O velho gritou outra vez:

– O princípio já foi provado. Você deve estar ao meu lado!

Alheio ao caos ao seu redor, o velho marchou pelos conveses como se fosse imortal. E talvez ele fosse. Owen finalmente entendeu que aquele era o Relojoeiro em pessoa! Presumindo a vitória, os soldados Reguladores se aproximaram ainda mais, mas o Anarquista os surpreendeu com o lançamento de uma de suas bombas. A grande erupção incendiou um dos dirigíveis de guerra, e a aeronave em chamas adernou e caiu no oceano. O Relojoeiro nem sequer vacilou frente àquele desastre.

– Owen Hardy, a essa altura a necessidade de uma perfeita ordem está evidente. Você viu os perigos da alternativa. Deixe-me ir direto ao ponto: você precisa optar pela Estabilidade. Volte a andar na linha. Eu andei observando você, e agora vou usá-lo. Um homem simples e normal para servir como o meu exemplo. Seus inúmeros erros desencorajarão qualquer um que sonhe em largar sua vida pré-ordenada. Como meu representante, você salvará a Estabilidade. Graças a você, ninguém mais se sentirá tentado por essas grandes tolices.

O Anarquista lançou mais bombas, que liberaram nuvens de fumaça vermelha e pungente formando uma cortina de fumaça. Em meio ao nevoeiro escarlate, Naufragadores furiosos avançaram com suas espadas e pegaram os organizados Reguladores de surpresa. O Relojoeiro se separou de sua Guarda Preta de elite e se juntou à batalha.

Certo de sua vitória, o velho se virou para Owen.

– Espere aqui enquanto dou um jeito no maldoso Anarquista. Tudo tem seu motivo.

Ele marchou atrás de seus guardas, deixando o jovem homem à própria sorte, como se não cogitasse nem por um instante que alguém pudesse questionar suas instruções.

Owen viu as patrulhas firmes do Relojoeiro se chocarem com o Anarquista e seus Naufragadores frenéticos. O jovem atirou sua espada no chão. Ele não gostava de nenhuma daquelas alternativas.

Enquanto a irada batalha seguia seu curso, o rapaz correu até o dirigível de reconhecimento que estava isolado em um canto.

CAPÍTULO 27

Belief has failed me now
Life goes from bad to worse
No philosophy consoles me
In a clockwork universe
[Minha fé me deixou na mão
A vida vai de mal a pior
A filosofia não me consola
Neste universo autômato]

Enojado com os extremismos de ambos os lados, Owen subiu a bordo do dirigível acorrentado. Apenas uma cordão fino amarrado às pressas mantinha-o preso à balsa dos Naufragadores. A pilota havia morrido na explosão, e ninguém mais estava cuidando da aeronave.

O Relojoeiro e o Anarquista tinham exigido que ele escolhesse um dos dois, mas Owen Hardy de Barrel Arbor – um mero assistente de gerência de um pomar de maçãs que havia viajado tanto, enfrentando tanto e *visto* tantas coisas desde seu início humilde de vida – optou por não decidir. *Aquela* era a escolha dele. Aquele era seu livre-arbítrio.

Owen havia soltado a espada, então ele puxou a corda que ancorava o dirigível até soltar o nó. Os sacos de levitação já estavam inflados e a caldeira de baixa capacidade ainda estava pressurizada, então a aeronave levantou voo de imediato.

Os dirigíveis de guerra estavam ancorados no céu acima dele, e mais tropas uniformizadas foram reforçar os soldados do Relojoeiro no convés abaixo. Mais Naufragadores fugiam da balsa-ilha sitiada em seus pequenos barcos.

Owen manejou os comandos com facilidade graças às lições que tivera com o Comodoro Pangloss. No início ninguém reparou naquele pequeno dirigível que se distanciava em meio às explosões de fumaça, os disparos de rifle e o choque das espadas. Ele alimentou o motor movido pelo propulsor e seguiu para longe dali.

Sim, ele havia roubado o dirigível, mas não se sentiu muito culpado: aquelas eram as regras das Pessoas Livres do Mar. Sob aquelas circunstâncias, seu amigo Guerrero não teria hesitado em pegar a aeronave e cair fora. Na verdade, Guerrero nem teria esperado por Owen e simplesmente teria escapado sozinho...

Ele aumentou a potência e se dirigiu para o leste, na direção de Albion. Não tinha as coordenadas e não sabia o quão distante da terra se encontrava, mas se ele viajasse por tempo suficiente na direção certa (e se seu combustível durasse até lá) seria impossível que não deparasse com alguma parte do continente.

Abaixo dele, os ruídos de explosões aleatórias continuavam, acompanhados por disparos separados por intervalos regulares, como se fossem marcados por um cronômetro. Um dos soldados Reguladores apontou seu rifle para cima e atirou no dirigível que escapulia. Os medidores de pressão na cabine do piloto indicaram um vazamento na forquilha de brandal do balão esquerdo; uma das balas de ouro devia ter perfurado um dos sacos de lona revestida.

– A vida vai de mal a pior – ele resmungou.

O vazamento não prejudicaria de imediato sua capacidade de voar, e ele tentou ganhar o máximo de distância possível. A julgar pelos mostradores de combustível, a pilota tinha pouca coisa no tanque reserva. Ela devia ter queimado a maior parte de seus recursos alquímicos durante o voo de reconhecimento daquela manhã. Owen tinha apenas combustível suficiente para manter os motores funcionando por algumas horas... mas aquilo não deveria ser o suficiente para que escapasse.

A fumaça dos incêndios e explosões encheram o céu como uma nuvem de tempestade. A frota esmagadora do Relojoeiro engolfou a balsa formada pela mixórdia de navios destroçados. Independentemente do desfecho, Owen tinha certeza de que aquele conflito não acabaria em uma única batalha. Ordem demais e caos demais – era como um pêndulo. Ordem extrema gerava uma necessidade de liberdade extrema, e vice-versa.

Depois que o dirigível finalmente atingiu um ponto de relativa segurança e tranquilidade, ele ouviu o sussurro dos ventos muito acima do mar inquieto. Finalmente teve um momento para recuperar o fôlego. Owen tremeu violentamente ao perceber pelo que acabara de passar. Em uma era distante, havia sido um jovem rapaz inocente e com brilho nos olhos que contava os dias para o seu décimo sétimo aniversário, acreditando do fundo do coração que Lavinia era seu verdadeiro amor. As maravilhas do mundo estavam encerradas nas belas imagens dos cronótipos do livro de imagens de sua mãe. Ele havia sido muito otimista. Ele queria ver diversas coisas. Mas agora já tinha visto tudo, e nada era como o esperado.

Pior ainda: tudo o que vivenciara havia arruinado sua vida antiga, pois nunca mais poderia ser feliz em Barrel Arbor. Ele tinha escutado a explicação de seu pai para os planos do Relojoeiro. Ele havia sido levado a crer, mas aquela crença já não se sustentava. Ele sempre havia sido muito otimista, mas não podia ser consolado pela filosofia da Anarquia ou pela filosofia da Estabilidade. Sentiu-se tão à deriva quanto o dirigível. Mas mesmo que a vida tivesse pegado tão pesado com ele, maltratando-o e gerando diversas decepções, ele ainda queria viver. Apesar de sentir pelo que havia perdido, ainda poderia sobreviver. Em algum lugar do mundo ele poderia encontrar aquilo que procurava. Não era possível que todos os sonhos fossem ilusões. Ele encontraria uma dose de amor e risadas, e se entregaria de corpo e alma para retribuir. Só precisava descobrir o lugar certo e as pessoas certas. Em algum lugar. *Aquilo* era algo em que podia acreditar. Ele não deixaria que o otimismo o abandonasse por completo.

Ele tirou um tempo para avaliar a cabine do piloto, que estava totalmente desarrumada. Havia diversos suvenires, roupas, restos de comida, facas e brinquedos: entulhos e destroços de todos os tipos roubados de navios desavisados que haviam naufragado contra os corais. Enquanto fuçava naquela parafernália, ele encontrou – para sua surpresa – um grande saco repleto de diamantes brilhantes, opalas vermelhas hipnóticas e pedras do sonho – tesouros suficientes para comprar Barrol Arbor inteira.

No bolso, ele localizou a antiga bússola da linha dos sonhos, mas a agulha principal estava quebrada e só dava uma indicação muito vaga para o norte. A agulha menor, no entanto, aquela que indicava onde Owen *deveria* estar, apontava firmemente em uma direção. Ele voou em frente ao cair da noite, usando os últimos resquícios de poder alquímico para manter a pressão das caldeiras, na esperança de conseguir navegar só um pouquinho mais longe. Ele encheu o tanque com o que restava do combustível em pó, que brilhou forte, mas foi logo consumido. O fogo frio diminuiu e apagou.

O buraco de bala no saco de ar estava muito danificado, e começou a desinflar enquanto o motor desligava. Owen usou todos os truques que lembrava para manter o dirigível em voo, mas não foi o suficiente. A aeronave desceu em direção ao mar escuro. Ele segurou firme, temendo uma colisão tão desastrosa quanto aquela do navio do Capitão Loch. Sem pretensões de suavidade, o dirigível com casco de madeira aterrissou sobre a água, arremessando Owen para o convés. A caldeira de vapor arfou e tossiu; ela teria explodido se ainda houvesse alguma pressão. Os sacos de ar esvaziados caíram como um lençol sobre o topo da aeronave. Owen esbarrou nos escombros gerados pelo impacto (embora a bagunça não parecesse pior do que antes), pegou uma das facas compridas da pilota e utilizou-a para serrar as cordas que conectavam os sacos de ar ao casco. Ele conseguiu cortar a lona pesada e lançá-la ao mar. Finalmente conseguia ver onde estava.

Sob o céu aberto, Owen olhou para as estrelas enquanto seu barco navegava à deriva.

CAPÍTULO 28

All that you can do is wish them well
[Só o que você pode fazer é desejar-lhes o melhor.

Ele ficou dias à deriva sobre o casco danificado do dirigível acidentado, alimentando-se da comida estocada a bordo e recolhendo água das pancadas fortes e breves de chuva, que saciavam a sede mas também deixavam as roupas úmidas e desconfortáveis.

Sem mapas, ele não tinha ideia da distância que havia até Albion. Ele não sabia que horas eram, nem a data ou o dia da semana. E o mais surpreendente é que não se importava.

Ele passou um dia cinza em meio a um nevoeiro espesso que obstruía sua visão, mas de qualquer forma não havia nada para ver. A neblina o lembrou a névoa que havia em torno de sua própria vida. O deserto de Redrock não era o único lugar com miragens...

Owen havia amadurecido por causa de seus devaneios, e tanto o Anarquista quanto o Relojoeiro queriam angariá-lo para a sua causa. Ele havia tomado suas próprias decisões (ou ao menos era isso que achava), mas ao refletir na maneira como a vida se desenrolara, se perguntou o quanto daquilo havia sido livre-arbítrio e o quanto havia sido manipulações sutis. O Relojoeiro e o Anarquista o tinham posto em movimento como se fosse um brinquedo de corda. Se o Anarquista não tivesse dopado Lavinia naquela primeira noite, será que ela o teria encontrado à meia-noite? E se ela tivesse cometido um único ato ousado, será que Owen não teria se contentado com aquela provinha de empolgação? Ele nunca saberia ao certo.

O Relojoeiro e seus brutais Reguladores haviam lhe causado tristeza e imposto dificuldades, garantindo que a inocente decisão de deixar seu vilarejo resultasse no máximo de sofrimento possível. Era essa a sua intenção? Punir uma única abelha que decidira se afastar das linhas hexagonais? Se o Relojoeiro houvesse simplesmente deixado que Owen observasse as encantadoras atrações da cidade grande e vivesse sua pequena aventura, o jovem provavelmente teria voltado a Barrel Arbor e se aquietado, contente por contar suas histórias na Taverna Tick Tack. Em vez disso, os dois homens o haviam capturado com sua própria armadilha e brincado de cabo de guerra com ele. Por ser tão inocente e otimista, os dois haviam lutado por ele, que ficou abatido e humilhado – tudo para *provar um argumento*. Ele estava feliz por ter escapado de ambos.

Finalmente escutou um ruído ao longe, um estrondo ribombante que poderia ser de ondas quebrando contra a praia, ou talvez apenas outro banco de recifes traiçoeiros. Ele tentou discernir alguma coisa em meio ao nevoeiro. Incapaz de alterar seu curso, ele torceu para que seu frágil navio não fosse despedaçado contra rochas gigantes.

Por fim, quando o som das ondas quebrando já estava mais alto, a cortina de névoa se rompeu, revelando a linha cinzenta de um litoral letárgico, uma praia pedregosa e pontuada por dunas – e não recifes pontiagudos que poderiam fazer seu barco em pedacinhos.

Owen se levantou no casco à deriva e se empenhou para tentar avistar algum barco pesqueiro, construções na praia ou catadores de ostras, mas ele viu apenas uma vastidão desabitada. Ao menos era um pedaço de terra... e certamente era a costa de Albion.

Quando o barco desgovernado se aproximou da costa desconhecida, Owen decidiu se atirar no mar e nadar pelo resto do caminho. Ele pegou apenas a bolsa com diamantes e joias para a confecção de relógios – que seriam úteis para comprar comida e roupas e pagar por alojamento – e mergulhou na água fria. Ele nadou até a praia rochosa, e finalmente pisou em terra firme pingando e tremendo de frio. Não estava mais à deriva, mas ainda não podia dizer que estava a salvo.

Ele se arrastou em meio a amontoados tristonhos de algas marinhas e buscou um caminho pelas dunas que se desmoronavam sob seus passos até chegar a um solo estável. Suas roupas estavam incrustadas de sal. O ar estava úmido e frio, mas ele se esquentou caminhando a passos largos pela grama sem trilhas definidas. Ele sabia que, seguindo em frente, acabaria deparando com algum vilarejo isolado, no qual poderia comprar comida e roupas e achar um lugar para descansar.

Mais para dentro do continente, encontrou uma estrada esburacada que o deixou mais tranquilo. Ele teria ficado mais contente diante dos trilhos de uma via vapórea, mas uma estrada tinha de levar a *algum lugar*, ou por que mais teria sido construída?

A neblina foi sua insistente companhia enquanto ele seguia pelo caminho sobre uma região pantanosa. Chegou a um campo aberto que havia sido pisoteado: a grama e a urze haviam sido aparadas, e havia muitas marcas de rodas e pisadas no solo macio. Parecia que algum exército tinha se reunido por lá, e ele não queria nenhuma proximidade de qualquer exército. Ou quem sabe algum tipo de festival havia ocorrido ali, pensou ele com a chama de otimismo que ainda se mantinha viva.

Owen parou para escutar e escutou apenas o ar, nem sequer um canto de pássaros ou o farfalhar de uma folha ou da grama, apesar da brisa considerável. Então o som de um papel voando ao vento rompeu a quietude, um papel amarrotado voando sem destino. O papel dançou ao redor de uma poça e seguiu até um montículo de rama. Era uma página colorida, mas enchumaçada. Owen correu até ela, mas o vento fez um capricho e levou o papel para longe. Conseguiu segurá-lo apenas um segundo antes da folha afundar em uma poça enlameada.

Owen tirou o papel da água, chacoalhou as gotas marrom e abriu o papel amassado. O conteúdo lhe era familiar, pois ele mesmo havia enviado muitos daqueles panfletos pelo correio. Ainda assim, Owen segurou o papel na mão sem compreender, como se fosse mais cego que o vendedor de roupas de Crown City.

Magnusson Carnival Extravaganza
Última Apresentação da Temporada

Ele olhou para o prado pisoteado, imaginando o eco das multidões, os apresentadores da trupe, os palhaços, a música estridente, o rangido dos brinquedos e o riso das crianças.

O jovem seguiu os traços recentes das rodas e grandes pegadas de bota que marcavam a lateral enlameada do caminho. Embora estivesse faminto e exausto, ele aumentou a velocidade e viu a estrada se ampliar, levando-o por um caminho em meio a árvores esparsas até chegar a uma intersecção, onde havia mais uma estrada esburacada que levava para lugares igualmente desconhecidos, mas em outra direção.

Perto da intersecção havia três casas bem cuidadas com paredes brancas e limpas, venezianas abertas e carvalhos no jardim. Uma mulher troncuda estava trabalhando em frente a uma delas, tirando roupas úmidas de uma bacia e torcendo-as enquanto assobiava para si mesma. Ela pendurava as roupas em uma corda que ligava a casa a um dos carvalhos para que secassem, embora Owen não entendesse como isso aconteceria visto que o dia estava nublado e sombrio. Claramente ela também era uma otimista.

O jovem andou até ela e tentou gritar, mas sua garganta estava seca e as palavras relutaram para sair. Mesmo assim a mulher escutou e olhou para ele surpresa. Ele ergueu o papel enrugado da propaganda do circo.

– Onde eles estão? – finalmente conseguiu dizer ao se aproximar dela.

A mulher olhou para ele de cima a baixo, mais preocupada com a aparência desgrenhada do rapaz do que com os motivos que levariam um estranho a andar por aquela estrada.

– O circo? Você está atrasado. Eles se apresentaram ontem e partiram nesta manhã.

Ela sorriu.

– Parece que uma sopa quente lhe faria bem. E quem sabe um banho. Posso aquecer o forno e esquentar uma sopa e água...

O estômago de Owen roncou, mas ele sabia que não podia ficar.

– Eles partiram hoje de manhã?

Ela apontou com a cabeça para a bifurcação, indicando a estrada perpendicular.

– Eles foram naquela direção. A temporada já acabou.

Ele fez questão de agradecer antes de correr em direção à estrada. Sabia como a caravana viajava devagar quando ia de um destino a outro. Quando passou pela cabeça de Owen olhar para trás em direção ao conjunto de casas, ele já estava muito distante. Seus pés sabiam onde estavam indo.

O nevoeiro e as nuvens se dissiparam, deixando à mostra um céu azul salpicado de branco. Após subir uma ladeira, ele escutou barulhos adiante, e, ao olhar para baixo, viu um vale com uma fileira de árvores aconchegante.

Ele viu o circo.

Owen olhou para os pavilhões coloridos, as barracas de jogos, as tendas nas quais a trupe dormia, os vagões a vapor e as partes da roda-gigante.

Uma voz brusca o fez virar a cabeça.

– Alto! Quem vem lá?

Um homem rijo saiu das árvores e foi na sua direção brandindo uma espada fina. Owen ficou boquiaberto.

– Tomio!

O homem deixou sua espada cair e correu até Owen para um abraço caloroso.

– É Owenhardy de Barrel Arbor, finalmente ele voltou para nós! Esse sim foi um número melhor do que qualquer um que já fiz.

Tomio recuou um passo e observou o garoto enlameado.

– Você está péssimo. Nem pense em deixar Francesca ver você desse jeito.

Antes que Owen pudesse dizer qualquer coisa, Tomio o puxou pelo braço e gritou em direção ao acampamento:

– Temos visita!

A trupe se virou para ver quem era o desconhecido. O estômago de Owen embrulhou, mas ele não podia recusar a ajuda. E ele era corajoso o suficiente para encarar qualquer coisa, até mesmo Francesca. Depois de tudo que havia feito e visto, percebeu que *aquilo* era o que o deixara mais feliz. Louisa, a mulher barbada, foi a primeira a correr em sua direção.

– Nosso querido garoto está de volta entre nós, no lugar a que pertence! Arrumem comida e roupas para esse camarada!

Louisa puxou os cabelos dele.

– Um corte de cabelo também lhe cairia bem! E fazer a barba... e provavelmente uma boa noite de sono.

– Primeiro as coisas mais importantes.

César Magnusson surgiu com as mãos apoiadas no quadril enquanto o encarava. Magnusson não estava usando sua cartola de costume, e seus cabelos curtos e negros estavam penteados para trás. Mas o mestre de picadeiro parecia diferente sem o bigode extravagante, que havia sido um de seus traços mais marcantes.

Owen olhou para o homem com estranhamento:

– O que aconteceu com seu bigode?

Magnusson descartou o comentário com uma risada.

– Eu apenas não o preparei nessa manhã. Agora que a temporada terminou não há motivo para manter o disfarce.

Owen percebeu algo que estivera bem debaixo de seus olhos o tempo todo. O mestre de picadeiro havia afrouxado os botões de seu traje, deixando de esconder o bojo em seu peito sob a camiseta.

– Você é uma mulher!

– Sempre fui. Meu nome verdadeiro é Cassandra, e não César. É só um corte de cabelo, um bigode falso e um nome. O circo precisa manter suas aparências.

Tomio brandiu sua espada.

– Minha mãe também é boa ilusionista.

– Mãe? – perguntou Owen.

– Preciso manter o disfarce porque um regra obscura dos Anais da Lei proíbe mulheres de terem um circo.

Magnusson revirou os olhos.

– Os legisladores devem tê-la feito em um dia de pouco trabalho. Nem a minha bisavó consegue explicar isso. O Relojoeiro tem regras bobas em excesso.

Então Owen sentiu uma presença, como se linhas de força tivessem começado a se mover pelo chão, e viu o silêncio se espalhar rapidamente pela trupe. Ele se virou e viu Francesca vindo em sua direção. Seus cabelos negros estavam compridos e suntuosos, e seu rosto mais bonito do que nunca. Seus lábios formaram um sorriso íntimo.

– Já estava na hora de você voltar, Owenhardy. Quanto tempo você queria me deixar esperando?

– Você estava... *esperando* por mim?

O coração de Owen deu saltos mais complicados do que aqueles que Francesca era capaz de realizar no trapézio.

– Mas você riu de mim. Você me rejeitou e deixou claro que não queria mais nada comigo. Você disse que não se deixaria prender.

Ela balançou a cabeça com um suspiro sincero.

– Ai, Owen, você tem uma imaginação e tanto e um bom coração, e isso é algo que amo em você. Mas fui pega de surpresa. Eu não estava rindo de *você* – só da hipótese de que eu ficaria contente em ficar em um pequeno vilarejo para sempre. Você consegue me imaginar em Barrel

Arbor? Para ser honesta, eu nunca imaginei que você mesmo conseguiria ser feliz vivendo lá outra vez.

Owen sentiu as pernas bambas, e não era por causa do cansaço e da fome. Não tinha pensado em como *ela* tinha encarado aquele pedido. Ela não quis dizer presa por se casar com ele, e sim presa por morar em um lugar pequeno. Ao olhar para Francesca agora e compará-la com Lavinia, que era quieta e insossa, não conseguia imaginar como aquela mulher incrível e enérgica poderia ser a mulher tímida de um assistente de gerência de um pomar de maçãs.

Francesca se aproximou dele.

– Você fugiu sem nem me dar a chance de sugerir que você ficasse conosco. Se tivesse ficado, eu poderia ter dado uma resposta diferente.

Owen teve dificuldade para encontrar as palavras.

– E você queria isso?

Ela respondeu com um beijo.

O Magnusson Extravaganza estava se dirigindo a um lugar onde costumavam passar o inverno. Durante a temporada de apresentações, o circo viajava pela rota aprovada pelo Relojoeiro ao redor de Albion. Passado esse período, os artistas partiam para longe do território do Relojoeiro, para uma região onde relaxavam e curtiam a companhia uns dos outros.

Owen mal era capaz de lembrar do garoto de olhos arregalados que havia partido de Barrel Arbor. Tornara-se um adulto ao completar dezessete anos e se fizera homem ao prosseguir em sua jornada. Finalmente, ao longo de tudo isso, ele se transformara em um *indivíduo* ao tomar suas próprias decisões e conhecer melhor ao mundo e a si mesmo.

Em uma colina próxima ao acampamento da trupe, ele encontrou uma macieira velha e atrofiada, herança de um pomar há muito esquecido que agora havia sido invadido pelas plantas nativas. Sentou-se para pensar, pois sabia que era isso que deveria fazer.

Francesca caminhou até ele pela grama, atenta como se estivesse andando pela corda bamba. Owen não disse nada , e os dois ficaram sentados juntos, olhando para as nuvens. Ela apontou:

– Aquela lá parece um cavalo.

Ele ficou estupefato.

– Sim, parece.

Mas olhou para ela em vez de olhar para as nuvens.

– Você também vê.

– Claro que sim.

Finalmente ela disse:

– Me desculpa por ter rido e partido seu coração. Eu não entendi.

– Não foi só você – eu fui surpreendido em cada passo do caminho.

Embora ele ouvisse em sua mente os ecos da frase *Eu nunca me deixaria prender dessa maneira!*, disse:

– Das histórias do livro de minha mãe que me deu vontade de fugir para ver Crown City, as pessoas rancorosas de Poseidon, as Sete Cidades de Ouro vazias e os Naufragadores que mataram tantos bons marinheiros sem misericórdia. Mas continuo procurando e torcendo para que ao menos um desses sonhos atenda às minhas expectativas.

Ele balançou a cabeça.

– O pior de tudo é que o Anarquista me enganou, fazendo com que eu saísse de casa com o objetivo de me transformar em um peão de seu jogo. E o Relojoeiro com seus esquemas... eles tentaram me usar como parte de um plano no qual não estou interessado.

Francesca se aproximou e alisou o braço dele.

– Agradeça ao destino por não ser como eles.

Ele soltou fogo pelo nariz ao lembrar de quanta dor eles lhe haviam causado.

– Eu gostaria de poder convencê-los a pararem com seus esquemas.

Ela ajeitou um tufo de cabelo que estava caindo sobre os olhos dele. O cabelo de Owen estava muito mais comprido do que na última vez em que ela o vira.

– Você não pode mudar o Relojoeiro. Você não pode mudar o Anarquista. Você jamais concordará com os motivos deles, então por que valeria a pena perguntar? Talvez eles mudem algum dia, talvez não mudem. Você não pode fazer nada por eles, apenas levar sua vida e desejar a eles o melhor.

– Mas o que devo fazer a respeito? – disse Owen.

Ela se encostou no tronco de uma árvore.

– Lembra daqueles criadores de porcos em Ashkelon naquela vez em que você tentou me defender? Você não pode consertar todo mundo. Vire de costas e vá embora. Se você ficar irritado por tempo demais, isso lhe consumirá por dentro como um veneno.

– Então devo simplesmente esquecer o que aconteceu?

Os olhos dela cintilaram.

– Você não precisa esquecer de tudo, mas você também não é responsável por isso.

Ele pensou naquilo enquanto os dois contemplavam as nuvens.

Owen decidiu não voltar a Crown City, Barrel Arbor, Poseidon ou Cíbola... ou qualquer lugar do qual tivesse preconceitos ou uma impressão precipitada. Ele viajaria com a trupe, mas construiria sua própria vida. Esperava que Francesca ficasse com ele, mas ele aceitaria sua vida independentemente disso.

Torça por mim.

Ele foi até a tenda vermelha da cigana, deu corda e ficou observando enquanto o mecanismo autômato animava o corpo dela. O jovem sentira saudades das conversas que tinha com ela. O brilho débil e azul da quintessência preencheu sua cabeça biológica, e a cigana abriu os olhos remelentos.

– É bom vê-lo outra vez, Owenhardy.

– Você estava dormindo?

– Eu estava sonhando com outras linhas temporais. As outras também são interessantes.

Owen tinha certeza de que o Comodoro Pangloss gostaria muito de conversar com a cigana adivinha.

– E você acha que o Relojoeiro está em todos esses lugares?

– Todos os lugares têm algo parecido com meu pai.

Ele olhou para a anciã caquética que era mantida viva até muito, muito depois do momento em que seu corpo teria falhado como uma máquina quebrada.

– O seu pai é o Relojoeiro?

– O meu pai *se tornou* o Relojoeiro, e eu me tornei isso.

Os mecanismos de seu corpo artificial moveram seus braços, e ela ergueu as mãos com luvas, embora sua cabeça permanecesse ancorada no local de praxe.

– Ele estava tentando me salvar, mas eu vivi o suficiente para perceber as coisas por conta própria.

Ela tinha um sorriso lívido no rosto.

– Foi isso que me tornou uma adivinha tão boa.

Owen se aproximou mais. A corda estava acabando, e os mecanismos da adivinha estavam se mexendo mais devagar.

– E o que você pode adivinhar para mim?

As mãos mecânicas se deslocaram para a frente e para trás, afastando dela o baralho de tarô. Em vez disso, a cigana pegou uma carta com palavras impressas – uma sorte especial.

– Eu sempre soube o seu destino, Owenhardy, mas eu não podia contar antes que você estivesse pronto para ouvi-lo.

– E qual é? – perguntou.

Ela soltou a carta na mesa. Owen pegou e leu as palavras, que ainda tinham um tom críptico para ele. *Cultive seu jardim.*

A corda da adivinha autômata acabou sem que ela explicasse melhor.

EPÍLOGO

A garden to nurture and protect
[Um jardim para cuidar e proteger]

Em vez de simplesmente sentar ao lado da fogueira e entediar meus netos com histórias, como fiz por tanto tempo, decidi escrever minhas memórias para que todos leiam (ou ignorem). Tudo o que sou e tudo o que fiz merece ser lembrado, mesmo que apenas umas poucas pessoas se interessem – como esse garoto, Alain.

Quando vejo a faísca nos olhos castanhos de meu neto, reconheço as emoções da imaginação, uma ânsia de partir atrás das próprias aventuras. Talvez ele acabe não ficando com a trupe e saia para encontrar sua vida e explorar o mundo, ou talvez até outros mundos, como fez minha outra-mãe.

Dei a ele minha mais sincera bênção para que faça aquilo que lhe permita ser feliz, seja o que for. Como aprendi por conta própria, encorajar sonhos demais pode ser perigoso, mas também há recompensas. Quem sou eu para tomar as decisões por outra pessoa? Amo Alain, respeito-o e lhe desejo o melhor.

Sei que tudo tem o seu motivo – porque foi assim no meu próprio caso. Às vezes, as histórias são tudo o que temos, mesmo quando não são totalmente compatíveis com nossas memórias ou com os fatos. Muito tempo atrás, fiquei contente e surpreso ao descobrir que, em seus últimos anos, até meu pai passava todas as noites na Taverna Tick Tack contando minhas aventuras para quem quisesse ouvir. Sei que ele nunca entendeu o que me tirou de uma vida aparentemente perfeita em Barrel Arbor, mas, no fim das contas, acho que mesmo assim ele sentiu orgulho de seu filho...

Quando eu publicar o livro, acho que mandarei algumas cópias para Atlantis, do outro lado do Mar do Oeste. Muito tempo se passou desde que visitei Poseidon. Se tiver o alinhamento certo de tempo e espaço, pedirei à Sra. Courier (ou apenas Courier) que o carregue nas estantes da Livros do Submundo. Talvez ele fique do lado do relato de viagem de minha outra-mãe.

O velho Comodoro Pangloss receberá uma cópia autografada, nem preciso dizer. Talvez outros capitães de vaporeiros também se entretenham com as minhas divagações (tanto a pé quanto na ponta da caneta) durante suas longas e tediosas jornadas. Fiz e vi muitas coisas. Sei que tenho bastante para contar, mas a pergunta que fica é se tenho algo a *dizer*.

Em uma das extremidades de meu jardim há uma estátua de pedra desgastada: a imagem de um anjo. Ela não é capaz de capturar a beleza dos Anjos do Tempo, no entanto não é culpa do escultor. As asas do anjo estão abertas, mas ela é feita de pedra e jamais voará.

Há um aspecto prático em cuidar de um grande jardim, sobretudo quando se tem uma família tão numerosa (e faminta), que inclui toda a trupe. Eles ficam com um apetite e tanto enquanto ensaiam seus números e desempenham as inúmeras tarefas de manutenção entre uma temporada e outra. O halterofilista precisa desenvolver seus músculos, o atirador de facas pratica com seu alvo e os palhaços ensaiam repetidas vezes para que os tombos e trapalhadas ocorram com natural perfeição. Até os trabalhadores braçais precisam carregar os pesados equipamentos, montar as tendas e fazer a manutenção das peças da roda-gigante e dos outros brinquedos. Cada coisa tem seu lugar, e cada lugar tem sua coisa.

A horta alimenta todos eles, mas o propósito da jardinagem não é apenas produzir comida. A beleza é uma recompensa em si, e também sinto muito orgulho de minhas flores – sobretudo dos gladíolos. O nome dessas grandes espigas floridas deriva de *gladius*, que quer dizer espada. Um nome bastante adequado, embora eu jamais entraria em um duelo de flores com o velho Tomio; acho que ele ainda levaria a melhor.

A cada outono eu cavo para retirar os bulbos da terra e acomodo-os em um porão seco e frio até o fim do inverno. Na primavera, planto tudo de novo. Adoro observar os brotos verdes saindo do solo feito adagas. Os membros de minha família são indulgentes, respeitando minhas escolhas e aplaudindo os resultados. Sou capaz de misturar e combinar as cores – amarelo, carmim, pêssego, branco avermelhado, rosa. As abelhas espalham o pólen como bem entendem, enquanto eu executo meus próprios esquemas de polinização. Talvez no fim das contas eu me pareça um pouquinho com o Relojoeiro... mas eu deixo que as abelhas façam suas próprias colmeias onde bem entendem, e cultivar mel selvagem é como uma caça ao tesouro. Uma vida sem riscos é uma vida sem *vida*. O Anarquista não estava sempre errado.

Em Crown City, a uma distância segura, o Relojoeiro mantém sua Estabilidade crente de que está fazendo o melhor para o seu povo. Não sei que fim levou o Anarquista – talvez suas reservas interiores de veneno tenham devorado seu coração. Talvez ele tenha morrido em uma explosão mal planejada. Talvez ele tenha se tornado sensato. Ou talvez ele ainda lute contra o Relojoeiro em uma guerra permanente entre a ordem e o caos. O pêndulo oscila.

Não penso mais nisso, pois tenho meu jardim para cuidar. Tenho de terminar de escrever minha própria história, e vou virando as páginas. Meço a vida de outra maneira.

Enquanto as fileiras de gladíolos crescem, eu vejo espigas ansiosas para florescerem e mostrarem sua beleza para o mundo. Elas se esticam em direção ao céu, mas permanecem ancoradas no chão... como deve fazer um bom sonhador. Corto alguns dos talos mais bonitos e volto para casa. Eles formarão um belo buquê para a mesa de jantar.

Por todos os cantos de nossa grande propriedade familiar, que comprei com o prêmio acidental de joias que encontrei no dirigível dos Naufragadores, pavilhões de treinamento coloridos podem ser vistos à luz clara do dia. Nas tendas de jogos, a trupe está renovando a pintura e se preparando para a temporada. Com um estrondo e uma nuvem de fumaça colorida, outra explosão vem da casa de Tomio – mas é uma explosão pequena e dentro da normalidade, então ninguém lhe dá muita atenção.

Nossos filhos e filhas estão treinando seus movimentos em conjunto no trapézio, um número muito mais complexo e impressionante que aquele de quando Francesca se apresentava sozinha. Eles se movimentam juntos às risadas, como engrenagens de um mecanismo autômato, mas eles também improvisam. *Matando tempo*. Alguns dos netos também estão treinando para participar do número, mas para eles aquilo é mais como uma grande brincadeira. Além de cuidar deles e protegê-los, a maior recompensa que podemos dar a eles é deixar que sejam crianças. Quando a hora chegar, poderão decidir o que desejam fazer.

Minha Francesca continua linda, embora ela insista que não tem mais a agilidade necessária para seu número na corda bamba. Ela passou essa responsabilidade alegremente para a nossa filha mais velha, que agora está treinando a nossa neta Keziah. A jovem salta na corda enquanto se prepara para um truque complicado e perigoso. Ciente de que estamos todos assistindo, ela executa seu número com tanta graça sob pressão que meu coração acelera.

Saltando para o alto, Keziah dá um salto mortal no ar e então agarra as cordas no instante em que suas asas angelicais se abrem por efeito das molas. Ela desliza até o chão e tropeça ao aterrissar de maneira estranha. Mas isso é só um treino, só *brincadeira*, e nós aplaudimos de qualquer forma.

Com um floreio (e uma pontada nas costas), ofereço os belos gladíolos à minha amada Francesca, e ela se vira e sorri para mim. Fico desconcertado ao ver que ela aplicou o bigode pontudo no rosto. A jaqueta preta lhe cai muito bem, mas ela precisará amarrar os seios para escondê-los quando voltarmos para a estrada. Para mim, o mais triste é que, após assumir o papel de César Magnusson depois que sua mãe se aposentou, Francesca precisou cortar seus lindos cachos negros. Nada era capaz de reduzir sua beleza aos meus olhos, nem mesmo um bigode, mas quando vejo o rosto dela não consigo acreditar que sua feminilidade marcante não é evidente para todos os outros, apesar do corte de cabelo masculino. A maioria das pessoas se sente confortável em meio a suas ilusões, e vê o que deseja ver.

Keziah vai até o poste do trapézio, pronta para começar outra vez, embora esteja com dificuldades para guardar o mecanismo de suas asas angelicais. Seus primos riem enquanto ela se contorce.

– Tem certeza que eles praticaram o suficiente? – pergunto.

– A temporada começa em uma semana, então eles já praticaram o suficiente – diz Francesca. – Precisamos cumprir o calendário, ao menos durante parte do ano.

Em dois dias a caravana partirá de nossa propriedade, subirá pela costa e passará a temporada toda se apresentando em um vilarejo depois do outro, até chegar a Crown City. Eles se apresentarão para grandes plateias, até mesmo diante dos Anjos do Tempo em Chronos Square. Eles gostam de viver nos holofotes.

Mas eu nunca gostei de ser o centro das atenções. O que eu mais gostava era estar em meio à trupe. Durante os anos em que viajei com o Magnusson Extravaganza, fiz questão de voltar a Barrel Arbor para visitar meu pai enquanto ele ainda estivesse vivo. Ele era solitário, mas tinha uma rotina agradável sem mim. No começo ele ficou confuso por eu ter decidido partir, mas cedeu e acabou aceitando a ideia. "Não cabe a nós entender".

Lavinia encontrou outra pessoa, casou-se, constituiu uma família e teve uma vida que se encaixava em sua definição de felicidade. Não a vi na plateia de nenhuma de nossas apresentações em Barrel Arbor, mas nunca imaginei que ela gostasse muito de circo. Eu me pergunto se ela sequer lembra de mim.

Nessa temporada, decidi ficar em casa e aproveitar o silêncio. Hora de se aposentar. Com alguns meses de solidão, como na época que passei nas Sete Cidades de Ouro, escreverei meu livro e poderei reviver todas as jornadas daquela grande aventura. Cada momento é uma memória em si. Se eu não escrever, ninguém o fará.

A temporada chega ao fim, eu fico mais velho e as horas passam. Nunca substituí o relógio que me roubaram em Poseidon. Nunca senti falta de um. Aqui os dias são claros e as noites são escuras.

Francesca pega o buquê de gladíolos, me beija (o que me dá coceira por causa do bigode falso) e volto para o jardim, onde um grande e belo relógio solar me diz tudo o que preciso saber sobre o tempo, e esse jardim me ensinou tudo o que preciso saber sobre as medidas de minha vida. A sombra do ponteiro viaja lentamente pelo relógio, e sempre sei que horas são *agora*. No pedestal de pedra no centro do dispositivo há um verso gravado que acho muito significativo, algo que escutei durante minhas aventuras:

O sol nasce, o sol cai
E há todo o tempo entre isso
A esperança é o que resta pra ser visto

Antes de ter recebido corda pela última vez, a adivinha autômata me disse: "Não meça sua vida por cronogramas ou riquezas. O tesouro de uma vida se mede em amor e respeito". Amor e respeito, amor e respeito – tenho carregado essas palavras comigo por anos. Algumas pessoas querem riquezas fantásticas, algumas querem muito poder, e outras (como eu) queriam viver aventuras e conhecer as maravilhas do universo. Alguns, como o Relojoeiro e o Anarquista, querem mudar o mundo (embora de maneiras opostas).

Mas se você raspar a pintura dourada, a fachada repleta de ornamentos, ou simplesmente tirar a camada de poeira, verá que abaixo da superfície todos querem ser amados e respeitados. E uma dessas coisas não serve de nada sem a outra. Amor sem respeito pode ser tão frio quanto um sentimento de pena; respeito sem amor pode ser tão sinistro quanto o medo. Levei muito tempo para entender, mas felizmente, com uma boa dose de pura sorte e o apoio de meus incríveis amigos e familiares, eu percebi ao longo dos anos que o amor e o respeito são os maiores presentes que podemos receber e o maior legado que podemos deixar. É uma elegia que gostaríamos de ouvir com os próprios ouvidos: "Você foi amado e respeitado".

Se uma única pessoa puder dizer isso de mim, considerarei que tudo valeu a pena. Se posso multiplicar isso diversas vezes, vivendo cada dia com a integridade e a generosidade que rendem amor e respeito, alcançarei o verdadeiro sucesso – ao menos da maneira como vejo as coisas. Penso em tudo que fiz. Penso em meus amigos, minha família, na satisfação do circo e no pequeno e completo prazer que tiro de meu jardim. "Você está satisfeito?", a adivinha me perguntou uma vez. "Você está contente com o que fez, com o que está fazendo e com o que vai fazer?"

Uma pergunta complexa, e complexa demais para que um jovem de Barrel Arbor respondesse da maneira correta. Mas depois de ter viajado, observado, vivido e aprendido, eu sei que posso concentrar a resposta em uma única palavra. Sim.

Olho ao meu redor e vejo as fileiras exuberantes de gladíolos, os feijões verdes, os tomates e os milhos descuidados, e até a dúzia de macieiras que plantei em meu novo pomar. Enterrei minhas sementes, cultivei-as com meu otimismo e cuidei do meu jardim. Vou colher o que mereço, e tudo tem o seu motivo.

É um bom jardim.

Os Anjos do Tempo
Músicas

I ➧ CARAVAN

In a world lit only by fire
Long train of flares under piercing stars
I stand watching the steamliners roll by

The caravan thunders onward
To the distant dream of the city
The caravan carries me onward
On my way at last
On my way at last

I can't stop thinking big
I can't stop thinking big

On a road lit only by fire
Going where I want, instead of where I should
I peer out at the passing shadows
Carried through the night into the city
Where a young man has a chance of making good
A chance to break from the past
The caravan thunders onward
Stars winking through the canvas hood
On my way at last

In a world where I feel so small
I can't stop thinking big

II • BU2B

I was brought up to believe
The universe has a plan
We are only human
It's not ours to understand

The universe has a plan
All is for the best
Some will be rewarded
And the devil take the rest

All is for the best
Believe in what we're told
Blind men in the market
Buying what we're sold
Believe in what we're told
Until our final breath
While our loving Watchmaker
Loves us all to death

In a world of cut and thrust
I was always taught to trust
In a world where all must fail
Heaven's justice will prevail

The joy and pain that we receive
Each comes with its own cost
The price of what we're winning
Is the same as what we've lost

Until our final breath
The joy and pain that we receive
Must be what we deserve
I was brought up to believe

III ➼ CLOCKWORK ANGELS

High above the city square
Globes of light float in mid-air
Higher still, against the night
Clockwork angels bathed in light

You promise every treasure, to the foolish and the wise
Goddesses of mystery, spirits in disguise
Every pleasure, we bow and close our eyes
Clockwork angels, promise every prize

Clockwork angels, spread their arms and sing
Synchronized and graceful, they move like living things
Goddesses of Light, of Sea and Sky and Land
Clockwork angels, the people raise their hands—As if to fly

All around the city square
Power shimmers in the air
People gazing up with love
To those angels high above

Celestial machinery—move through your commands
Goddesses of mystery, so delicate and so grand
Moved to worship, we bow and close our eyes
Clockwork angels, promise every prize

"LEAN NOT UPON YOUR OWN UNDERSTANDING*
IGNORANCE IS WELL AND TRULY BLESSED
TRUST IN PERFECT LOVE, AND PERFECT PLANNING
EVERYTHING WILL TURN OUT FOR THE BEST"

Stars aglow like scattered sparks
Span the sky in clockwork arcs
Hint at more than we can see
Spiritual machinery

* Proverbs 3:5 [and In-N-Out milkshake!]

i • THE PEDLAR 1

"What do you lack?"

IV • THE ANARCHIST

Will there be world enough and time for me to sing that song?
A voice so silent for so long
For all those years I had to get along, they told me I was wrong
I never wanted to belong—I was so strong

I lack their smiles and their diamonds; I lack their happiness and love
I envy them for all those things, I never got my fair share of

The lenses inside of me that paint the world black
The pools of poison, the scarlet mist, that spill over into rage
The things I've always been denied
An early promise that somehow died
A missing part of me that grows around me like a cage

In all your science of the mind, seeking blind through flesh and bone
Find the blood inside this stone
What I know, I've never shown; what I feel, I've always known
I plan my vengeance on my own—and I was always alone

Oh—They tried to get me
Oh—They'll never forget me

V ➻ CARNIES

Under the gaze of the angels
A spectacle like he's never seen
Spinning lights and faces
Demon music and gypsy queens

The glint of iron wheels
Bodies spin in a clockwork dance
The smell of flint and steel
A wheel of fate, a game of chance

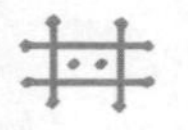

How I prayed just to get away
To carry me anywhere
Sometimes the angels punish us
By answering our prayers

A face of naked evil
Turns the young boy's blood to ice
Deadly confrontation
Such a dangerous device

Shout to warn the crowd
Accusations ringing loud
A ticking box, in the hand of the innocent
The angry crowd moves toward him with bad intent

VI ➻ HALO EFFECT

What did I see?
Fool that I was
A goddess, with wings on her heels
All my illusions
Projected on her
The ideal, that I wanted to see

What did I know?
Fool that I was
Little by little, I learned
My friends were dismayed
To see me betrayed
But they knew they could never tell me

What did I care?
Fool that I was
Little by little, I burned
Maybe sometimes
There might be a flaw
But how pretty the picture was back then

What did I do?
Fool that I was
To profit from youthful mistakes?
It's shameful to tell
How often I fell
In love with illusions again

So shameful to tell
Just how often I fell
In love with illusions again

A goddess with wings on her heels . . .

VII ➻ SEVEN CITIES OF GOLD

A man can lose his past, in a country like this
Wandering aimless
Parched and nameless
A man could lose his way, in a country like this
Canyons and cactus
Endless and trackless
Searching through a grim eternity
Sculptured by a prehistoric sea

Seven Cities of Gold
Stories that fired my imagination
Seven Cities of Gold
A splendid mirage in this desolation
Seven Cities of Gold
Glowing in my dreams, like hallucinations
Glitter in the sun like a revelation
Distant as a comet or a constellation

A man can lose himself, in a country like this
Rewrite the story
Recapture the glory
A man could lose his life, in a country like this
Sunblind and friendless
Frozen and endless

The nights grow longer, the farther I go
Wake to aching cold, and a deep Sahara of snow

That gleam in the distance could be heaven's gate
A long-awaited treasure at the end of my cruel fate

VIII ➥ THE WRECKERS

The breakers roar on an unseen shore
In the teeth of a hurricane
We struggle in vain
A hellish night—a ghostly light
Appears through the driving rain
Salvation in a human chain

All I know is that sometimes you have to be wary
Of a miracle too good to be true
All I know is that sometimes the truth is contrary
Everything in life you thought you knew
All I know is that sometimes you have to be wary
'Cause sometimes the target is you

Driven aground, with that awful sound
Drowned by the cheer from ashore
We wonder what for
The people swarm through the darkling storm
Gather everything they can score
'Til their backs won't bear any more

The breakers roar on an unseen shore
In the teeth of an icy grave
The human chain leaves a bloody stain
Washed away in the pounding waves

All I know is that memory can be too much to carry
Striking down like a bolt from the blue

IX ➻ HEADLONG FLIGHT

All the journeys
Of this great adventure
It didn't always feel that way
I wouldn't trade them
Because I made them
The best I could
And that's enough to say

Some days were dark
I wish that I could live it all again
Some nights were bright
I wish that I could live it all again

All the highlights of that headlong flight
Holding on with all my might
To what I felt back then
I wish that I could live it all again

I have stoked the fire on the big steel wheels
Steered the airships right across the stars
I learned to fight, I learned to love and learned to feel
Oh, I wish that I could live it all again

All the treasures
The gold and glory
It didn't always feel that way
I don't regret it
I never forget it
I wouldn't trade tomorrow for today

I learned to fight and learned to love and learned to steal
I wish that I could live it all again

ii ➻ THE PEDLAR 2

"What do you lack?"

X ➻ BU2B2

I was brought up to believe
Belief has failed me now
The bright glow of optimism
Abandoned me somehow

Belief has failed me now
Life goes from bad to worse
No philosophy consoles me
In a clockwork universe

Life goes from bad to worse
I still choose to live
Find a measure of love and laughter
And another measure to give

I still choose to live
And give, even while I grieve
Though the balance tilts against me
I was brought up to believe

XI ➻ WISH THEM WELL

All that you can do is wish them well
All that you can do is wish them well

Spirits turned bitter by the poison of envy
Always angry and dissatisfied
Even the lost ones, the frightened and mean ones
Even the ones with a devil inside

Thank your stars you're not that way
Turn your back and walk away
Don't even pause and ask them why
Turn around and say goodbye

People who judge without a measure of mercy
All the victims who will never learn
Even the lost ones, you can only give up on
Even the ones who make you burn

The ones who've done you wrong
The ones who pretended to be so strong
The grudges you've held for so long
It's not worth singing that same sad song

Even though you're going through hell
Just keep on going
Let the demons dwell

Just wish them well

XII ➸ THE GARDEN

In this one of many possible worlds, all for the best, or some bizarre test?
It is what it is—and whatever
Time is still the infinite jest

The arrow flies when you dream, the hours tick away—the cells tick away
The Watchmaker keeps to his schemes
The hours tick away—they tick away

The measure of a life is a measure of love and respect
So hard to earn, so easily burned
In the fullness of time
A garden to nurture and protect

In the rise and the set of the sun
'Til the stars go spinning—spinning 'round the night
It is what it is—and forever
Each moment a memory in flight

The arrow flies while you breathe, the hours tick away—the cells tick away
The Watchmaker has time up his sleeve
The hours tick away—they tick away

The treasure of a life is a measure of love and respect
The way you live, the gifts that you give
In the fullness of time
It's the only return that you expect

The future disappears into memory
With only a moment between
Forever dwells in that moment
Hope is what remains to be seen

POSFÁCIO

Por Neil Peart

Esta é uma fotografia que tirei ao lado de Kevin no dia em que começamos a discutir a sério a transformação de *Clockwork Angels* em um romance. Foi em 17 de agosto de 2010, e o local era Mount Evans, no estado do Colorado. Com 4.350 metros, equivalentes a 14.256 pés, Mount Evans é um dos "fourteeners" do Colorado: as montanhas com mais de 14 mil pés. Kevin vive no Colorado, e ele escalou todos os 54 *fourteeners*, muitas vezes com um gravador na mão – enquanto caminha, ele dita os capítulos de seus futuros romances. Naquela ocasião, eu estava em uma turnê com o Rush e tinha um dia de folga entre dois shows em Red Rocks, perto de Denver, de modo que Kevin me convidou para subir com ele um dos *fourteeners* "mais mansinhos".

Durante cerca de vinte anos, Kevin e eu discutimos a ideia de trabalharmos juntos em um projeto que envolveria música, letras e prosa ficcional. A ideia e o momento certos escaparam de nós por muito tempo, mas finalmente ambas as coisas convergiram perfeitamente. É como se a ocasião precisasse esperar até que nós dois estivéssemos de fato *prontos*, enquanto artistas maduros e, talvez, também enquanto pessoas maduras.

Eu havia começado a trabalhar nas letras no fim de 2009, e no início de 2010 a banda gravou as duas primeiras canções do álbum, *Caravan* e *BU2B*. Àquela altura, diversas outras já haviam sido escritas, e eu já tinha em minha mente um mapa geral das letras do disco. Descrevi para Kevin o esqueleto básico da trama e dos personagens, e ele deu diversas ideias maravilhosas para desenvolvê-los. A habilidade de Kevin para a construção de narrativas e universos ficcionais não tem paralelos, e ele aplicou-a totalmente nesse projeto. Começamos a "dar forma" para esse mundo alternativo, construindo sua base e sua infraestrutura. Tínhamos de reforçar e desenvolver as ideias que eu havia rascunhado, explicando como a alquimia poderia se encaixar em um cenário *steampunk* – "o futuro visto do passado". Um passado, digamos, do fim do século dezenove, conforme imaginado por Júlio Verne e H.G. Wells.

Aquilo que se tornou conhecido como o gênero *steampunk* foi iniciado em parte por Kevin em seus primeiros textos de fantasia – quando, como ele diz, "Nós não sabíamos que existia uma 'coisa' da qual fazíamos parte". Às vezes, o *steampunk* também é descrito como "o futuro como ele *deveria* ter sido", pois o gênero retrata com frequência um "futuro alternativo" romântico, e até mesmo utópico. Eu queria que esse mundo fosse assim, que ele não fosse uma distopia, e acho que, apesar do governo opressivo do Relojoeiro, Albion é um lugar bastante *bom*. E quem não gostaria de visitar Crown City e ver os Anjos do Tempo? (E respirar aquela inebriante fumaça colorida?)

No que tange à construção da narrativa, Kevin reconheceu de saída os temas simbólicos do Relojoeiro e do Anarquista – a ordem extrema contra a liberdade extrema –, que eu não havia notado de maneira consciente. Juntos, desenvolvemos suas características e a interação entre os dois, ligando os trechos de enredo "apressadinhos" de minhas canções com tecidos de ligação e maior riqueza de detalhes. Ao longo dos dezoito meses seguintes, nós seguimos compartilhando ideias e sugestões – às vezes diversas vezes ao dia, e cada um de nossos "devaneios" atiçava o outro. Como atestam meus 38 anos com o Rush, eu curto muito colaborar com artistas que pensam como eu. Trabalhar nessa história com Kevin foi um dos projetos mais fáceis de minha vida, mas ainda assim um dos mais gratificantes. Um dos mais fáceis porque quase sempre concordávamos com o que o outro tinha a acrescentar na história, e um dos mais gratificantes porque estou muito orgulhoso do resultado.

O mesmo vale para as contribuições de Hugh Syme, cujos desenhos glorificaram cada trabalho com o nome da banda, ou mesmo o meu nome, desde 1975. Desde a concepção da história de *Os Anjos do Tempo*, Hugh compartilhou de nossa "visão", e juntos desenvolvemos as incríveis ilustrações dele, que tanto enriqueceram a história. Como sempre, ele conseguia transformar qualquer coisa que eu imaginasse em desenhos. *Cândido*, de Voltaire (1759), foi um modelo inicial para o arco narrativo: uma sátira filosófica sobre um jovem otimista e ingênuo cuja criação ("Eu fui levado a crer") não serviu para prepará-lo para as angustiantes aventuras que lhe causaram desilusão, tristeza e desespero. Finalmente, Cândido encontra a paz e a sabedoria em uma fazenda próxima a Constantinopla, trabalhando em seu jardim.

Ao ler *Cândido* pela primeira vez, com vinte e poucos anos, fiquei impressionado ao descobrir que Voltaire era um filósofo com senso de humor – o único que encontrei até hoje, além de Nietzsche (de vez em quando). Desde o início de *Cândido*, a história é costurada com uma agulha de ironia mergulhada no humor ácido, que por vezes se mantém um tom ligeiramente acima do sarcasmo, e após algumas páginas você depara com uma cena de farsa digna de se rir em voz alta, em que o "sábio Dr. Pangloss" está em um bosque "proferindo uma lição sobre filosofia experimental" para uma camareira, uma "mocinha pequena, muito linda e dócil".

A história de Cândido escrita por Voltaire é apresentada em um tom alegre e travesso que, três séculos mais tarde, também seria adotado no texto picaresco de *The Sot-Weed Factor*, de John Barth, que se baseia na obra do francês – outra pequena influência do enredo de *Os Anjos do Tempo*.

O personagem do Anarquista, talvez um vilão clássico, foi parcialmente inspirado em *O Agente Secreto*, de Joseph Conrad, e por um personagem de *In the Skin of a Lion*, de Michael Ondaatje – duas visões bem diferentes de anarquistas, que podem tanto ser idealistas que acreditam que os homens não precisam de líderes, quanto sociopatas brutais e assassinos. (É claro que essas duas polaridades ressoam em nosso próprio universo.) A disposição do parque-circo foi desenhada a partir de *World of Wonders*, de Robertson Davies, e do ótimo romance da geração beat *The Man Who Was Not With It*, de Herbert Gold.

A fascinante história da exploração espanhola no que hoje é o Sudoeste dos Estados Unidos foi amplamente motivada por uma lenda persistente das Sete Cidades de Ouro. Kevin e eu achávamos esse cenário irresistível, porque ambos viajamos muito, tanto a pé quanto sobre rodas, pelos desertos ocidentais de Utah, Arizona, Novo México e Califórnia. (Embora eu não estivesse ditando livros ao longo do caminho.) Os ecos são claros nos arcos e demais formações rochosas do sul de Utah, na "Ilha no Céu" do Parque Nacional Canyonlands e em Acoma, a "Cidade do Céu", e os povoados abandonados do Novo México.

Em contraste, a ideia para os Naufragadores veio de outro "Velho Oeste": Cornwall, na Inglaterra. As informações vieram de alguns dos contos de Daphne du Maurier situados naquela região, tanto ficcionais como históricos. Anos atrás, eu li *Jamaica Inn* e outros textos situados naquela região durante os séculos XVIII e XIX, e fiquei aterrorizado ao saber que as pessoas não apenas saqueavam navios afundando sem se preocupar em resgatar os sobreviventes, mas também tinham o sangue frio de atraí-los para a má sorte com falsos faróis.

Duas canções que entraram no álbum apenas no fim, *Halo Effect* e *Headlong Flight*, tiveram suas próprias histórias. Durante nossa caminhada pelo Monte Evans, Kevin e eu também conversamos sobre nossas juventudes e o tipo de ilusões inocentes que haviam colorido nossas histórias. A conversa foi transformada em *Halo Effect*. No fim de 2011, meu amigo de longa data e professor de bateria, Freddie Gruber, faleceu aos 84 anos. Perto do fim, ele montava reuniões com seus amigos e estudantes, que ficavam ao redor dele para escutar histórias de sua vida aventureira: a Manhattan dos anos quarenta, a Las Vegas dos anos 1950, e Los Angeles dos anos sessenta até os dias presentes. Então ele balançava a cabeça e dizia: "Eu tive um passeio e tanto. Queria poder fazer tudo de novo". Senti-me inspirado a ecoar aquele lamento na canção *Headlong Flight*, embora eu nunca tivesse me sentido daquela maneira. Ao contrário, por mais que eu goste de minha vida atual, fico feliz por não precisar fazer tudo de novo.

Essa dicotomia se reflete no fim de *Cândido*. O Dr. Pangloss continua abraçado à sua filosofia baseada em Spinoza, acreditando que "tudo tem seu motivo neste que é o melhor dos mundos possíveis", e Voltaire se deleita ao cutucar essa crença ao longo de todo o romance. (Senti a mesma coisa em relação a um maldoso pronunciamento de Schopenhauer, que diz aquilo que Owen Hardy foi "levado a crer": "Toda grande dor, seja ela corporal ou espiritual, expressa aquilo que merecemos: pois ela não poderia nos atingir, se não a merecêssemos". *Ultrajante!*)

Na cena final de *Cândido*, o personagem que dá nome ao livro expressa sua impaciência com a filosofia e revela a sabedoria pragmática que acumulou. "Às vezes Pangloss dizia a Cândido: 'Todos os acontecimentos estão encadeados no melhor dos mundos possíveis; pois, afinal, se não tivesses sido expulso de um belo castelo com grandes pontapés no traseiro, por causa do amor da senhorita Cunegundes, se não fosses apanhado pela Inquisição, se não tivesses percorrido a América a pé, se não tivesses dado uma boa espadada no barão, se não tivesses perdido todos os teus carneiros do bom país de Eldorado, não estarias comendo aqui cidras em calda e pistaches'. 'Isso está bem dito, respondeu Cândido, mas é preciso cultivar nosso jardim'."

Kevin e eu nos divertimos muito inventando os nomes para os lugares e personagens. As palavras em inglês para componentes de relógio deram origem a Barrel Arbor, Winding Pinion River, Crown City e seus bulevares em círculo (Crown Wheel, Balance Wheel e Center Wheel) e os Reguladores. Albion é uma palavra antiga para designar a Inglaterra, enquanto Poseidon era a lendária capital de Atlantis. Cíbola era um dos nomes espanhóis para as Sete Cidades.

Em 1527, uma expedição espanhola de seiscentos homens partiu para o local onde atualmente fica a Flórida com o objetivo de ocupar o Novo Mundo. Em uma terra sem mapas, eles logo ficaram perdidos, e seu contingente foi desfalcado pela fome, pela sede, pelas doenças, pelas intempéries, por um furacão e pelos nativos, que tomaram escravos do grupo (um prenúncio irônico). O tesoureiro da expedição era Álvar Núñez Cabeza de Vaca (na verdade, "cabeça de vaca" era considerado um

elogio, e não um insulto), e ele acabou se tornando o líder dos únicos quatro sobreviventes que chegaram à Cidade do México após todas aquelas tormentosas aventuras. Outro improvável sobrevivente foi um soldado africano, Esteban, e ele e Cabeza de Vaca foram os primeiros a difundir a lenda das Sete Cidades de Ouro. Suas histórias acabariam por seduzir muitos outros aventureiros.

O nome de palco do Anarquista ao lado da trupe, D'Angelo Misterioso, deriva de uma pequena curiosidade do mundo do rock: o pseudônimo de George Harrison ao tocar na canção *Badge*, do Cream, que ele ajudou a compor e para a qual contribuiu com as gravações de guitarra, foi L'Angelo Misterioso. O Beatle não podia usar seu nome verdadeiro por questões contratuais.

No início, Kevin e eu estávamos construindo a história em volta de um personagem ao qual nos referíamos apenas como "Nosso Herói", mas precisávamos de um nome de verdade – então sugeri que usássemos as iniciais de "Nosso Herói" (Our Hero, em inglês): Owen Hardy. (Owen vem de um livro de imagens de minha filha, Olivia, e Hardy porque a cidade de Barrel Arbor tinha um ar bucólico e pitoresco digno de Thomas Hardy.)

Kevin queria que o primeiro amor de Owen tivesse certo sabor de "vanilla" (baunilha, em inglês), então sugeri Lavinia, que era quase um anagrama. Com a onipotência de um criador de mundos, eu estava determinado a fazer desta sociedade uma grande mistura de características raciais, desde as cores de pele até os nomes, e assim Kevin e eu decidimos pelo nome Paquette para a família dela (em *Cândido* há uma mulher decadente chamada Pacquette) e trouxemos para a história Oliveira, Huang, Tomio, Francesca, Guerrero ("guerreiro", em espanhol) e assim por diante. A mãe de Owen se chama Hanneke Lakota que, assim como sua pele escura, sugere que ele poderia ter algum sangue dos índios estadunidenses.

Kevin também se divertiu ao costurar diversas referências a letras do Rush, e embora elas não atrapalhem a experiência de leitura daqueles que não pescarem, elas poderão entreter aqueles que perceberem. (Talvez algum dia nós organizaremos um concurso para ver quantas delas as pessoas são capazes de encontrar.)

Todos esses detalhes surgiram ao longo de diversos rascunhos, com atenção especial para as cenas específicas no meio tempo. E notas breves foram trocadas em rajadas de bala. Kevin escreve incrivelmente rápido, muitas vezes trabalhando em mais de um projeto ao mesmo tempo, mas ele é capaz de se concentrar por completo em qualquer história, porque enquanto ele as escreve, ele as *vivencia*. Às vezes, enquanto estava escondido em uma cabina nas montanhas do Colorado, trabalhando na história, ele concluía uma anotação com algo como "Agora preciso fazer coisas terríveis com Owen em Poseidon".

Em meados de maio de 2012, Kevin me enviou o que ele considerava a versão final de *Os Anjos do Tempo*. Imprimi uma versão e levei-a comigo para uma cabine em meio às sequoias de Big Sur. O sol era filtrado pelas grandes árvores, gaios azuis visitavam o parapeito de minha janela, o rio Big Sur murmurava em seu leito rochoso e a fumaça das fogueiras nas redondezas perfumava o ar.

Que prazer foi ler a nossa história daquela maneira, imerso nela como se fosse a primeira vez, apesar de já ter lido diversos trechos aleatórios! E realmente a *senti*– a tristeza de Anton Hardy por ter perdido a mulher e as tentativas de Owen de encontrar seu caminho – de descobrir *a si mesmo* – por meio das tribulações que o tornaram um homem forte e justo. Em resposta às sugestões feitas por sua editora (e esposa) com olhos de lince, Rebecca Moesta, por alguns "leitores de teste" e por mim mesmo, Kevin adicionou diversos toques de detalhe e humor – como o deboche dos três palhaços imitando seus companheiros da trupe. (Nem tem por que dar os parabéns para quem descobrir quem serviu de modelo para eles três!) Ele também desenvolveu um pouco mais algumas de suas maravilhosas "invenções", como o planetário autômato, o "Imaginarium" e a Calculadora do Destino, que eu já considerava surpreendentes, além de ter costurado alguns detalhes esplêndidos em cenas como aquela da apresentação dos Anjos do Tempo.

Após terminar aquela leitura final e me servir uma bebida de comemoração para fazer um brinde às grandes árvores, aos pássaros, aos gaios, ao rio e ao livro, escrevi para Kevin:

"*Com os olhos turvos, mas triunfante, acabo de terminar um dia prazeroso que passei lendo o livro em minha cabine no bosque. Embora eu estivesse encarando a tarefa como um tipo de 'obrigação', a experiência acabou se revelando muito prazerosa.*"

Depois de um pouco de "discussão técnica", sobre vários detalhes e melhorias, concluí:

"*Toda a seção final, dos Naufragadores em diante, pareceu um grande clímax emocional, não apenas dramático.*

Estou muito feliz por termos tornado isso realidade."

AGRADECIMENTOS

Muitas pessoas nos ajudaram a criar essa história, o mundo, os personagens e as palavras usadas para transmiti-la. Agradecimentos especiais para Geddy Lee, Alex Lifeson, Hugh Syme, Pegi Cecconi, Bob Farmer; Rebecca Moesta, Louis Moesta, Deb Ray, Steven Savile; Jennifer Knoch, Jack David, David Caron, Erin Creasey, Sarah Dunn, e Crissy Boylan da ECW; e John Grace da Brilliance Audio.